ÉTHIQUE DE NICOMAQUE

Du même auteur
dans la même collection

DE L'ÂME.

PARTIES DES ANIMAUX, LIVRE I.

LES POLITIQUES.

ARISTOTE

ÉTHIQUE DE NICOMAQUE

Traduction, préface et notes
par
Jean Voilquin

GF Flammarion

ISBN 2-08-070-043-X

PRÉFACE

Si le nom d'Aristote a été prononcé, au cours des siècles, avec une ferveur admirative, il n'y a pas lieu de s'étonner. Ce philosophe clôt magnifiquement la belle période de l'hellénisme, dont il a recensé, avec un soin minutieux, les connaissances intellectuelles et scientifiques; son génie universel a fait la somme des acquisitions réalisées de son temps; il a fourni un labeur extraordinaire pour les ordonner, les classer, tout en fondant une philosophie qui constitue une des œuvres maîtresses de l'esprit humain.

Sa vie, malgré les gloses de toute sorte qu'elle a provoquées, ne nous est connue que dans ses grandes lignes. Né à Stagire en 384 avant J.-C., il est mort à Chalcis en 322. On n'a pas manqué de relever la signification de ce lieu de naissance, dans une colonie ionienne, située sur la côte macédonienne, à peu de distance du monde barbare. Aristote ne sera athénien que par adoption – et momentanément. La cour des rois de Macédoine – son père, Nicomaque, était médecin du roi Amyntas – exercera sur lui un puissant attrait.

A dix-sept ans, Aristote vint à Athènes; il y entendit Isocrate et se mit à l'école de Platon. Certes, il sera amené par le développement de sa pensée à prendre maintes fois une attitude opposée à celle de son maître, principalement en ce qui concerne la doctrine des

Idées, qui choquait son esprit réaliste. Mais rien ne nous autorise à croire qu'un différend grave s'éleva entre les deux philosophes ; nous avons, au contraire, la preuve qu'Aristote a toujours conservé à son maître un souvenir reconnaissant.

Pour des raisons qui nous sont mal connues, Aristote s'absenta d'Athènes entre 347 et 342. Il séjourna à Atarnes, en Asie Mineure, auprès d'Hermias, tyran de cette ville ; sans doute l'avait-il connu à Athènes. Après la mort d'Hermias, il épousa Pythias, sa fille ou sa nièce.

En 342, Aristote se rendit en Macédoine, pour diriger l'éducation d'Alexandre, fils de Philippe. Comment remplit-il cette charge ? Nous pouvons supposer qu'il chercha à développer chez son élève les qualités de mesure, de modération, de raison tempérée qu'il a si parfaitement prônées dans ses différents ouvrages. Mais, dans l'âme du prince, une étrange hérédité semble avoir jeté le germe des défauts opposés : orgueil démesuré, désir manifeste, au cours de sa conquête, de se faire ranger au nombre des Dieux*.

Quoi qu'il en soit, ces fonctions le retinrent jusqu'en 335, date à laquelle Alexandre se mit à préparer son expédition en Asie ; elles eurent ce résultat de faire d'Alexandre un lettré que les soins de la guerre ne détournèrent pas entièrement des préoccupations intellectuelles. On a dit qu'il avait fourni à son maître des facilités pour poursuivre ses recherches scientifiques. Alexandre lui faisait envoyer d'Asie toutes les espèces d'animaux rares susceptibles de l'intéresser. Le meurtre de Callisthène, neveu d'Aristote, paraît avoir interrompu, ou du moins ralenti, un si beau commerce intellectuel (325)**.

Dès le départ d'Alexandre, Aristote était revenu à Athènes. Il fonda alors l'école du Lycée, appelée aussi péripatéticienne, d'après les promenades au cours des-

* Georges Radet, *Alexandre le Grand*.

** Id. M. Radet montre que Callisthène représentait, auprès d'Alexandre, la tendance panhellénique, qui devait être vaincue le jour où le roi de Macédoine donna décidément la préférence aux influences et aux aspirations asiatiques.

quelles le maître dispensait à ses élèves son enseignement. Celui-ci se partageait entre deux séries de leçons : « celles du matin, plus difficiles et réservées à un public d'initiés ; celles du soir, plus accessibles à tous et où l'enseignement de la rhétorique tenait une large place ; les premières dites acroamatiques (ou ésotériques), les secondes exotériques* ».

Après la mort d'Alexandre, Aristote quitta Athènes pour éviter d'être victime de la violente réaction antimacédonienne qui s'y produisit. Il se retira à Chalcis et y mourut l'année suivante (322). Le philosophe laissait une fille appelée Pythias, du nom de sa femme, fille d'Hermias, et un fils, Nicomaque, qui avait reçu le nom du père d'Aristote. Le testament du philosophe, que Diogène Laërce nous a transmis, traduit, ce qui ne saurait nous étonner, une très haute élévation de pensée.

Il ne saurait être question, ici, de présenter un résumé, même sommaire, de l'œuvre entière d'Aristote.

Avant de donner un aperçu de ses idées morales, et principalement de la *Morale de Nicomaque*, indiquons les grandes divisions qu'on peut introduire dans cette production considérable. L'Antiquité lui attribuait plus de 400 traités. De cette masse, il nous reste « 47 ouvrages à peu près complets et des fragments d'une centaine d'autres**. » Pourquoi tant de pertes ? Dans quel état d'intégrité et d'authenticité ces écrits nous sont-ils parvenus ? Autant de questions qui ont mis à l'épreuve la sagacité des érudits ; parfois même la critique a montré un scepticisme exagéré.

Aristote avait écrit des lettres, des poèmes, des dialogues inspirés de la méthode platonicienne, des ouvrages d'érudition, relatifs soit à l'histoire naturelle, soit à l'histoire et à la politique, soit à la rhétorique et à

* A. et M. Croiset, *Histoire de la littérature grecque*.

** A. et M. Croiset, *Histoire de la littérature grecque*, t. IV, p. 684.

la poésie*. Mais, si l'on veut pénétrer à l'intérieur de la doctrine aristotélicienne, c'est aux traités systématiques qu'il faut s'adresser. Ceux-ci étudient la science sous deux aspects : théorétique et pratique. La science théorétique s'intéresse à la métaphysique et à la physique ; la science pratique à la politique et à la morale, à la logique et à la poétique.

Quatre traités de morale sont attribués à Aristote : *Éthique de Nicomaque*, *Éthique d'Eudème*, *Grande Morale*, *Traité des Vertus et des Vices*.

On a beaucoup discuté l'authenticité de quelques-uns de ces ouvrages. « Aristote n'a pu écrire lui-même trois Morales », dit, un peu péremptoirement, Croiset**. La *Morale d'Eudème* est, probablement, une rédaction des leçons d'Aristote, œuvre de son disciple Eudème***. La *Grande Morale* « est un traité assez court, malgré son titre, mais complet, composé par un péripatéticien inconnu ».

Cette opinion est partagée par M.G. Rodier****, qui juge la *Morale de Nicomaque* seule authentique. Ce sont là des présomptions. Toutefois la présence simultanée de plusieurs chapitres dans deux Éthiques, des additions manifestes, certains renvois peu clairs posent des problèmes critiques, qu'il ne nous est pas loisible d'aborder ici*****. A lire, sans idée préconçue, l'*Éthique de Nicomaque*, on a l'impression d'un ouvrage complet, certes, obéissant à une unité de plan, mais dont la plus grande partie a été hâtivement rédigée, avec peu de recherche de style, une préoccupation dominante d'avoir sous la main les références, les exemples utiles à une démonstration. Bref, il s'agirait plutôt de notes, destinées à faciliter l'exposé d'un cours

* Id. passim.

** P. 710.

*** C'est pourquoi nous l'intitulons *Morale d'Eudème*.

**** G. Rodier, *Éthique de Nicomaque*, 1. X. Delagrave, 1877.

***** Cf. Festugière, *Le Plaisir* (*Éthique de Nicomaque*, 1. VII et X). Vrin, éditeur.

public, que d'un ouvrage auquel l'auteur aurait mis la dernière main. Certains livres (*Éthique de Nicomaque*, V, VII) figurent textuellement dans l'*Éthique d'Eudème*. M. Rodier estime que ces parties seraient celles auxquelles Aristote aurait mis la dernière main.

Mais à ce cours de morale, destiné à former l'essentiel d'un enseignement, pourquoi le nom du fils d'Aristote se trouve-t-il associé ? Nous ne voyons nulle part trace d'envoi ou de dédicace. Il est possible, il est vraisemblable que Nicomaque ait été chargé de publier, avec les documents d'Aristote, la morale qui porte son nom. Cette hypothèse plausible expliquerait même certains remaniements qui auraient eu pour objet de donner à l'œuvre plus de cohésion et d'unité. Aussi l'appelons-nous *Morale de Nicomaque*. En admettant même, comme Susemihl, pas mal d'additions et d'arrangements postérieurs, force nous est de reconnaître que l'ouvrage, confronté aux autres compositions d'Aristote, reflète assez exactement la pensée aristotélicienne.

Essayons de donner des idées morales d'Aristote une vue sommaire. Dès les premières pages de la *Morale de Nicomaque**, nous découvrons chez le penseur un des traits qui caractérisent essentiellement son esprit : l'intention bien arrêtée de s'appuyer sur les données du sens commun, d'admettre dans son audience la foule, les vieillards, les sages, bref de fonder son étude sur l'expérience, de ne pas se laisser égarer par les abstractions platoniciennes. L'éthique ne peut arriver à la rigueur des démonstrations mathématiques. Tout le monde donc, le commun des hommes comme les esprits cultivés, s'accorde pour admettre que le but le plus élevé de la pratique, c'est le bonheur. On n'a pas manqué de souligner cette importance accordée à la recherche du bonheur par Aristote *(eudémonisme)*. Certains philosophes chrétiens, comme Ollé-Laprune**, la lui ont même assez vivement reprochée. Il ne saurait évidemment être question de biens uniquement maté-

* Nous suivons ici l'exposé de M. Rodier.
** *Essai sur la Morale d'Aristote*, 1881.

riels, comme la richesse et la santé, qui, d'ailleurs, comme nous le verrons, ne sont nullement méprisables aux yeux du philosophe. Mais le bien de l'homme consiste dans l'exercice de son activité purement humaine. « Quelle est l'activité propre de l'homme ? Ni celle de tout être vivant et qu'il partage avec les plantes et les animaux ; ni celle qui lui est commune avec ces derniers, désirs et sensations, mais une activité qui n'appartient qu'à lui, en tant que l'âme par laquelle il vit est une âme douée de raison*. »

Le bien étant défini par le bonheur, le bonheur se définit par le plaisir. La vertu, qui conduit au bonheur par le plaisir et le bien, n'est ni une passion, ni une puissance : elle est essentiellement une habitude, mais, pour être vraiment complète, elle doit être volontaire, suivre le choix ou la préférence qui résultent de la délibération. L'intention droite donne à l'acte sa valeur morale.

Plusieurs caractères encore précisent la nature de la vertu ; celle-ci, quelle qu'elle soit, évite tout excès et tout défaut, ce qui donne à Aristote l'occasion de faire des développements et de donner des précisions parfois un peu longs et fastidieux. De plus, la vertu éthique se compose de deux éléments, l'un volontaire, déterminant le but, l'autre intellectuel, qui précise les moyens à employer pour atteindre le but. Aussi bien n'y a-t-il pas de vertu sans science — non pas cependant au sens où l'entendait Socrate, qui identifiait science et vertu. Elle ne saurait, non plus, se passer de l'action. « Le bonheur consiste donc, non pas dans la vertu même, mais dans l'activité ou la fonction conforme à la vertu, et à la vertu la plus excellente de toutes, la sagesse**. »

Cette activité étant accompagnée de plaisir, la vie de l'homme vertueux sera agréable et heureuse ; le plaisir en est l'épanouissement naturel, une sorte de lustre qui emprunte sa couleur aux objets qu'il revêt, selon l'expression d'Aristote. Non pas que le philosophe

* Robin, *La Morale antique*, p. 103.
** Rodier, *Éthique de Nicomaque*, l. X.

oublie ou veuille nier les malheurs auxquels le sage, comme un autre, se trouve exposé. Il est trop grec pour ne pas connaître les malheurs qui ont accablé Priam, par exemple. Le sage n'est pas un stoïcien ; il n'est pas non plus un chrétien avant la lettre. Admirons cette modération du moraliste qui ne veut pas rebuter les bonnes volontés ; sachons-lui gré de ne pas placer la sagesse à des hauteurs inaccessibles.

Et voici qui est aussi un trait caractéristique de l'esprit grec : l'éthique a comme complément naturel la politique. L'homme, étant un être sociable, ne trouvera son plein épanouissement que dans le milieu social. Là seulement, il pourra réaliser la vertu et le bonheur en acte. Cette conception n'est pas sans nous surprendre en un temps où le manque d'harmonie est sensible entre les aspirations individuelles et les nécessités sociales, notre société n'ayant pas su ou pas pu fondre heureusement ces deux sortes de besoins légitimes ; les sages s'avouent souvent rebutés par les exigences de l'action politique, qu'ils abandonnent aux mains de faiseurs d'illusions ou de politiciens professionnels. Pour Aristote, au contraire, les intérêts de la cité et du citoyen sont pleinement d'accord.

Toute cette analyse est très habilement menée. D'autres parties contiennent des raisonnements un peu trop subtils ; tel le passage où il prétend montrer que « le véritable égoïsme — puisque nous nous aimons dans les autres — consiste à sacrifier les biens physiques, et au besoin sa vie, à sa patrie et à ses amis ; en pratiquant la justice, la plus altruiste des vertus, l'homme ne cesse de poursuivre son propre avantage ». Ce paradoxe nous renvoie à l'étude de l'amitié, si justement célèbre et si habilement poursuivie par le moraliste.

Les commentateurs d'Aristote n'ont pas manqué de signaler dans sa pensée une certaine contradiction visible, surtout au livre X. M. Robin* déclare sans ambages : « La cohérence semble être ce qui manque le

* *La Morale antique*, p. 122.

plus à la morale du fondateur de l'éthique. » M. Rodier*, avec plus de nuances, souligne cette contradiction. Disons brièvement en quoi elle consiste. Aristote eût pu s'en tenir à l'étude que nous venons de résumer à grands traits. Sa morale, caractérisée par l'utilitarisme et l'eudémonisme, se suffisait à elle-même ; n'avait-il pas tracé aussi le portrait de l'homme véritablement heureux, qui, ayant développé moralement et harmonieusement ses facultés, doué d'une manière suffisante de biens extérieurs, exerçait, au sein de la cité, ses fonctions humaines dans toute leur plénitude ?

Mais aussi toute morale vraiment digne de ce nom ne s'achève-t-elle pas en métaphysique ? Ne faut-il pas aussi expliquer l'inférieur par le supérieur et non, comme on est trop tenté de le faire maintenant, le supérieur par l'inférieur ? Et voici l'affirmation nouvelle d'Aristote : l'homme ne trouve son souverain bonheur que dans la pensée et la contemplation pures. Par là, il approche, autant qu'il est en lui, du Dieu aristotélicien, heureux et bienheureux, susceptible d'un seul acte, la pensée qui se pense elle-même. Il serait donc nécessaire de compléter la pensée d'Aristote, déjà fort explicite au livre X de la *Morale de Nicomaque*, par des renseignements puisés dans la *Métaphysique* et la *Politique*. En somme, après avoir longuement défini la vertu humaine, que l'on peut atteindre en tant qu'homme, le philosophe nous propose ici une vertu surhumaine, à laquelle on ne peut accéder que dans la mesure où l'on possède en soi quelque chose de divin. L'origine des hésitations d'Aristote viendrait, selon M. Robin**, de son analyse de l'intelligence : « celle-ci, chez lui, fait tantôt figure de procédé discursif, tantôt de procédé intuitif ». Quoi qu'il en soit, ce couronnement donné à son système moral, même au prix de quelques hésitations, garde toute sa valeur propre.

* *Éthique de Nicomaque*, l. X.
** Robin, p. 121.

Nous voudrions maintenant souligner l'accord de cette éthique aristotélicienne avec la pensée hellénique et en indiquer l'intérêt actuel.

L. Boutroux* a excellemment souligné le caractère aristocratique de la morale grecque en général, mais les lignes suivantes s'appliquent de point en point à la morale d'Aristote :

« La sagesse hellénique s'était développée dans un milieu très cultivé, au sein d'un monde de sages, d'heureux, de privilégiés, tels qu'étaient les hommes libres des cités grecques. Elle ne pouvait convenir à une multitude comme celle que l'égalité et l'instruction croissantes appelaient à la vie morale dans l'empire romain. Est-ce à la foule qu'on peut demander de faire prédominer la science sur l'action, l'intelligence réfléchie sur le sentiment et l'instinct ? La foule ne peut être savante et c'est le sentiment, sinon l'instinct, qui la mène. La morale grecque est une morale aristocratique ; c'est donc une morale qui ne convient qu'à un petit nombre. »

Aristote n'entend pas établir des règles pour les enfants, les esclaves, les ouvriers manuels. Il ne s'adresse qu'à des hommes libres, réfléchis, ayant fait de la pratique des vertus une habitude consciente, à tous ceux qui sont doués de raison active. Le sage, tel qu'il l'envisage, est humain, tout dévoué à la cité, mais il sait prendre plaisir à la vie, en apprécier exactement les biens ; il se haussera davantage encore le jour où, dans une cité capable de favoriser l'exercice de la pensée pure, il pourra lui aussi se consacrer à la contemplation, but dernier de la sagesse.

Ne risque-t-il pas de perdre de vue les nécessités de l'action ? Il ne les a pas oubliées. Il leur a accordé la part qu'elles méritent, puisqu'elles sont comme la base sur laquelle il appuie son effort.

* *Questions de morale et d'éducation*. Cf. article de la *Grande Encyclopédie*, par le même.

Pour les raisons que nous venons d'indiquer, la pensée d'Aristote a gardé un vif intérêt d'actualité. Dans l'article sur Aristote recueilli dans ses *Études d'histoire et de philosophie*, Boutroux écrivait : « La morale d'Aristote, et même, en plusieurs points importants, sa politique, loin d'être oubliées, sont plus que jamais en vigueur. Les préceptes de vivre en homme quand on est homme, d'attribuer en politique la véritable souveraineté à la raison et à la loi, ne sont pas près de tomber dans l'oubli. » Nous voulons le souhaiter; malheureusement nous assistons, non pas à un obscurcissement des notions morales, qui pourrait n'être que passager, mais à un véritable effondrement des idées que les anciens avaient pu imaginer avoir solidement établies.

Notre temps éprouverait le plus grand bénéfice à revenir aux conceptions simples, mais si lumineuses d'Aristote. Loin de faire appel aux parties supérieures de l'âme humaine, on suscite en elle on ne sait quelles puissances obscures, primitives et barbares qui, paraît-il, mettraient l'homme en communication avec la nature divine, ou avec une divinité qu'il répugne à la raison de concevoir. Et que dire de l'organisation des États, quand on y discerne le déchaînement des instincts les plus bas, quand des peuples ivres d'illusions et gorgés de prétention s'inspirent d'un mysticisme naïf et menaçant, tout en réduisant l'individu au rôle d'unité docile et d'instrument passif au service d'idées toutes faites, élaborées par ses maîtres! Bien rarement, de nos jours, apparaît le développement harmonieux qui permet à l'homme de donner toute sa mesure, l'intègre dans une société rationnellement construite et, tout en exigeant son obéissance aux lois, lui laisse, comme une rare et précieuse récompense, la possibilité de goûter les joies de la contemplation.

Tels sont quelques-uns des mérites de la *Morale de Nicomaque*. Certes l'œuvre est austère. On y trouve un abus de la discussion logique, une concision extrême, des analyses de valeur inégale, des répétitions, des obscurités, voire des contradictions, capables de dérouter un lecteur non préparé. En revanche, que d'exemples judicieusement analysés, de formules inoubliables. On comprend l'enthousiasme suscité par cet ouvrage, malgré quelque complaisance aux préjugés du temps et peut-être quelques lacunes. Par lui on peut mesurer à quelles hauteurs la pensée grecque s'était élevée.

Nous n'insisterons pas sur les difficultés que nous avons rencontrées. Le texte de Susemihl que nous avons pris pour base est consciencieusement et judicieusement établi. Mais que de pierres d'achoppement pour le traducteur, ne serait-ce qu'une concision déconcertante! Les traductions, déjà anciennes, de Barthélemy-Saint-Hilaire et de Thurot, dont nous ne méconnaissons pas les mérites, nous ont paru parfois trop longues et affecter l'allure d'un délayage. Nous avons préféré, quitte à encourir le reproche d'obscurité, demeurer plus près du texte, auquel nous nous sommes cru lié.

Aristote lui-même se plaint de ne pas avoir de mots qui traduisent la nuance exacte de sa pensée. Nous avons éprouvé, nous aussi, cette difficulté au cours de notre traduction, dans cette lutte incessante que livre le traducteur pour obtenir une version satisfaisante. Il n'est que juste de dire aussi que la prose d'Aristote est loin d'avoir l'aisance, la facilité élégante de celle de Platon.

Ajoutons, pour terminer, que nous devons des remerciements particuliers à M. Jean Capelle, professeur honoraire au lycée Saint-Louis, qui a bien voulu nous aider dans la préparation et la révision de notre traduction, l'établissement des notes, la correction des épreuves.

Jean VOILQUIN.

BIBLIOGRAPHIE*

A) TEXTES.

Édition Firmin-Didot, avec traduction latine.

Susemihl, 2e édit. Teubner, Leipzig, 1903.

Bywater-Oxford, 1894.

G. Rodier, livre X. Delagrave.

B) TRADUCTIONS.

Thurot, Firmin-Didot, 1823.

Barthélemy-Saint-Hilaire, 3 vol., 1856.

Gauthier et Jolif, Nauwelaerts, 1958.

C) COMMENTAIRES ET ÉTUDES GÉNÉRALES :

Aubenque, *La Prudence chez Aristote*, PUF, 1963.

Boutroux, *Aristote* (article de la *Grande Encyclopédie*).

Festugière, *Le Plaisir* (1. VII et X). Vrin, édit.

Gauthier, *La Morale d'Aristote*, PUF, 1958.

Ollé-Laprune, *La Morale d'Aristote*, 1881.

Rivaud, *Les grands courants de la pensée antique*. A. Colin.

Roland-Gosselin, *Aristote*. Plon.

Robin, *La Morale antique*. F. Alcan, 1938.

* Nous ne mentionnons pas ici les ouvrages anciens déjà, mais indispensables, sur la philosophie grecque.

LIVRE PREMIER

[Le bien et le bonheur.]

CHAPITRE PREMIER

Tout art et toute recherche, de même que toute action et toute délibération réfléchie, tendent, semble-t-il, vers quelque bien. Aussi a-t-on eu parfaitement raison de définir le bien : ce à quoi on tend en toutes circonstances[1] **1.** Toutefois il paraît bien qu'il y a une différence entre les fins. **2.** Tantôt ce sont des activités qui se déploient pour elles-mêmes; d'autres fois, en plus de ces activités, il résulte des actes. Dans le cas où on constate certaines fins, en plus des actes, les résultats de l'action se trouvent être naturellement plus importants que les activités. **3.** Du fait qu'il y a des actes, des arts et des sciences multiples, il y a également des fins multiples; la santé est la fin de la médecine; le navire, la fin de la construction navale; la victoire, la fin de la stratégie; la richesse, la fin de la science économique. **4.** Tous les arts et toutes les sciences particulières de cette sorte sont subordonnés à une science maîtresse; par exemple, à la science de l'équitation sont subordonnées la fabrication des mors et celle de tout ce qui concerne l'équipement du cavalier; ces arts, à leur tour, ainsi que toute action à la guerre, dépendent de la science militaire; il en va de même pour d'autres également subordonnés. Ainsi les fins de toutes les sciences architectoniques sont plus importantes que celles des sciences subordonnées. **5.** C'est en fonction des premières qu'on poursuit les secondes. Peu importe d'ailleurs que les activités elles-mêmes soient le but de nos actes ou qu'on recherche, en plus, un autre résultat, comme dans les sciences qu'on vient de nommer.

CHAPITRE II

S'il est exact qu'il y ait quelque fin de nos actes que nous voulons pour elle-même, tandis que les autres fins ne sont recherchées que pour cette première fin même, s'il est vrai aussi que nous ne nous déterminons pas à agir en toutes circonstances en remontant d'une fin particulière à une autre – car on se perdrait dans l'infini et nos tendances se videraient de leur contenu et deviendraient sans effet –, il est évident que cette fin dernière peut être le bien et même le bien suprême[2]. **2.** N'est-il pas exact que, par rapport à la vie humaine, la connaissance de ce bien a une importance considérable et que, la possédant, comme des archers qui ont sous les yeux le but à atteindre, nous aurons des chances de découvrir ce qu'il convient de faire ? **3.** S'il en est ainsi, il faut nous efforcer de préciser, même d'une manière sommaire, la nature de ce bien et de dire de quelles sciences ou de quels moyens d'action il relève. **4.** Il peut sembler qu'il dépend de la science souveraine et au plus haut point organisatrice[3]. **5.** Apparemment, c'est la science politique. Elle détermine quelles sont les sciences indispensables dans les États, fixe celles que chaque citoyen doit apprendre et dans quelle mesure. Ne voyons-nous pas, en effet, que les sciences les plus honorées se trouvent sous sa dépendance, par exemple la science militaire, l'économique et la rhétorique ? **6.** Comme la politique utilise les autres sciences pratiques, qu'elle légifère sur ce qu'il faut faire et éviter, la fin qu'elle poursuit peut embrasser la fin des autres sciences, au point d'être le bien suprême de l'homme. **7.** Même si le bien de l'individu s'identifie avec celui de l'État, il paraît bien plus important et plus conforme aux fins véritables de prendre en mains et de sauvegarder le bien de l'État. Le bien certes est désirable quand il intéresse un individu pris à part; mais son caractère est plus beau et plus divin quand il s'applique à un peuple et à des États entiers.

CHAPITRE III

Voilà à quoi vise notre présent traité, qui est, en quelque sorte, un traité de politique. Il sera suffisamment complet s'il traite avec précision sur chaque point la matière qu'il se propose. En effet, on ne doit pas chercher dans tous les ouvrages de l'esprit une précision égale, non plus que dans toutes les professions manuelles. **2.** En effet, le beau et le juste, qui sont soumis à l'étude de la politique, comportent des divergences d'interprétation si vastes et si susceptibles d'erreur qu'ils ne paraissent avoir d'être que grâce à la loi et non par un effet de la nature. **3.** Ce qui explique que les mêmes divergences se retrouvent au sujet des différents biens, c'est que ceux-ci fréquemment sont une source de dommages. Il est déjà fréquemment arrivé que certains aient dû leur perte à leur richesse, d'autres à leur courage. **4.** On doit donc se déclarer satisfait si ceux qui traitent de ces questions et partent de ces principes montrent la vérité d'une manière grossière et sommaire; quand on ne parle que de faits et de conséquences généraux, les conclusions ne peuvent être que générales. Il faut aussi que chacune de nos propositions soit accueillie dans le même esprit[4]. L'homme cultivé, en effet, se montre en n'exigeant dans chaque genre de recherche que le degré de précision compatible avec la nature du sujet. Faute de quoi on s'exposerait à attendre d'un mathématicien des arguments simplement persuasifs et d'un orateur des démonstrations probantes. **5.** Chacun juge bien de ce qu'il sait; là il se montre bon juge. Ainsi, quand on est instruit sur un sujet particulier, on en parlera avec compétence ; pour traiter d'une question d'ensemble, il faut avoir une culture générale. Pour cette raison, le jeune homme est peu apte à étudier la science politique, car il manque d'expérience sur la pratique de la vie. Or c'est sur ce point et à ce sujet que portent nos débats. **6.** Comme, de plus, il suit volontiers ses passions, il ne prêtera à ces études qu'une attention vaine et sans profit, puisque le but de la politique est, non pas la connaissance pure, mais la pratique. **7.** Peu importe d'ailleurs qu'on soit jeune par l'âge ou trop jeune de caractère, car ce défaut d'attention n'est pas facteur du temps, mais conséquence d'une vie dominée par les passions et obéissant à toutes les impulsions. Pour des êtres de cette sorte, la connaissance est sans utilité, comme pour ceux qui n'ont pas le contrôle d'eux-mêmes. Mais pour ceux qui règlent leurs penchants et leurs actions sur la raison, la connaissance de ces questions peut être très profitable.

CHAPITRE IV

En ce qui concerne l'auditeur, la démonstration à suivre et notre dessein, en voilà assez. Mais reprenons la question ; puisque toute connaissance et toute décision librement prise vise quelque bien, quel est le but que nous assignons à la politique et quel est le souverain bien de notre activité ? **2.** Sur son nom du moins il y a assentiment presque général : c'est le bonheur[5], selon la masse et selon l'élite, qui supposent que bien vivre et réussir sont synonymes de vie heureuse ; mais sur la nature même du bonheur, on ne s'entend plus et les explications des sages et de la foule sont en désaccord. **3.** Les uns jugent que c'est un bien évident et visible, tel que le plaisir, la richesse, les honneurs ; pour d'autres la réponse est différente ; et souvent pour le même individu elle varie : p. ex., malade il donne la préférence à la santé, pauvre à la richesse. Ceux qui sont conscients de leur ignorance écoutent avec admiration les beaux parleurs et leurs prétentions ; quelques-uns par contre pensent qu'en plus de tous ces biens, il en est un autre qui existe par lui-même, qui est la cause précisément de tous les autres. **4.** L'examen de toutes ces opinions est apparemment assez vain et il suffit d'étudier les plus répandues et celles qui paraissent avoir un fondement raisonnable. **5.** N'oublions pas la différence existant entre les raisonnements qui partent des principes et ceux qui tendent à en établir. Platon lui-même se trouvait sur ce point, et à juste titre, embarrassé et il cherchait à préciser si la marche à suivre allait aux principes ou partait des principes[6] ; de même qu'on peut se demander si les coureurs, dans le stade, doivent partir des athlothètes[7] vers l'extrémité du stade ou inversement. Ce qu'il y a de sûr, c'est qu'il faut partir du connu ; or ce qui nous est connu l'est de deux façons : relativement à nous et absolument. **6.** Vraisemblablement, ici il nous faut partir de ce qui nous est connu. Ainsi faut-il déjà avoir une bonne éducation morale, si l'on veut entendre parler avec profit de l'honnête, du juste, et en un mot de la politique. **7.** Or le principe en cette matière, c'est le fait ; s'il nous apparaissait avec suffisamment d'évidence, nous n'aurions plus besoin du pourquoi[8]. Un homme qui se trouve dans ce cas possède déjà les principes, ou tout au moins serait capable de les acquérir facilement, mais quiconque n'aurait aucun de ces avantages doit écouter les paroles d'Hésiode[9] :

Celui-là a une supériorité absolue, qui sait tout par lui-même,
[Sage aussi est celui qui écoute les bons conseils ; Mais ne savoir rien par soi-même et ne pas graver dans son cœur].
Les paroles d'autrui, c'est n'être absolument bon à rien.

CHAPITRE V

Après cette digression, reprenons notre raisonnement. Ce n'est pas sans quelque raison que les hommes, comme on le voit nettement, conçoivent d'après leur propre vie le bien et le bonheur. **2.** La foule et les gens les plus grossiers placent le bonheur dans le plaisir ; aussi montrent-ils leur goût pour une vie toute de jouissances. Effectivement trois genres de vie ont une supériorité marquée : celui que nous venons d'indiquer ; celui qui a pour objet la vie politique active ; enfin celui qui a pour objet la contemplation. **3.** La foule, qui, de toute évidence, ne se distingue en rien des esclaves, choisit une existence tout animale et elle trouve quelque raison dans l'exemple des gens au pouvoir qui mènent une vie de Sardanapale. **4.** L'élite et les hommes d'action placent le bonheur dans les honneurs ; car telle est à peu près la fin de la vie politique ; mais cette fin paraît plus commune que celle que nous cherchons ; car elle a manifestement davantage rapport avec ceux qui accordent les honneurs qu'avec ceux qui les reçoivent. Mais, selon notre conjecture, le vrai bien est individuel et impossible à enlever à son possesseur. **5.** De plus il apparaît nettement que l'on ne recherche les honneurs que pour se convaincre de sa propre valeur ; du moins cherche-t-on à se faire honorer par les gens intelligents, par ceux qui vous connaissent et en se réclamant de son propre mérite. Il est donc évident qu'aux yeux de ces gens-là tout au moins le mérite est le bien supérieur. **6.** Peut-être, de préférence, pourrait-on supposer que la vertu[10] est la fin de la vie civile ; mais il est clair qu'elle est insuffisamment parfaite ; car il n'est pas impossible, semble-t-il, que l'homme vertueux demeure dans le sommeil et l'inaction au cours de sa vie ; que, bien plus, il supporte les pires maux et les pires malheurs ; dans ces conditions, nul ne voudrait déclarer un homme heureux à moins de soutenir une thèse paradoxale. Et sur ce sujet, en voilà assez ; car nos Encycliques[11] en ont dit suffisamment là-dessus. **7.** Le troisième genre de vie a pour objet la contemplation ; nous l'examinerons dans les pages qui suivent[12]. Quant à l'homme d'affaires, c'est un être hors nature et il est bien clair que la richesse n'est pas le bien suprême que nous cherchons. Car elle est simplement utile et a une autre fin qu'elle-même. Aussi qui ne préférerait les fins dont nous avons déjà parlé? Au moins on les désire pour elles-mêmes, mais il est clair qu'elles ne sont pas les vraies fins. Pourtant là-dessus maintes discussions ont été échafaudées.

CHAPITRE VI

Laissons donc ce sujet. Il est sans doute préférable de faire porter notre examen sur le bien considéré en général et la question de savoir en quoi il consiste. Certes la recherche est difficile du fait que ce sont de nos amis qui ont introduit la doctrine des Idées. Peut-être, de l'aveu général, vaut-il mieux et faut-il même, pour sauver la vérité, sacrifier nos opinions personnelles, d'autant plus que nous aussi nous sommes philosophes. On peut avoir de l'affection pour les amis et la vérité; mais la moralité consiste à donner la préférence à la vérité[13]. **2.** Or ceux qui ont introduit cette opinion ne formaient pas d'idées où l'on tînt compte de l'antériorité et de la postériorité — aussi n'imaginaient-ils pas d'idées des nombres. Or le bien est exprimé dans son essence, dans sa qualité et sa relation. Et ce qui existe en soi et la substance même sont par la nature antérieurs à ce qui existe par relation, qui n'est qu'adventice et accident de l'être. Aussi ne pourrait-on attribuer à ces diverses catégories d'idée commune. **3.** De plus, le bien comporte autant de catégories que l'être : en effet, en tant que substance, le bien suprême s'appelle Dieu et l'intelligence; en tant que qualité, les vertus; en tant que quantité, la juste mesure; en tant que relation, l'utile; dans le temps, on l'appelle occasion; dans l'espace, les différentes mœurs, et ainsi de suite. Aussi est-il bien évident que le bien ne saurait être quelque caractère commun, général et unique. Car alors on ne pourrait pas le situer dans toutes les catégories, mais dans une seule. **4.** En outre, puisque de tout ce qui est contenu par une idée unique, il y a aussi une science unique, de tous les biens également il n'y aurait qu'une seule science. Bien au contraire, il y en a plusieurs, même de ce qui est rangé dans une seule catégorie ; j'en donne des exemples : la science de l'occasion, en ce qui concerne la guerre, s'appelle la stratégie ; en ce qui concerne la maladie, la médecine ; la science de la mesure en ce qui concerne l'alimentation, c'est la médecine ; dans les exercices du corps, la gymnastique[14]. **5.** On serait bien embarrassé de préciser ce que les philosophes entendent par chaque chose en soi, du moment que l'homme en soi et un homme admettent une seule et même définition, celle de l'homme. Car dans la mesure où l'homme est homme les définitions ne différeront en rien. S'il en va ainsi, il en est de même pour le bien. **6.** Mais certainement le fait que le bien est éternel n'accroîtra pas sa nature, de même que la blancheur d'un objet ne sera pas accrue, si cet objet dure plus longtemps qu'un autre, lequel n'est blanc qu'un seul jour. **7.** Les Pythagoriciens, sur ce sujet, s'expriment d'une manière plus persuasive, attendu qu'ils placent l'*Un* dans la catégorie des biens[15]. Aussi Speusippe[16], de toute évidence, les a-t-il suivis. **8.** Eh bien ! sur ce point, nous reprendrons la question ailleurs. Mais sur ce que nous avons dit, voici que s'amorce une discussion : on pourra soutenir que l'argumentation ne s'applique pas à l'ensemble des biens, mais à une seule catégorie de biens, ceux que nous recherchons et aimons pour eux-mêmes ; en revanche, ceux qui ont la vertu de créer ces objets, de les sauvegarder en quelque manière, de les défendre contre ce qui leur est contraire, ne sont appelés biens que relativement, à cause de leur rôle et d'une autre façon. **9.** Il est donc manifeste qu'on peut distinguer deux sortes de biens : ceux qui sont des biens en soi et ceux qui ne sont des biens que relativement aux premiers. Cette distinction faite entre ce qui est bien en soi et ce qui est simplement utile à ceux-là, examinons si on peut les ranger sous une seule idée. **10.** Quels biens pourrait-on reconnaître comme biens en soi ? Sont-ce tous ceux que nous poursuivons séparément, comme la pensée, la vision, quelques plaisirs et les honneurs ? Car même si nous les poursuivons pour quelque autre raison, néanmoins on pourrait les compter parmi les biens en soi ou ne les considérer que comme une idée, si bien que cette idée se réduira à une vaine apparence. **11.** Si donc ces biens-là doivent être rangés parmi les biens en soi, il faudra admettre que le même concept du bien apparaisse dans tous ces objets, comme la notion de blancheur apparaît dans la neige et le blanc de céruse. Pourtant les concepts d'honneur, de pensée, de plaisir admettent, en tant que biens, des définitions différentes et dissemblables. Ainsi donc le souverain bien n'est pas cette qualité commune que comprendrait une seule idée. **12.** Eh bien ! comment l'entend-on ? Ces termes ne sont pas homonymes en vertu du hasard. Faut-il donc admettre que ces biens procèdent d'un seul bien, on tendent tous vers la même fin ? ou plutôt est-ce par suite d'une analogie ? Ainsi la vue joue pour le corps le même rôle que l'intelligence pour l'âme et ainsi de suite. **13.** Mais vraisemblablement il vaut mieux renoncer à cette question pour l'instant ; car un examen minutieux sur ce sujet relèverait davantage d'une autre partie de la philosophie[17]. Il en va de même de l'Idée. Car si l'on affirme du bien qu'il est un et commun à tout, ou qu'il existe séparé et subsistant par lui-même, il est évident qu'il serait irréalisable pour l'homme et impossible à acquérir. En fait, c'est juste le contraire que nous recherchons ici. **14.** Très vite, on s'apercevrait qu'il vaut mieux en acquérir la connaissance en se référant à ceux des biens que l'on peut atteindre et réaliser. Ayant pour ainsi dire un modèle sous les yeux, nous saurons plus exactement les biens qui nous conviennent, et les connaissant, nous les atteindrons plus facilement. **15.** Ce raisonnement ne laisse pas d'être persuasif ; néanmoins il est clair qu'il est en désaccord avec les diverses connaissances. Car toutes visent un certain bien et recherchent ce qui manque pour l'obtenir. Et pourtant un secours si précieux, il est bien irrationnel que tous les gens de métier l'ignorent et ne cherchent même pas à l'acquérir[18]. **16.** Mais aussi on est bien embarrassé de préciser l'utilité que retirerait un tisserand ou un charpentier de la connaissance de ce bien en soi ou dans quelle mesure la contemplation de cette idée faciliterait la pratique de la médecine ou de la stratégie. Ce n'est pas non plus de cette façon que le médecin, de toute évidence, considère la santé ; il n'a d'attention que pour la santé de l'homme ou, mieux même, de tel homme en particulier. Car il ne traite que des individus.

CHAPITRE VII

Mais en voilà assez sur ce sujet. Revenons maintenant à la question du souverain bien et à sa nature. Il est évident qu'il varie selon les activités et selon les arts. Par exemple, il n'est pas le même pour la médecine et la stratégie, et ainsi de suite. Quel est donc le bien pour chacun ? N'est-ce pas celui en vue duquel on fait tout le reste ? Or pour la médecine, c'est la santé, pour la stratégie la victoire, pour l'architecture la maison et ainsi de suite ; bref, pour toute action et tout choix réfléchi, c'est la fin, puisque c'est en vue de cette fin que tout le monde exécute les autres actions. Aussi, s'il y a une fin, quelle qu'elle soit pour toutes les actions possibles, ce serait elle le bien réalisé. S'il y a plusieurs fins, ce sont précisément ces fins. **2.** Ainsi donc notre raisonnement, à force de progresser, revient à son point de départ. Mais il faut tenter de donner de plus amples éclaircissements. **3.** Il y a donc un certain nombre de fins, et nous cherchons à atteindre certaines d'entre elles non pour elles-mêmes, mais en vue d'autres fins encore, par exemple, l'argent, les flûtes et en général tous les instruments ; puisqu'il en est ainsi, il est évident que toutes les fins ne sont pas des fins parfaites. Mais le bien suprême constitue une fin parfaite, en quelque sorte. Si bien que la fin unique et absolument parfaite serait bien ce que nous cherchons. S'il en existe plusieurs, ce serait alors la plus parfaite de toutes. **4.** Or nous affirmons que ce que nous recherchons pour soi est plus parfait que ce qui est recherché pour une autre fin ; et le bien qu'on ne choisit jamais qu'en vue d'un autre n'est pas si souhaitable que les biens considérés à la fois comme des moyens et comme des fins. Et, tout uniment, le bien parfait est ce qui doit toujours être possédé pour soi et non pour une autre raison. **5.** Tel paraît être, au premier chef, le bonheur[19]. Car nous le cherchons toujours pour lui-même, et jamais pour une autre raison. Pour les honneurs, le plaisir, la pensée et toute espèce de mérite, nous ne nous contentons pas de chercher à les atteindre en eux-mêmes — car même s'ils devaient demeurer sans conséquences, nous les désirerions tout autant —, nous les cherchons aussi en vue du bonheur, car nous nous figurons que par eux nous pouvons l'obtenir. Mais le bonheur n'est souhaité par personne en vue des avantages que nous venons d'indiquer, ni, en un mot, pour rien d'extérieur à lui-même. Or il est évident que ce caractère provient du fait qu'il se suffit entièrement. **6.** Le bien suprême, en effet, selon l'opinion commune, se suffit à lui-même. Et quand nous nous exprimons ainsi, nous entendons qu'il s'applique non pas au seul individu, menant une vie solitaire, mais encore aux parents, aux enfants, et, en un mot, aux amis et aux concitoyens, puisque, de par sa nature, l'homme est un être sociable[20]. **7.** Mais il faut fixer à cette notion une limite, car, en l'étendant aux ascendants et aux descendants, et aux amis de nos amis, on recule à l'infini. Eh bien ! il nous faudra examiner ce point plus tard. Mais nous posons en principe que ce qui se suffit à soi-même, c'est ce qui par soi seul rend la vie souhaitable et complète. **8.** Voilà bien le caractère que nous attribuons au bonheur ; disons aussi celui d'être souhaité de préférence à tout et sans que d'autres éléments viennent s'y ajouter ; dans le cas contraire, il est évident que le moindre bien le rendra encore plus désirable. Car le bien ajouté produit une surabondance et plus grand est le bien, plus il est souhaitable. Donc, de l'aveu général, le bonheur est complet, se suffit à lui-même puisqu'il est la fin de notre activité. **9.** Mais, peut-être, tout en convenant que le bonheur est le souverain bien, désire-t-on encore avoir quelques précisions supplémentaires. **10.** On arriverait rapidement à un résultat en se rendant compte de ce qu'est l'acte propre de l'homme. Pour le joueur de flûte, le statuaire, pour toute espèce d'artisan et en un mot pour tous ceux qui pratiquent un travail et exercent une activité, le bien et la perfection résident, semble-t-il, dans le travail même. De toute évidence, il en est de même pour l'homme, s'il existe quelque acte qui lui soit propre. **11.** Faut-il donc admettre que l'artisan et le cordonnier ont quelque travail et quelque activité particuliers, alors qu'il n'y en aurait pas pour l'homme et que la nature aurait fait de celui-ci un oisif ? Ou bien, de même que l'œil, la main, le pied et en un mot toutes les parties du corps ont, de toute évidence, quelque fonction à remplir, faut-il admettre pour l'homme également quelque activité, en outre de celles que nous venons d'indiquer ? Quelle pourrait-elle être ? **12.** Car, évidemment, la vie est commune à l'homme ainsi qu'aux plantes ; et nous cherchons ce qui le caractérise spécialement. Il faut donc mettre à part la nutrition et la croissance. Viendrait ensuite la vie de sensations, mais, bien sûr, celle-ci appartient également au cheval, au bœuf et à tout être animé. **13.** Reste une vie active propre à l'être doué de raison. Encore y faut-il distinguer deux parties : l'une obéissant, pour ainsi dire, à la raison, l'autre possédant la raison et s'employant à penser. Comme elle s'exerce de cette double manière, il faut la considérer dans son activité épanouie, car c'est alors qu'elle se présente avec plus de supériorité. **14.** Si le propre de l'homme est l'activité de l'âme, en accord complet ou partiel avec la raison ; si nous affirmons que cette fonction est propre à la nature de l'homme vertueux, comme lorsqu'on parle du bon citharède et du citharède accompli et qu'il en est de même en un mot en toutes circonstances, en tenant compte de la supériorité qui, d'après le mérite, vient couronner l'acte, le citharède jouant de la cithare, le citharède accompli en jouant bien ; s'il en est ainsi, nous supposons que le propre de l'homme est un certain genre de vie, que ce genre de vie est l'activité de l'âme, accompagnée d'actions raisonnables, et que chez l'homme accompli tout se fait selon le Bien et le Beau, chacun de ses actes s'exécutant à la perfection selon la vertu qui lui est propre. **15.** A ces conditions, le bien propre à l'homme est l'activité de l'âme en conformité avec la vertu ; et, si les vertus sont nombreuses, selon celle qui est la meilleure et la plus accomplie. Il en va de même dans une vie complète. **16.** Car une hirondelle ne fait pas le printemps, non plus qu'une seule journée de soleil ; de même ce n'est ni un seul jour ni un court intervalle de temps qui font la félicité et le bonheur. **17.** Contentons-nous de représenter ainsi le bien dans ses lignes générales ; peut-être faut-il d'abord ne former qu'une ébauche que l'on complétera par la suite. Il appartient, semble-t-il, à tout homme de pousser plus avant et d'ajuster ce qui a déjà reçu une esquisse suffisante ; le temps peut contribuer heureusement à cette découverte, car il est un bon auxiliaire. C'est ainsi que se sont produits les progrès des techniques, tout homme pouvant combler leurs lacunes. **18.** Il faut donc se rappeler ce que nous avons dit plus haut et éviter de rechercher en toutes choses la même précision ; loin de là, il importe sur chaque question de tenir compte de la matière que l'on traite et des conditions propres à chaque recherche. **19.** Le charpentier, en effet, et le géomètre ne procèdent pas de la même façon pour découvrir l'angle droit : le premier ne se préoccupe que de l'utilité de celui-ci relativement à son travail, tandis que l'autre recherche ses propriétés, le géomètre étant le contemplateur du vrai. C'est de la même manière qu'il faut procéder également dans les autres domaines, afin que l'accessoire n'étouffe pas l'essentiel. **20.** Gardons-nous aussi de réclamer en toute chose l'explication par les causes ; parfois, au contraire, il suffit de bien établir le fait. Car le fait même est à la fois début et principe. Or, parmi les principes, les uns sont saisis par induction[21], tandis que d'autres le sont par la sensation, d'autres sont transmis par la coutume, et ainsi de suite. **21.** Il faut donc s'efforcer de les atteindre, chacun selon sa nature, tout en tâchant de les délimiter soigneusement. **22.** Cela est d'un grand poids pour les conséquences et l'on est généralement d'accord pour convenir que le principe est plus que la moitié de la question dans son ensemble et que sa connaissance facilite bien des recherches.

CHAPITRE VIII

Il faut donc examiner le principe du bonheur non seulement en s'aidant de nos conclusions et du raisonnement sur ce point, mais aussi de l'opinion courante. **2.** Car le réel ne peut que s'accorder avec la vérité et vite le faux apparaît en dissonance avec le vrai. Nous avons réparti les biens en trois classes : les biens extérieurs, ceux de l'âme, ceux du corps; ce sont les biens de l'âme que nous reconnaissons comme les plus importants et les plus précieux. D'ailleurs nous plaçons dans l'âme même l'activité créatrice et les actes. Ainsi notre propos concorderait avec l'opinion traditionnelle approuvée par tous les philosophes. **3.** Et l'on est autorisé à le faire du fait que certaines activités et certains actes sont reconnus pour une fin. Il en va ainsi des biens qui concernent l'âme et non des biens extérieurs. **4.** Car l'idée que bien vivre et réussir constituent le bonheur s'accorde avec notre raisonnement et l'on rend presque synonymes vie heureuse et succès. **5.** De toute évidence, tous les caractères du bonheur s'appliquent à notre définition. **6.** Pour les uns, c'est la vérité qui est le souverain bien; pour d'autres la pensée pure; pour d'autres encore une certaine sorte de sagesse; pour d'autres, ce sont tous ces avantages ou une partie d'entre eux, accompagnés du plaisir, ou tout au moins avec quelque accompagnement de plaisir; d'autres enfin y ajoutent l'abondance des biens extérieurs. **7.** Quelques-unes de ces opinions sont soutenues par beaucoup de gens du passé; d'autres par une minorité de gens en vue. La raison interdit de penser que les uns et les autres se trompent entièrement; il faut supposer que sur un point au moins, ou sur beaucoup, leur sentiment est juste[21bis]. **8.** Notre démonstration concorde avec ceux qui prétendent que le bonheur se confond avec la vertu en général ou avec quelque vertu particulière, car le bonheur est, suivant nous, l'activité de l'âme dirigée par la vertu. **9.** Mais peut-être n'importe-t-il pas peu de préciser si l'on conçoit le souverain bien dans la possession ou dans l'usage, dans le tempérament ou dans la simple disposition. Car il arrive que la simple disposition ne donne l'occasion d'accomplir aucun bien, comme il arriverait pour le dormeur ou celui qui est plongé dans une inaction complète; mais, en ce qui concerne l'activité, pareille chose est impossible. De toute nécessité, elle agira et agira bien. De même qu'aux Jeux Olympiques, ce ne sont ni les plus beaux ni les plus forts qui obtiennent la couronne, mais ceux-là seuls qui prennent part aux compétitions — et parmi eux seuls sont les vainqueurs — de même ce sont ceux qui dans la vie agissent comme il faut qui deviennent dans la vie possesseurs du Beau et du Bien. **10.** De plus, leur vie est par elle-même agréable. Car éprouver du plaisir intéresse l'âme et l'agrément pour chacun est relatif à ses inclinations, par exemple, le cheval plaît à l'amateur de chevaux, le spectacle à l'amateur de théâtre; de la même manière la justice à quiconque aime la justice et, en un mot, les actes vertueux à qui aime la vertu. **11.** Or la plupart des gens ne s'entendent pas sur ce que sont les plaisirs, parce que certains d'entre eux ne sont pas des plaisirs par leur nature; tandis que ceux qui aiment l'honnête trouvent le plaisir qui en résulte un véritable plaisir. Telles sont les actions conformes à la vertu qui sont agréables aux gens vertueux et par elles-mêmes. **12.** La vie des gens vertueux ne réclame donc nullement le plaisir comme je ne sais quel accessoire; le plaisir, elle le trouve en elle-même. Car, en plus des remarques que nous avons faites, il faut dire que nul n'est bon s'il n'éprouve de la joie des belles actions; on ne pourrait pas dire davantage qu'un homme est juste, s'il n'éprouve pas de la joie à accomplir des actions justes, ni qu'un homme est généreux, s'il ne se plaît pas aux actions généreuses; et il en va ainsi des autres vertus. **13.** Aussi faut-il convenir que les actions conformes à la vertu sont agréables par elles-mêmes. Que dis-je? Elles sont bonnes et belles et chacune d'elles l'est au plus haut point, si le jugement que forme à leur sujet l'homme de bien est véritablement fondé; or celui-ci est fondé, ainsi que nous l'avons dit. **14.** Le bonheur est donc le bien le plus précieux, le plus beau et le plus agréable. Et les distinctions que fait l'épigramme de Délos ne sont pas admissibles :

L'action la plus juste est la plus belle; une bonne
[santé est chose excellente;
Mais ce qui est souverainement agréable, c'est
[ce qu'on brûle d'obtenir.

Or tous ces caractères appartiennent aux actions excellentes. Ce sont elles, ou une seule d'entre elles, la meilleure, que nous appelons le bonheur[22]. **15.** Néanmoins, de toute évidence le bonheur ne saurait se passer des biens extérieurs, comme nous l'avons dit. En effet il est impossible ou tout au moins difficile de bien faire si l'on est dépourvu de ressources. Car bien des actes exigent, comme moyen d'exécution, des amis, de l'argent, un certain pouvoir politique. **16.** Faute de ces moyens, le bonheur de l'existence se trouve altéré, par exemple si l'on ne jouit pas d'une bonne naissance, d'une heureuse descendance et de beauté. On ne saurait, en effet, être parfaitement heureux si l'on est disgracié par la nature, de naissance obscure, seul dans la vie ou dépourvu d'enfants; moins encore, peut-être, si l'on a des enfants et des amis complètement mauvais ou si, après en avoir eu de bons, on les a perdus. **17.** Comme nous l'avons dit, le bonheur, de l'avis commun, exige semblable prospérité. Voilà la raison pour laquelle quelques-uns mettent au même rang que le bonheur la prospérité, comme d'autres la vertu[23].

CHAPITRE IX

Mais ici se pose une question embarrassante : le bonheur est-il susceptible d'être enseigné, d'être acquis par l'usage ou à la suite de quelque entraînement[24] ? Ou bien le recevons-nous comme un don des dieux ou comme un heureux hasard de la fortune ? **2.** Si les dieux nous font quelque autre don, il est rationnel de voir également dans le bonheur un présent des dieux, d'autant plus qu'il est pour l'homme le plus précieux des biens. **3.** Mais vraisemblablement cette question se relie mieux à un autre genre de recherches. Et il est évident — en admettant même qu'il ne nous soit pas accordé par les dieux et qu'on l'obtienne par la vertu, par quelque étude ou exercice — qu'il est de l'ordre des choses souverainement divines. Car le prix et la fin de la vertu, de toute évidence, sont excellents et divins en quelque sorte et générateurs de bonheur. **4.** Il se pourrait également qu'il fût fort répandu. Car il n'est pas impossible qu'il échoie, grâce à quelque étude ou à quelque application, à ceux qui ne sont pas rebelles à la vertu. **5.** Qu'il vaille mieux être heureux de la sorte que par l'effet du hasard, voilà qui est fondé en raison. Si les plus belles choses possibles selon la nature le sont par une disposition naturelle, **6.** il en va de même de celles qui dépendent d'un art ou d'une cause quelconque et à plus forte raison de celles qui dépendent d'une cause excellente. Aussi s'en remettre au hasard pour ce qui est essentiel et souverainement beau, ce serait émettre la plus fausse note. **7.** L'objet de notre recherche est donc manifeste et conforme à notre explication. Nous avons dit en effet que le bonheur était une certaine activité de l'âme conforme à la vertu ; quant aux autres biens, les uns, de toute nécessité, sont à notre disposition, tandis que les autres sont auxiliaires, fournis par la nature comme d'utiles instruments. **8.** En outre ces caractères ne sont pas sans s'accorder avec ce que nous avons dit au début[25]. Nous avons reconnu comme la plus élevée la fin de la science politique ; car celle-ci s'occupe de rendre les hommes tels qu'ils soient de bons citoyens, pratiquant l'honnêteté. **9.** Nous sommes donc fondés à n'attribuer le bonheur ni à un bœuf, ni à un cheval, ni à aucun autre animal ; car aucun d'eux n'est capable de participer à une activité de cet ordre. **10.** Pour la même raison, le bonheur ne s'applique pas à l'enfant[26], car son jeune âge ne lui permet pas encore de faire usage de sa raison. Les enfants qu'on juge heureux ne sont déclarés tels qu'en raison des espérances qu'ils donnent. Le bonheur exige, en effet, comme nous l'avons dit, une vertu parfaite et une existence accomplie. **11.** C'est que, dans le cours de la vie, il survient bien des changements et des hasards de toute sorte ; et il arrive que l'homme le plus comblé tombe, à l'âge de la vieillesse, dans les plus grands malheurs, comme les poètes nous l'ont raconté dans leurs récits héroïques au sujet de Priam. Quand on éprouve de pareilles infortunes et quand on finit aussi lamentablement, nul ne peut déclarer que l'on est heureux.

CHAPITRE X

Faut-il donc se refuser à déclarer un homme heureux tant qu'il vit et attendre, selon le conseil de Solon[27], la fin de son existence ? **2.** C'est donc, s'il faut admettre cette proposition, qu'on ne peut être jugé heureux qu'après la mort ? Certes voilà qui est totalement étrange, surtout pour nous qui plaçons le bonheur dans une certaine activité. **3.** Nous n'affirmons pas que le mort est heureux et ce n'est pas cela que Solon veut dire : il veut faire entendre que l'on ne peut juger sûrement heureux un être que dans la mesure où il se trouve désormais soustrait aux maux et aux revers de la fortune. Dans ces conditions, il faut encore discuter ce point. Il semble qu'il existerait pour le défunt, sans qu'il y soit sensible, des maux et des biens, comme pour le vivant : à savoir des honneurs ou des marques de mépris et, chez les enfants et en gros dans les descendants, une bonne conduite ou l'infortune[28]. **4.** Mais voici un nouvel embarras : un homme qui a vécu heureusement jusqu'à la vieillesse et a fini ses jours de même, il est possible que bien des changements affectent ses descendants ; les uns peuvent être de braves gens et obtenir du sort la vie qu'ils méritent, les autres une vie tout opposée. De toute évidence, il peut se faire que les enfants diffèrent sur tous les points de leurs parents. **5.** Il serait étrange que le mort lui aussi subît ces changements et fût tantôt heureux, tantôt misérable, comme il serait absurde aussi que les accidents des descendants ne touchassent en rien — et pas même un instant — les parents. **6.** Mais il nous faut revenir à ce qui d'abord avait été mis en question[29] ; ce serait un moyen rapide d'éclairer le problème que nous examinerons maintenant. **7.** Si donc il faut attendre la fin de la vie et juger alors non du bonheur présent de chacun, mais de son bonheur passé, comment ne pas s'étonner, quand un être est heureux, qu'on conteste l'existence en lui de ce bonheur présent ? La raison en est qu'on ne veut pas déclarer heureux les vivants par suite des changements qui se produisent dans l'existence, par le fait aussi qu'on attribue au bonheur je ne sais quelle stabilité soustraite à tout changement, alors que la roue de la fortune tourne même pour les gens heureux. **8.** Il est manifeste, en effet, que si nous suivions les changements de fortune, nous serions obligés de déclarer souvent qu'un même individu est tantôt heureux, tantôt infortuné, faisant de l'homme heureux je ne sais quelle sorte de caméléon ou une espèce de construction délabrée et branlante. **9.** Certes il est tout à fait insensé de s'attacher à cette fortune changeante ; car ce n'est pas d'elle que dépend le bonheur ou le malheur ; néanmoins la vie humaine est tissée de vicissitudes, comme nous l'avons dit, mais ce sont les activités de l'homme conformes à la vertu qui disposent souverainement du bonheur, l'activité contraire ne pouvant produire qu'un effet opposé. **10.** La question qui nous embarrasse actuellement vient confirmer notre explication. Aucun des actes de l'homme ne présente une sûreté comparable à celle des activités conformes à la vertu, qui, de l'avis commun, l'emportent en stabilité sur les connaissances scientifiques elles-mêmes. Elles sont les plus précieuses et aussi les plus durables parce que c'est au milieu d'elles que les gens heureux apportent à vivre vertueusement le plus d'application et de continuité. La cause en paraît être que l'oubli à leur sujet ne se produit pas. Cet avantage que nous recherchons[30], la constance, l'homme heureux le trouvera et il demeurera heureux sa vie durant ; **11.** car sans cesse, ou le plus souvent possible, il exécutera et contemplera ce qui est conforme à la vertu et on verra du moins l'homme vraiment bon, irréprochable et parfait comme le carré[31] faire bonne figure aux coups du sort et en toutes circonstances les supporter en restant dans la note juste. **12.** Ceux-ci nous arrivent à l'improviste, fort différents d'importance ; or ces événements, heureux ou malheureux, s'ils sont de médiocre intérêt, ne font pas pencher beaucoup la balance de notre existence ; s'ils nous sont particulièrement favorables et se répètent, ils accroîtront la félicité de notre vie, leur nature les rendant propres à orner celle-ci et leur usage embellissant et consolidant l'existence. L'adversité, de son côté, restreint et corrompt le bonheur ; car elle nous cause des peines et entrave mainte activité. Néanmoins, même dans ce cas, la vertu resplendit lorsqu'un sage supporte d'un front serein bien des infortunes graves, non pas par insensibilité, mais par générosité et par grandeur d'âme[32]. **13.** Mais s'il est vrai que l'activité domine souverainement notre vie, comme nous l'avons dit, aucun être heureux ne deviendra misérable ; car jamais il n'accomplira d'actes odieux et vils. En effet, l'homme véritablement bon et conscient, pensons-nous, fait bon visage à tous les coups du sort et, en toutes circonstances, il saura tirer des événements le meilleur parti possible ; c'est ainsi qu'un bon général utilise au mieux pour gagner la guerre l'armée dont il dispose et que le cordonnier fait du cuir à lui livré le plus beau soulier possible ; il en va de même de tous les autres artisans. **14.** Puisqu'il en est ainsi, jamais l'être qui possède le bonheur ne peut être misérable, sans qu'on puisse toutefois parler de sa félicité, s'il tombe dans les malheurs de Priam ; c'est qu'il n'est ni un caméléon ni une girouette. Il ne sera pas facile de le déloger du bonheur ; les infortunes communes n'y suffiront pas : il faudra pour cela de grands et multiples malheurs, à la suite desquels il aura besoin de temps pour retrouver le bonheur ; s'il y arrive, ce ne sera qu'au bout d'une longue période, et après avoir obtenu de grandes et de belles satisfactions. **15.** Y a-t-il donc quelque raison qui nous empêche de déclarer heureux l'homme agissant selon une vertu parfaite et pourvu suffisamment de biens extérieurs ? Et cela non pendant un bref moment, mais pendant le temps qu'il a vécu[33] ? Ou bien faut-il ajouter qu'il continuera à vivre de la sorte et qu'il mourra d'une manière conforme à son existence passée ? Mais n'est-il pas vrai que l'avenir nous est caché et que nous convenons de proclamer le bonheur une fin, et une fin parfaite, absolument dans tous les cas ? Ceci posé, nous dirons que, parmi les êtres vivants, sont heureux ceux à qui appartiennent et appartiendront les caractères que nous avons indiqués — et heureux comme peut l'être un homme.

CHAPITRE XI

Contentons-nous à ce sujet de cette définition. Quant aux coups du sort qui atteignent nos descendants et tous nos amis, n'en point tenir compte, c'est, de l'avis général, montrer trop d'indifférence en fait d'amitié, tout en allant à l'encontre de l'opinion commune.

2. Les événements qui nous atteignent sont nombreux et fort dissemblables ; les uns nous touchent davantage, les autres moins. Aussi les cataloguer et les classer tous constituerait, on en convient, une besogne longue, voire interminable. Ce que nous avons dit d'une façon générale et sommaire suffira peut-être. **3.** Certaines infortunes pèsent sur notre existence et modifient l'équilibre de notre vie, tandis que les autres paraissent plus légères ; il en va de même de ce qui touche à ceux qui nous sont chers. **4.** Que chacun de ces malheurs affecte des vivants ou des morts[34], voilà qui constitue une différence bien plus essentielle que celle que nous constatons dans les tragédies, suivant que les crimes ou les malheurs ont accablé précédemment les personnages ou les frappent sous nos yeux. **5.** Il faut donc aussi tenir compte de cette différence ; et peut-être davantage encore de l'embarras où nous sommes de discerner si les défunts ont quelque participation, ou non, aux bonheurs ou aux malheurs de ce monde. En effet, on peut penser d'après cela que si quelque impression vient les toucher, soit en bien, soit en mal, celle-ci ne peut être que faible et légère, soit en elle-même, soit par rapport à eux ; dans tous les cas, elle ne peut être du moins d'une intensité et d'une nature suffisantes pour donner du bonheur à ceux qui n'en jouissent pas, ni priver de la félicité ceux qui la possèdent. **6.** Il semble donc que si les succès et les revers affectent en quelque mesure les défunts, ce ne peut être que dans une trop faible mesure pour rendre moins heureux les heureux ou pour rien changer à leur sort.

CHAPITRE XII

Après avoir donné ces précisions, examinons si le bonheur appartient à la classe des choses louables, ou plutôt de celles qui sont honorables. Car il est manifeste qu'on ne peut le compter au nombre des simples possibilités d'action. **2.** De l'aveu commun, ce qui est louable possède cette qualité par sa nature et par son rapport avec quelque autre chose. Car si nous faisons l'éloge de l'homme juste, de l'homme courageux et, en un mot, de l'homme bon et de la vertu, c'est en raison de leurs capacités d'action et de leurs actes; tandis que faire l'éloge de l'homme vigoureux, de celui qui est apte à la course, c'est constater qu'ils possèdent des caractères innés et des aptitudes pour un certain bien et une certaine supériorité. **3.** C'est ce que manifestent également les éloges que nous faisons des dieux[35] ; on les juge communément ridicules, parce qu'ils se réfèrent à nous-mêmes. Et cela se produit parce qu'il n'existe d'éloges que par référence à nos personnes, comme nous l'avons dit. **4.** Si donc la louange a bien les caractères indiqués plus haut, il est clair que ce qui est excellent n'admet pas la louange, mais seulement une qualification plus élevée et plus appropriée. Là-dessus, on est bien d'accord. En effet, nous attribuons aux dieux la félicité et le bonheur parfait, comme nous reconnaissons la félicité aux hommes qui se rapprochent le plus de la divinité. Il en va ainsi des biens parfaits : nul ne fait l'éloge du bonheur, non plus que de la justice; on leur attribue un caractère plus divin et plus haut et approchant davantage de la félicité. **5.** Eudoxe[36], lui aussi, paraît s'être fait très heureusement l'avocat du plaisir, en tentant d'en montrer la supériorité; à son avis le fait qu'on ne le loue pas, quoiqu'il soit un bien, signifie qu'il est au-dessus des louanges, caractère qui appartient également à Dieu et au souverain bien; or c'est à ces deux fins que nous nous référons aussi pour tout le reste. **6.** La louange convient donc d'un côté à la vertu, car par elle nous sommes susceptibles d'exécuter de belles actions; tandis que les panégyriques exaltent également les actes qui relèvent du corps et de l'âme. **7.** Mais peut-être l'examen plus approfondi de cette question revient-il à ceux qui se sont donné de la peine pour composer des panégyriques[37] ; quant à nous, il nous paraît évident que le bonheur appartient à la classe des biens honorables et parfaits. **8.** Ajoutons encore, ce semble, la raison qu'il est un principe; c'est pour l'atteindre que nous accomplissons tous les autres actes. Principe et cause des autres biens, il possède, selon nous, une nature hautement honorable et divine.

CHAPITRE XIII

Puisque le bonheur est une activité de l'âme conforme à une vertu accomplie, portons notre examen sur cette dernière. Ainsi, peut-être, pourrons-nous voir plus clair dans la question du bonheur. **2.** On pense que l'homme véritablement apte à diriger la cité consacre, plus que quiconque, ses efforts à faire régner la vertu[38]. Il désire en effet faire des hommes de bons citoyens, dociles aux lois. **3.** Nous en avons un bel exemple dans les législateurs de Crète et de Lacédémone et dans tous les autres qui peuvent leur être comparés[39]. **4.** Si une recherche de ce genre appartient par elle-même à la science politique, il est évident que notre enquête peut s'inspirer de nos intentions premières. **5.** C'est donc sur la vertu que nous devons faire reporter notre examen, sur la vertu de l'homme évidemment. Car ce que nous nous proposions de rechercher, c'était le bien de l'individu et le bonheur de l'individu. **6.** Quand nous parlons du mérite chez l'homme, nous parlons non de celui du corps, mais de celui de l'âme et nous appelons bonheur l'épanouissement de l'activité de l'âme. **7.** S'il en va ainsi, il faut évidemment que l'homme politique connaisse de quelque manière ce qui concerne l'âme, de même que le spécialiste de la vue doit posséder la connaissance de la médecine générale, et d'autant plus que la science politique est d'un prix et d'une valeur plus grands que la science médicale. Effectivement, les sommités médicales consacrent beaucoup d'efforts à la connaissance générale du corps humain. **8.** Il faut donc que l'homme politique, de son côté, porte son attention sur l'âme, qu'il le fasse pour la raison que nous avons dite et dans la mesure où cette étude est suffisante pour notre recherche actuelle. Pousser davantage l'examen, c'est peut-être s'exposer à un labeur trop pénible eu égard à ce que nous nous proposons. **9.** Or, même dans nos discussions exotériques[40], nous avons donné sur l'âme quelques précisions qui sont suffisantes et qu'il faut utiliser : nous avons dit, par exemple, que l'âme comportait une partie privée de raison et une autre douée de raison. **10.** Mais pour l'instant il n'importe pas de savoir si ces deux parties sont distinctes à la façon des parties du corps ou de toute chose divisible ; ou si, séparables par une vue de l'esprit, elles sont par nature inséparables, comme dans une surface sphérique la partie convexe et la partie concave. Peu importe pour le moment. **11.** Or la partie dépourvue de raison comporte à son tour une partie qui, semble-t-il, appartient à tous les êtres vivants et même aux plantes ; je veux dire le principe de la nutrition et du développement. Car on peut attribuer cette puissance de l'âme à tous les êtres vivants et même aux embryons, activité qui se trouve aussi dans les êtres arrivés à leur plein développement. Du moins est-on plus fondé à l'admettre qu'aucune autre. **12.** La vertu de cette faculté est, de l'aveu général, commune pour ainsi dire à tous les êtres et n'a rien de spécifiquement humain. Cette partie qui demeure en puissance semble s'exercer particulièrement dans le sommeil et effectivement l'honnête homme et le méchant ne se distinguent que très peu à ce moment-là ; d'où cette affirmation que, pendant la moitié de la vie, il n'y a pas de différence entre les heureux et les malheureux. **13.** Cette affirmation n'est pas dépourvue de fondement. Car le sommeil est l'oisiveté de l'âme — qu'on l'appelle bonne ou mauvaise —, à moins que certains faibles mouvements n'arrivent jusqu'à elle, auquel cas les songes des gens comme il faut sont meilleurs que ceux du premier venu. **14.** Mais en voilà assez sur ce sujet ; il nous faut laisser de côté la puissance nutritive, puisque, de par son caractère, elle ne participe pas à la nature vraiment humaine. **15.** Or il est encore une autre force de l'âme qui paraît démunie de raison, tout en y participant de quelque manière. Car chez l'homme tempérant et chez l'homme intempérant, nous faisons cas de la raison, c'est-à-dire de la partie de l'âme douée de raison. **15.** Véritablement c'est elle qui leur recommande justement la conduite la meilleure. Mais, de l'avis commun, on aperçoit aussi une sorte d'instinct qui répugne à la raison, la combat et lui tient tête[41]. De même qu'après une attaque de paralysie les membres, répondant maladroitement à une volonté d'exécuter un mouvement à droite, l'exécutent à gauche, il en va absolument de même pour l'âme ; les impulsions de ceux qui n'ont pas la maîtrise d'eux-mêmes vont en sens contraire de ce qu'ils désirent. **16.** Toutefois nous apercevons cette incoordination dans le corps, tandis que nous ne la distinguons pas dans l'âme. Néanmoins nous devons tout autant penser qu'il y a dans l'âme un élément contraire à la raison, s'y opposant et lui résistant. De quelle nature est cette différence, ce n'est pas la question importante pour l'instant. **17.** Toutefois cette faculté de l'âme paraît faire partie de nous-mêmes, comme nous l'avons dit ; du moins chez l'homme tempérant obéit-elle à la raison. Et vraisemblablement chez l'homme tempérant et énergique, elle se montre encore plus docile. Car en lui tous les actes se trouvent en harmonie avec la raison. **18.** Ainsi donc la partie privée de raison apparaît double, elle aussi. La partie commune aux hommes et aux plantes n'y participe à aucun degré, tandis que la concupiscence, toute tournée vers le désir, ne lui est pas absolument étrangère, dans la mesure où elle lui est docile et soumise. Les choses se passent comme lorsque nous tenons compte des suggestions d'un père ou d'un ami, sans qu'il y ait ici aucune analogie avec l'acquiescement donné aux démonstrations mathématiques[42]. Que la partie privée de raison puisse en une certaine mesure obéir à la raison, nous en avons la preuve dans l'emploi des admonestations, des reproches, des encouragements.

19. S'il faut bien convenir de ce fait que cette autre partie de l'âme participe à la raison, la partie intellectuelle douée de raison sera double à son tour, l'une souveraine par elle-même, l'autre docile à sa voix comme à celle d'un père. **20.** Cette distinction nous aide à fixer les différentes sortes de vertus : nous appelons les unes vertus intellectuelles, les autres vertus morales[43] ; la sagesse et la prudence réfléchie appartiennent aux premières, la générosité et la tempérance aux secondes. En effet, quand nous parlons du caractère de quelqu'un, nous ne disons pas que cette personne est sage et intelligente, mais qu'elle est accommodante et tempérante, tandis que nous louons le sage pour son état habituel ; et cet état louable, nous l'appelons vertu.

LIVRE II

[La vertu.]

CHAPITRE PREMIER

La vertu apparaît sous un double aspect, l'un intellectuel, l'autre moral ; la vertu intellectuelle provient en majeure partie de l'instruction, dont elle a besoin pour se manifester et se développer ; aussi exige-t-elle de la pratique et du temps, tandis que la vertu morale est fille des bonnes habitudes ; de là vient que, par un léger changement, du terme mœurs sort le terme moral[44]. **2.** Cette constatation montre clairement qu'aucune des vertus morales ne naît naturellement en nous ; en effet, rien ne peut modifier l'habitude donnée par la nature ; par exemple, la pierre qu'entraîne la pesanteur ne peut contracter l'habitude contraire, même si, un nombre incalculable de fois, on la jette en l'air ; le feu monte et ne saurait descendre ; et il en va de même pour tous les corps, qui ne peuvent modifier leur habitude originelle. **3.** Ce n'est donc ni par un effet de la nature, ni contrairement à la nature que les vertus naissent en nous ; nous sommes naturellement prédisposés à les acquérir, à condition de les perfectionner par l'habitude. **4.** De plus, pour tout ce qui nous est donné par la nature, nous n'obtenons d'elle que des dispositions, des possibilités ; c'est à nous ensuite à les faire passer à l'acte. Cela est visible en ce qui concerne les sens ; car ce n'est pas par de fréquentes sensations de la vue et de l'ouïe que nous avons acquis ces deux sens ; bien au contraire, nous les possédions déjà et nous les avons employés; ce n'est pas l'usage qui nous les a donnés. Quant aux vertus, nous les acquérons d'abord par l'exercice, comme il arrive également dans les arts et les métiers. Ce que nous devons exécuter après une étude préalable, nous l'apprenons par la pratique; par exemple, c'est en bâtissant que l'on devient architecte, en jouant de la cithare que l'on devient citharède. De même, c'est à force de pratiquer la justice, la tempérance et le courage que nous devenons justes, tempérants et courageux. **5.** La preuve en est ce qui se passe ordinairement dans les cités; les législateurs, en les habituant, forment les citoyens à la vertu. Et c'est bien là l'intention de tout législateur. Tous ceux qui ne s'y prennent pas ainsi manquent leur but, attendu que c'est par là seulement qu'une cité diffère d'une autre cité, et une bonne cité d'une mauvaise. **6.** En outre, les mêmes causes expliquent encore la naissance et l'altération de toute vertu, comme de toute technique. C'est par la pratique de la cithare que se forment les bons et les mauvais musiciens. Il en va de même pour les architectes et les autres spécialistes. A force de bien ou de mal construire, l'on devient bon ou mauvais architecte. **7.** S'il n'en était pas ainsi, on n'aurait pas le moins du monde besoin des leçons d'un maître et l'on serait de naissance bon ou mauvais spécialiste. Il en va donc de même des vertus. C'est par nos manières d'observer les contrats avec nos semblables que nous devenons, les uns justes, les autres injustes. A force d'affronter les situations dangereuses et de nous habituer à la crainte et à l'audace, nous devenons courageux ou pusillanimes. Il n'en va pas autrement en ce qui concerne le désir et la colère; les uns arrivent à la tempérance et à la douceur, les autres à l'intempérance et à l'irascibilité, parce que la manière de se comporter des uns et des autres est différente. Et, en un mot, des activités semblables créent des dispositions correspondantes. **8.** Aussi faut-il exercer nos activités d'une manière déterminée; car les différences de conduite engendrent des habitudes différentes. La façon dont on est élevé dès l'enfance n'a pas, dans ces conditions, une mince importance. Que dis-je ? Cette importance est extrême, elle est tout à fait essentielle.

CHAPITRE II

Le présent ouvrage ne se propose pas un but théorique, comme les autres ; car notre recherche ne vise pas à déterminer la nature de la vertu, mais le moyen à employer pour devenir vertueux, faute de quoi son utilité serait nulle. Dans ces conditions, il est nécessaire de rechercher ce qui concerne les actions et la manière dont nous pouvons les accomplir. Car les actes commandent souverainement nos dispositions, comme nous l'avons dit. **2.** Qu'il faille agir selon la droite raison, voilà ce que l'on accorde généralement ; admettons-le donc comme point de départ. Nous dirons par la suite, à ce sujet, en quoi consiste la droite raison et quel rapport elle entretient avec les autres vertus[45]. **3.** Convenons aussi de ceci : tout notre raisonnement sur ce qui concerne l'action doit n'être que général et sommaire, comme nous l'avons dit au début, parce qu'il faut demander des raisonnements appropriés à la nature de la matière traitée. Or ce qui concerne l'activité et ce qui la favorise n'a rien de fixe, non plus que ce qui concerne la santé. **4.** Puisque tel est le raisonnement général, il en va de même du raisonnement sur les cas particuliers, qui ne comporte pas de précision ; ces cas particuliers ne relèvent d'aucune connaissance technique ni d'aucune règle ; il faut donc que, dans tous les cas, ceux qui agissent observent les circonstances particulières, comme il en va dans la médecine et la navigation. **5.** Eh bien ! malgré les conclusions auxquelles aboutit notre raisonnement, tâchons de parer à la difficulté. **6.** Tout d'abord il faut remarquer que ce genre d'actions est compromis autant par défaut que par excès si, comme il faut le faire, nous nous servons du témoignage de ce que nous avons sous les yeux pour juger de ce qui échappe à notre vue ; c'est le cas pour les forces physiques et la santé. L'exercice, qu'il soit exagéré ou insuffisant, altère cette vigueur ; de même l'excès et l'insuffisance de boisson et de nourriture compromettent la bonne santé, alors que la mesure en ces matières crée, développe et sauvegarde la santé. **7.** Il en va de même de la tempérance, du courage et des autres vertus. L'homme qui s'enfuit, plein de crainte, à la moindre alerte, qui est incapable de rien supporter devient lâche, tandis que celui qui n'a peur de rien et qui marche à travers tout fait preuve de témérité. De même celui qui goûte à toute espèce de plaisirs, sans s'en refuser aucun, montre de l'intempérance, tandis que celui qui les fuit tous, comme font les rustres, devient complètement hébété. Ainsi donc la tempérance et le courage se trouvent ruinés par l'excès ou par une pratique insuffisante, tandis que la modération les conserve. **8.** La naissance, le développement, l'altération de nos dispositions procèdent des mêmes causes et leur restent soumises ; nos forces agissantes apparaîtront dans les mêmes conditions. N'en va-t-il pas ainsi dans des cas concrets comme celui de la vigueur physique ? Elle est le résultat d'une nourriture abondante et de l'endurance à bien des travaux pénibles, ce à quoi l'homme vigoureux est particulièrement apte. **9.** Il n'en va pas autrement des vertus. Le courage de résister aux plaisirs nous rend tempérants ; quand nous le sommes devenus, nous sommes parfaitement en mesure de nous en abstenir. Le raisonnement vaut aussi pour le courage ; en nous accoutumant à mépriser la peur et en supportant les dangers, nous devenons courageux ; en cet état nous serons parfaitement en mesure de supporter les dangers redoutables.

CHAPITRE III

C'est le signe d'une disposition acquise que le plaisir et la peine qui viennent s'ajouter aux actes. En effet, l'homme qui s'abstient des plaisirs des sens et qui se complaît dans cette privation est vraiment tempérant; au contraire celui qui en souffre est intempérant. Par ailleurs quiconque supporte de terribles périls, tire de son endurance même un plaisir ou du moins n'en souffre pas, est vraiment courageux; quiconque s'en afflige est lâche. La vertu morale est donc en relation avec le sentiment du plaisir et de la douleur; le plaisir que nous espérons nous fait agir bassement; la peine que nous redoutons nous détourne de bien agir. **2.** Aussi faut-il, dès l'enfance, ainsi que le dit Platon[46], être entraîné, en quelque sorte, à extraire de nos actes, à bon escient, du plaisir et de la peine. Voilà en quoi consiste une saine éducation. **3.** En outre, puisque les vertus entretiennent des rapports avec nos actions et nos passions; puisque toute passion et toute action sont suivies de plaisir ou de peine, la vertu aurait donc des liens avec le plaisir ou la peine. **4.** Les corrections obtenues par leur aide servent aussi de preuve. Ce sont des sortes de traitements. Or en médecine on guérit généralement par les contraires. **5.** Ajoutons encore, comme nous l'avons dit précédemment, que toute disposition de l'âme, susceptible naturellement de la pervertir ou de l'améliorer, entretient un rapport naturel avec le plaisir et la peine et est amenée à s'en occuper. Les plaisirs et les peines engendrent de mauvaises dispositions, parce que l'on poursuit ceux-là et qu'on cherche à éviter celles-ci. Ou bien on veut atteindre ce qu'on devrait éviter, ou on agit dans des circonstances et des conditions inopportunes, bref on se comporte selon tous les modes d'action déterminés par la raison. Ce qui fait que certaines personnes définissent les vertus des états d'insensibilité et de calme[47]. Vue inexacte, parce que l'on parle absolument, en omettant de dire comment et dans quelles circonstances il faut agir ou non, bref en laissant de côté toutes les autres précisions. **6.** Nous admettons donc comme principe que la vertu est, en ce qui concerne les plaisirs et les peines, la capacité que nous avons dite d'exécuter les plus belles actions, le vice étant la disposition contraire. **7.** Opinion qui se précise encore par ce que nous venons de dire à ce sujet. Nos impulsions et nos répulsions sont respectivement conditionnées par le bien, l'utile, l'agréable, pour les premières[48] ; pour les secondes, par ce qui est honteux, nuisible, pénible ; sur tous ces points l'homme de bien est assuré du succès, tandis que le vicieux manque son but, principalement en ce qui concerne le plaisir. En effet le plaisir est commun à tous les êtres vivants et il accompagne tous nos actes accomplis par choix ; c'est que le bien et l'utile, de l'avis commun, sont agréables. **8.** Ajoutons que, dès la petite enfance, ce sentiment du plaisir se développe en même temps que nous tous sans distinction. Aussi est-il difficile de l'éliminer puisque toute notre vie en reçoit l'empreinte. Par conséquent, dans toutes nos actions, nous usons comme d'une règle du plaisir et de la peine, les uns davantage, les autres moins. **9.** Il est donc inévitable que toute notre étude porte sur cette question ; car il est pour nos actions d'une grande importance de savoir si nos plaisirs et nos peines se justifient ou non par ce que nous éprouvons devant le bien ou le mal. **10.** N'oublions pas qu'il est plus difficile de résister au plaisir que de contenir la colère, selon la parole d'Héraclite. Plus une chose est difficile, plus elle exige d'art et de vertu. Dans ce cas, le bien s'appelle le mieux. Nous conclurons donc en disant que toute étude, aussi bien dans le domaine de la vertu que de la science politique, s'intéresse au plaisir et à la peine. L'homme qui saura bien placer ces deux sentiments sera l'homme de bien ; qui les placera mal sera le vicieux. **11.** Convenons donc que la vertu entretient des rapports avec les plaisirs et les peines ; que les causes qui la font naître sont aussi celles qui la développent et l'altèrent, quand se produit une influence opposée ; enfin que les causes qui la favorisent sont aussi l'objet de son activité.

CHAPITRE IV

On pourrait nous demander des explications sur cette proposition : pour devenir un homme juste, il faut pratiquer la justice, et pour devenir un homme tempérant, la tempérance. Car, si l'on pratique ces deux vertus, c'est que déjà on est juste et tempérant, de même que ceux qui font de la grammaire et de la musique sont déjà grammairiens et musiciens. **2.** Ou bien n'en est-il pas ainsi dans les arts ? En effet il arrive qu'on fasse une remarque grammaticale par hasard ou sur la suggestion d'une autre personne. Pour moi, celui-là sera réellement un grammairien qui composera quelque ouvrage de grammaire, en s'inspirant de la méthode grammaticale, je veux dire en homme qui possède en lui-même la science grammaticale. **3.** Voici encore une différence entre les arts et les vertus. Les produits des arts ont en eux-mêmes leur mérite intrinsèque. Mais dans le cas des vertus, il ne suffit pas pour qu'elles existent que l'homme agisse en juste et en tempérant ; il faut que l'agent sache comment il agit : ensuite que son acte provienne d'un choix réfléchi, en vue de cet acte lui-même ; en troisième lieu qu'il accomplisse son acte avec une volonté ferme et immuable. Ces conditions n'entrent pas en ligne de compte pour acquérir la maîtrise des arts, sauf la connaissance du métier. Pour ce qui est de la pratique des vertus, cette connaissance n'a que peu d'importance ou même n'en a pas du tout ; le reste a une importance qui n'est pas négligeable. Que dis-je ? Elle est essentielle, attendu que ces conditions ne s'obtiennent que par la pratique continue de la justice et de la tempérance[49]. **4.** Ainsi donc on qualifie les actions de justes et de tempérées, pour ainsi dire, quand elles sont telles que les accomplirait un homme juste et tempérant. Et l'homme juste et tempérant n'est pas celui qui se contente d'exécuter ces actes, mais celui qui les exécute dans les dispositions d'esprit propres aux hommes justes et tempérants. **5.** On a donc raison de dire que c'est par la pratique de la justice et de la tempérance qu'on devient juste et tempérant. Faute de cette pratique, nul ne deviendra honnête homme. Mais la plupart des gens ne se donnent pas cette peine et, se réfugiant dans l'argumentation, s'imaginent faire œuvre de philosophes et croient pouvoir devenir d'honnêtes gens, semblables en quelque sorte à ces malades qui, prêtant avec soin l'oreille aux prescriptions des médecins, ne se conforment pas à l'ordonnance. Ceux-ci ne retrouveront pas la santé en soignant leur corps de la sorte, non plus que les autres ne guériront leur âme en philosophant de cette manière.

CHAPITRE V

Qu'est-ce donc que la nature de la vertu ? Voilà ce qu'il faut examiner sans tarder. Puisque dans l'âme on trouve uniquement passions, capacités d'action, dispositions acquises, la vertu doit appartenir à une de ces classes. **2.** Or, j'appelle passions le désir, la colère, la peur, la témérité, l'envie, la joie, l'amitié, la haine, le regret, l'émulation, la pitié, en un mot tout ce qui s'accompagne de plaisir ou de peine. J'appelle capacités nos possibilités d'éprouver ces passions, par exemple ce qui nous rend propres à ressentir de la colère, ou de la haine, ou de la pitié. Enfin les dispositions nous mettent, eu égard aux passions, dans un état heureux ou fâcheux ; par exemple, en ce qui concerne la colère, si l'on y est trop porté ou insuffisamment, nous nous trouvons en de mauvaises dispositions ; si nous y sommes portés modérément, nous sommes dans d'heureuses dispositions ; il en va ainsi dans d'autres cas. **3.** Ainsi donc ni les vertus ni les vices ne sont des passions, car ce n'est pas d'après les passions qu'on nous déclare bons ou mauvais, tandis qu'on le fait d'après les vertus et les vices. On ne se fonde pas non plus sur les passions pour nous décerner l'éloge ou le blâme; on ne félicite pas l'homme craintif ni l'homme porté à la colère; le blâme ne s'adresse pas à un homme d'une façon générale, mais selon les circonstances, tandis que c'est d'après les vertus et les vices qu'on nous dispense l'éloge ou le blâme. **4.** Ajoutons que la colère et la crainte ne proviennent pas de notre volonté, tandis que les vertus comportent un certain choix réfléchi, ou tout au moins n'en sont pas dépourvues. Enfin l'on dit que les passions nous émeuvent, les vertus et les vices ne nous émouvant pas, mais nous disposant l'âme d'une certaine manière. **5.** Les mêmes raisons font que vertus et vices ne sont pas non plus en nous de simples possibilités. On ne dit pas que nous sommes bons et mauvais par le seul fait de pouvoir éprouver des passions; ce n'est pas là ce qui nous vaut la louange et le blâme. En outre, si la nature nous a donné ces possibilités, ce n'est pas elle qui fait que nous sommes bons ou mauvais — nous nous sommes exprimé plus haut à ce sujet[50]. Si donc les vertus ne sont ni des passions ni des possibilités, il reste qu'elles sont des dispositions acquises.

CHAPITRE VI

Voilà notre explication sur la nature de la vertu. Mais il ne suffit pas de dire que c'est une disposition; encore faut-il préciser de quelle sorte elle est. **2.** Il faut dire que toute vertu, selon la qualité dont elle est la perfection, est ce qui produit cette perfection et fournit le mieux le résultat attendu. Par exemple la vertu de l'œil exerce l'œil et lui fait remplir sa fonction d'une façon satisfaisante; c'est par la vertu de l'œil que nous voyons distinctement. De même la vertu du cheval fait de lui un bon cheval apte à la course, à recevoir le cavalier et capable de supporter le choc de l'ennemi[51]. **3.** S'il en va ainsi de même pour tout, la vertu de l'homme serait une disposition susceptible d'en faire un honnête homme capable de réaliser la fonction qui lui est propre. **4.** Comment y parviendra-t-on ? Nous l'avons déjà dit[52] ; mais on le verra plus clairement, si nous déterminons la nature de la vertu. Dans tout objet homogène et divisible, nous pouvons distinguer le plus, le moins, l'égal, soit dans l'objet même, soit par rapport à nous. Or l'égal est intermédiaire entre l'excès et le défaut. **5.** D'autre part j'appelle position intermédiaire dans une grandeur ce qui se trouve également éloigné des deux extrêmes, ce qui est un et identique partout. Par rapport à nous, j'appelle mesure ce qui ne comporte ni exagération, ni défaut. **6.** Or, dans notre cas, cette mesure n'est ni unique, ni partout identique. Par exemple, soit la dizaine, quantité trop élevée, et deux, quantité trop faible. Six sera le nombre moyen par rapport à la somme, parce que six dépasse deux de quatre unités et reste d'autant inférieur à dix. Telle est la moyenne selon la proportion arithmétique. **7.** Mais il ne faut pas envisager les choses de cette façon par rapport à nous. Ne concluons pas du fait que dix mines de nourriture constituent une forte ration et deux mines une faible ration, que le maître de gymnastique en prescrira six à tous les athlètes. Car une semblable ration peut être, selon le client, excessive ou insuffisante. Pour un Milon[53], elle peut être insuffisante, mais pour un débutant elle peut être excessive. On peut raisonner de même pour la course et pour la lutte. **8.** Ainsi tout homme averti fuit l'excès et le défaut, recherche la bonne moyenne et lui donne la préférence, moyenne établie non relativement à l'objet, mais par rapport à nous. **9.** De même toute connaissance remplit bien son office, à condition d'avoir les yeux sur une juste moyenne et de s'y référer pour ses actes. C'est ce qui fait qu'on dit généralement de tout ouvrage convenablement exécuté qu'on ne peut rien lui enlever, ni rien lui ajouter, toute addition et toute suppression ne pouvant que lui enlever de sa perfection et cet équilibre parfait la conservant. Ainsi encore les bons ouvriers œuvrent toujours les yeux fixés sur ce point d'équilibre.

Ajoutons encore que la vertu, de même que la nature, l'emporte en exactitude et en efficacité sur toute espèce d'art ; dans de telles conditions, le but que se propose la vertu pourrait bien être une sage moyenne. **10.** Je parle de la vertu morale qui a rapport avec les passions et les actions humaines, lesquelles comportent excès, défaut et sage moyenne. Par exemple, les sentiments d'effroi, d'assurance, de désir, de colère, de pitié, enfin de plaisir ou de peine peuvent nous affecter ou trop ou trop peu, et d'une manière défectueuse dans les deux cas. **11.** Mais si nous éprouvons ces sentiments au moment opportun, pour des motifs satisfaisants, à l'endroit de gens qui les méritent, pour des fins et dans des conditions convenables, nous demeurerons dans une excellente moyenne, et c'est là le propre de la vertu : de la même manière, on trouve dans les actions excès, défaut et juste moyenne. **12.** Ainsi donc la vertu se rapporte aux actions comme aux passions. Là l'excès est une faute et le manque provoque le blâme ; en revanche, la juste moyenne obtient des éloges et le succès, double résultat propre à la vertu. **13.** La vertu est donc une sorte de moyenne, puisque le but qu'elle se propose est un équilibre entre deux extrêmes. **14.** Ajoutons que nos fautes peuvent présenter mille formes (la faute, selon les Pythagoriciens[54], se caractérisant par l'illimité, le bien par ce qui est achevé), en revanche, il n'y a qu'une façon de réaliser le bien. C'est pourquoi il est facile de manquer le but et difficile de l'atteindre. Toutes raisons qui font que l'excès et le défaut dénoncent le vice, tandis que la juste moyenne caractérise la vertu :

> Il n'est qu'une façon d'être bon,
> il y en a mille d'être mauvais[55].

15. La vertu est donc une disposition acquise volontaire, consistant par rapport à nous, dans la mesure, définie par la raison conformément à la conduite d'un homme réfléchi. Elle tient la juste moyenne entre deux extrémités fâcheuses, l'une par excès, l'autre par défaut. **16.** Disons encore ceci : tandis que dans les passions et les actions, la faute consiste tantôt à se tenir en deçà, tantôt à aller au-delà de ce qui convient, la vertu trouve et adopte une juste mesure. **17.** C'est pourquoi si, selon son essence et selon la raison qui fixe sa nature, la vertu consiste en une juste moyenne, par rapport au bien et à la perfection, elle se place au point le plus élevé[56]. **18.** Mais toute action, de même que toute passion, n'admet pas cette moyenne. Il peut se faire que le nom de quelques-unes suggère aussitôt une idée de perversité ; par exemple, la joie éprouvée du malheur d'autrui, l'impudence, l'envie ; et, dans l'ordre des actes, l'adultère, le vol, l'homicide. Toutes ces actions, ainsi que celles qui leur ressemblent, encourent le blâme, parce qu'elles sont mauvaises en elles-mêmes et non dans leur excès ou leur défaut. A leur sujet, on n'est jamais dans le droit chemin, mais toujours dans la faute. En ce qui les concerne, la question de savoir si l'on fait bien ou mal ne peut se poser ; on n'a pas à se demander à l'égard de quelle femme, ni quand, ni comment on peut commettre l'adultère. Le seul fait de commettre l'une ou l'autre de ces actions constitue une faute. **19.** Ce serait la même prétention que de soutenir qu'il y a dans la pratique de l'injustice, de la lâcheté, de la licence juste moyenne, excès et défaut. Dans ces conditions, il y aurait dans l'excès ou le défaut une moyenne, et un excès de l'excès et un défaut du défaut. **20.** Mais, de même que la tempérance et le courage n'admettent ni excès ni défaut, parce que la juste moyenne ici constitue en quelque sorte un point culminant, de même les vices que nous avons cités n'admettent ni moyenne, ni excès, ni défaut, parce qu'en s'y livrant on commet toujours une faute. En un mot, ni l'excès, ni le défaut ne comportent de moyenne, non plus que la juste moyenne n'admet ni excès ni défaut.

CHAPITRE VII

Or, il ne faut pas se contenter de cette affirmation générale sur la vertu ; il faut aussi que notre théorie soit en harmonie avec les cas particuliers. En effet, en ce qui concerne les actions, qui raisonne en général raisonne dans le vide, tandis que sur les cas particuliers, on a chance d'obtenir plus de vérité. Car les actions ne portent que sur des cas d'espèces ; elles doivent donc s'harmoniser avec eux. Aussi importe-t-il de les saisir d'après le tableau suivant[57]. **2.** Le courage est une juste moyenne entre la crainte et la hardiesse. L'excès dans l'absence de crainte n'a reçu aucun nom – il en est souvent ainsi en grec ; l'excès dans la hardiesse s'appelle témérité. Qui montre un excès de crainte ou un manque de hardiesse, on l'appelle lâche. **3.** Par rapport aux voluptés et aux peines – non point toutes, et d'une manière moindre en ce qui concerne les peines –, la moyenne donne la tempérance et l'excès la débauche. Ceux qui pèchent par insuffisance dans la recherche du plaisir sont très peu nombreux ; aussi les gens de cette sorte ne reçoivent-ils pas d'appellation particulière ; contentons-nous de les appeler insensibles. **4.** La juste moyenne en ce qui concerne l'argent qu'on donne ou qu'on reçoit prend le nom de générosité ; l'excès et le défaut à ce sujet les noms de prodigalité et d'avarice. Les deux manières d'être sont en complète opposition dans l'excès et le défaut. En effet, le prodigue est dans l'excès en faisant des largesses, dans le défaut lorsqu'il reçoit ; tandis que l'avare exagère quand il prend et pèche par défaut pour la dépense. **5.** Pour le moment donc, nous ne parlons qu'en gros et en général, ce qui nous suffit pour l'instant ; par la suite, nous apporterons sur cette question de plus grandes précisions[58]. **6.** Il existe encore, par rapport à la richesse, d'autres comportements ; la juste moyenne s'appelle aussi magnificence ; or le magnifique diffère du généreux, le premier distribuant de grosses sommes, l'autre de petites. L'excès porte le nom de manque de goût et de vulgarité, le défaut celui de mesquinerie ; ces défauts sont différents de ceux qui ont rapport avec la générosité, mais sur la nature de cette différence nous insisterons plus tard. **7.** La juste mesure entre l'amour et le mépris des honneurs porte le nom de grandeur d'âme ; l'excès est une sorte de jactance, le défaut petitesse d'âme. **8.** Le rapport qui existe entre la générosité et la magnificence, et qui consiste dans le fait que la première n'a à sa disposition que de faibles ressources, peut exister relativement à la grandeur d'âme, celle-ci ayant en vue de grandes marques d'honneur, tandis que la simple ambition n'en envisage que de faibles. Il se peut que l'on vise aux honneurs comme il convient, mais aussi trop ou trop peu. Celui qui dépasse la mesure dans ses aspirations s'appelle un ambitieux ; celui qui pèche par défaut est un indifférent ; qui reste dans la juste mesure ne porte pas de nom particulier. Les comportements correspondants n'ont pas de nom, eux non plus, sauf celui de l'ambitieux qui est l'ambition, de sorte que les extrêmes revendiquent la place du milieu. Aussi il nous arrive de donner à celui qui demeure dans le juste milieu tantôt le nom d'ambitieux, tantôt celui d'indifférent. Il peut se faire aussi que nous louions tantôt l'ambitieux, tantôt l'indifférent. **9.** La raison en sera donnée par la suite ; pour l'instant, donnons quelques précisions sur les autres vertus, de la manière indiquée. **10.** La colère présente aussi excès, défaut et moyenne ; mais ces comportements sont à peu près dépourvus d'appellations particulières ; néanmoins, appelant doux l'homme modéré, nous appellerons douceur cet état intermédiaire. Pour les extrêmes, on dira irascible et irascibilité en parlant de l'excès ; on dira flegmatique et flegme en parlant du défaut. **11.** Il y a aussi trois attitudes moyennes, ayant entre elles quelque analogie, mais différant les unes des autres. Toutes intéressant les rapports qu'ont entre eux les hommes, soit en paroles, soit en actes ; mais elles diffèrent en ce sens que l'une s'occupe de la vérité des choses mêmes, les deux autres de l'agrément qui est en elles. Parmi ces dernières, une partie est en rapport avec le jeu, l'autre avec tous les événements de la vie. Il faut donc en parler également pour faire mieux voir qu'en tout la mesure est chose louable, que les extrêmes ne sont ni satisfaisants ni louables, que tout au contraire ils sont blâmables. Or la plupart de ces comportements sont eux aussi dépourvus d'appellations particulières ; néanmoins nous devons tâcher, comme nous l'avons fait pour le reste, de les caractériser par un nom, aussi bien en vue de la clarté que pour faciliter la compréhension. **12.** En ce qui concerne la vérité, celui qui garde la juste mesure est en quelque sorte un homme vrai ; sa qualité est la véracité. Nommons le goût de l'exagération vantardise et celui qui en est atteint vantard ; la tendance à se diminuer, dissimulation, et celui qui agit ainsi dissimulé. **13.** En ce qui concerne l'agrément qu'on trouve dans la plaisanterie, l'homme mesuré est l'enjoué, et son caractère l'enjouement ; l'excès est la bouffonnerie, l'homme qui s'y adonne un bouffon ; celui qui reste en deçà de la mesure est un rustre et le manque la rusticité ; en ce qui concerne l'agrément que pour le reste on apporte dans les relations, celui qui est agréable comme il convient est l'homme aimable et la mesure l'amabilité. L'excès, sans intention intéressée, s'appelle désir de plaire, et, avec l'espoir d'un profit, flatterie. Celui qui reste en deçà de la juste moyenne et qui, en toute circonstance, se montre désagréable est un homme d'humeur bourrue et déplaisante. **14.** Les états émotifs et les passions comportent aussi un juste milieu. Car si la *pudeur*[59] n'est pas une vertu, on loue néanmoins l'homme qui éprouve ce sentiment, car dans ce genre d'émotions, les uns restent dans le juste milieu, les autres le dépassent ; tel l'homme qui manque d'assurance et qui craint en tout de donner de soi une mauvaise opinion. Celui qui manque de pudeur et que rien ne fait rougir est un impudent ; celui qui garde la juste mesure, un homme qui se respecte. **15.** L'indignation que cause le bonheur immérité d'autrui tient le milieu entre l'envie et la malignité ; ces sentiments ont rapport à la peine et au plaisir causés par ce qui arrive aux autres. C'est qu'en effet l'homme qui ressent cette indignation s'afflige d'un bonheur immérité, tandis que l'envieux, allant plus loin, s'afflige du bonheur d'autrui, en toutes circonstances, et celui qui est réellement atteint de malignité, loin de s'affliger du malheur d'autrui, s'en réjouit. **16.** Mais sur ce sujet nous trouverons ailleurs encore l'occasion de revenir. Comme la notion de justice n'est pas simple, nous ferons par la suite les deux divisions nécessaires et nous en parlerons pour dire comment chacune admet un juste milieu; nous en ferons autant pour les vertus intellectuelles.

CHAPITRE VIII

Ainsi donc, puisqu'il y a trois comportements, que deux d'entre eux sont des défauts, l'un par excès, l'autre par manque, tandis que la vertu est unique et consiste dans la juste mesure, tous ces comportements s'opposent, de quelque manière, les uns aux autres; les extrêmes s'opposent au comportement intermédiaire et l'un à l'autre, aussi bien que l'intermédiaire aux extrêmes. **2.** De même que l'égal est plus grand que le moins et moins grand que le plus, de même les comportements moyens, dans les passions et les actions, sont en excès à l'égard du défaut et, à l'égard de l'excès, présentent un défaut. En effet, le courageux, par rapport au lâche, paraît audacieux, mais, par rapport à l'audacieux, il paraît lâche. De même le tempérant passe aux yeux de l'insensible pour intempérant et aux yeux de l'intempérant pour insensible. Le libéral, au regard de l'avare, est prodigue et, aux yeux du prodigue, un avare. **3.** Ainsi chacun des extrêmes repousse respectivement celui qui occupe la position intermédiaire vers son propre contraire, si bien que la lâcheté qualifie de témérité le courage, que la témérité à son tour traite de lâcheté. Il en va de même pour les autres comportements. **4.** Étant donné cette opposition réciproque des termes, les extrêmes s'opposent plus fortement l'un à l'autre qu'ils ne le font au comportement moyen. C'est que la distance entre eux est plus grande que par rapport au moyen, comme le grand terme et le petit sont plus distants l'un de l'autre que tous deux ne le sont du moyen terme. **5.** Ajoutons encore que, par rapport au moyen, parfois les extrêmes laissent apparaître quelque ressemblance[60], comme entre l'audace et le courage, entre la prodigalité et la *générosité*. Mais les extrêmes entre eux montrent la plus grande dissemblance. Par conséquent, les extrêmes les plus éloignés l'un de l'autre reçoivent l'appellation de contraires ; c'est pourquoi l'opposition est d'autant plus vive que la distance est plus grande entre eux. **6.** Tantôt c'est ce qui pèche par défaut, tantôt ce qui pèche par excès qui est plus éloigné de la position intermédiaire ; par exemple, en ce qui concerne le courage, la témérité, qui est un excès, en est moins éloignée que la lâcheté, qui est un manque ; par contre, en ce qui concerne la tempérance, l'insensibilité, qui est un manque, en est plus rapprochée que l'intempérance, laquelle est un excès. **7.** A cela deux causes : l'une provenant de la chose même ; comme l'un des extrêmes est plus proche du moyen et plus semblable à lui, ce n'est pas cet extrême, mais l'autre que nous lui opposons plus volontiers ; par exemple, du moment que la témérité paraît plus semblable au courage et plus voisine, tandis que la lâcheté en diffère davantage, c'est cette dernière que nous lui opposons plus volontiers. En effet, les choses les plus éloignées du juste milieu semblent bien être davantage son contraire. **8.** Telle est donc cette cause qui provient de l'objet même. La seconde provient de nous-mêmes. En effet, plus les objets nous attirent par une inclination naturelle, plus de toute évidence ils répugnent à la moyenne[61] ; par exemple, plus la nature nous entraîne vers les plaisirs, plus nous sommes enclins à la licence qu'à la décence. Aussi disons-nous qu'est plus contraire au juste milieu ce pour quoi nous avons une plus grande propension. Aussi l'intempérance qui est un excès est-elle plus opposée que l'insensibilité à la tempérance.

CHAPITRE IX

Ainsi donc la vertu morale est une moyenne, dont nous avons précisé les conditions : elle est un milieu entre deux défauts, l'un par excès, l'autre par manque ; sa nature provient du fait qu'elle vise à l'équilibre aussi bien dans les passions que dans les actions. Tout cela, nous l'avons dit suffisamment. **2.** Aussi est-il difficile de se montrer vertueux. En chaque cas atteindre le juste milieu ne va pas sans peine, de même que déterminer le centre de la circonférence est le propre, non du premier venu, mais du savant. De même il est à la portée de n'importe qui de se mettre en colère, aussi bien que de distribuer de l'argent et de faire des largesses. Par contre, savoir à qui il faut donner, combien, quand, pour quelle fin et de quelle manière, voilà qui n'est pas à la portée de tout le monde et qui est difficile. Aussi le bon emploi de l'argent est-il rare, autant que louable et beau. 3. Par conséquent, il faut que celui qui vise la juste moyenne commence par s'éloigner de ce qui s'en écarte le plus, selon le conseil de Calypso :

> Toi, pilote, tiens ta nef éloignée de cette fumée
> et de cette agitation des flots[62].

En effet, l'un des extrêmes nous fait commettre une plus grosse faute que l'autre. **4.** Puisqu'il est extrêmement difficile d'atteindre le juste milieu, à la seconde traversée, comme dit le proverbe, il faut se contenter des moindres maux ; ce qui se produira si nous suivons la méthode indiquée. Il faut donc examiner dans quel sens nous nous trouvons surtout entraînés. Car la nature nous porte dans des directions opposées. Nous pourrons facilement comprendre nos penchants par le plaisir et la peine que nous éprouvons. **5.** Il faut donc nous porter vivement dans le sens opposé à celui où nous nous sentions entraînés. Quand nous nous serons éloignés à bonne distance de la faute, nous arriverons à ce juste milieu. C'est ainsi que procèdent les ouvriers qui redressent les branches tordues. **6.** En tout, il faut particulièrement se garder de l'agréable et du plaisir. Car nous n'en décidons pas en toute impartialité. Aussi nous faut-il prendre vis-à-vis du plaisir la même attitude que les chefs vis-à-vis d'Hélène et nous répéter en toutes circonstances leur parole : ce n'est qu'après nous en être débarrassés que nous commettrons moins de fautes[63]. **7.** Ce faisant, pour nous résumer, nous serons mieux en état de parvenir à un juste équilibre. Voilà qui ne va pas sans difficulté dans les circonstances dont chacun est juge ; il est difficile de déterminer comment, contre qui, à quel sujet et combien de temps la colère peut se manifester. Il nous arrive, en effet, de louer ceux qui se tiennent en deçà de la colère et de dire qu'ils sont d'humeur facile ; mais il peut se faire aussi que nous appelions ceux qui se fâchent de vrais mâles. **8.** Eh bien ! celui qui s'écarte légèrement du bien soit par excès, soit par défaut n'encourt pas le blâme ; seul le mérite celui qui s'en écarte beaucoup, car sa faute ne nous échappe pas. D'ailleurs, il n'est pas facile de déterminer raisonnablement jusqu'à quel point et dans quelle mesure l'homme qui s'emporte est blâmable. La difficulté est identique pour tout ce qui appartient au domaine du sensible ; car il n'y a là que des cas d'espèce et le jugement relève des fonctions des sens. **9.** En voilà assez pour montrer qu'une disposition moyenne est, en toutes circonstances, louable, mais que selon les cas il convient de pencher tantôt vers l'excès, tantôt vers le défaut. Dans ces conditions nous atteindrons très facilement la position moyenne et le bien.

LIVRE III

[Suite de la vertu; le courage et la tempérance.]

CHAPITRE PREMIER

Puisque la vertu a rapport aux passions et aux actions, qu'on loue et blâme ce qui émane de notre volonté, tandis qu'on ne refuse pas son pardon et parfois même sa pitié à ce qui est accompli sans volonté de choix, peut-être est-il nécessaire de déterminer, puisque notre examen porte sur la vertu, ce qui est volontaire et ce qui est involontaire. **2.** Du reste, cette étude ne manquera pas d'être utile aussi aux législateurs chargés de fixer les récompenses et les peines. **3.** A ce qu'il semble, sont involontaires les actes accomplis par contrainte ou s'accompagnant d'ignorance. Un acte forcé est celui dont le principe est extérieur à nous-mêmes et tel que l'agent ou le patient n'y participe en rien, par exemple quand un vent violent ou des gens, maîtres de notre vie, nous transportent en quelque endroit. **4.** Pour toutes les actions que nous exécutons par crainte de maux plus grands ou en vue d'une belle fin, on peut discuter la question de savoir si elles sont volontaires ou non ; prenons par exemple le cas d'un tyran, qui, maître de la vie de nos parents et de nos enfants, nous enjoindrait de faire un acte honteux, en y mettant la condition que l'exécution sauverait les nôtres, tandis que le refus entraînerait leur mort[64]. **5.** Ce cas n'est pas sans analogie avec celui d'une cargaison jetée à la mer au cours d'une tempête ; en général, personne ne perd de son plein gré sa cargaison ;

on s'y résigne pour sauver sa propre vie et celle des autres, comme le font tous ceux qui sont sains d'esprit. **6.** Ainsi donc de telles actions ne revêtent pas un caractère bien net ; néanmoins elles ressemblent davantage à des décisions volontaires. Car, au moment où on les exécute, elles sont délibérément voulues. D'autre part, la fin de l'acte est déterminée par les circonstances. Ainsi il faut préciser le degré de volonté dans l'acte qui s'accomplit. En de telles circonstances, c'est volontairement que l'homme agit ; la cause qui fait mouvoir ses organes réside en lui ; or avoir en soi-même le principe de ses actes, c'est avoir aussi en soi la possibilité de les exécuter ou non. De telles actions sont donc volontaires ; mais, absolument parlant, peut-être dira-t-on aussi qu'elles sont involontaires : car nul ne souhaiterait exécuter des actes de cette nature pour eux-mêmes. **7.** Parfois même, on loue une conduite de cette sorte, quand c'est en vue de grands et beaux résultats qu'on supporte ce qui est honteux et affligeant. Dans le cas contraire, on n'obtient que le blâme. Car supporter la honte totale pour un acte sans beauté ou pour un faible profit est le fait d'un cœur méprisable. Parfois, ce qu'on obtient, ce n'est pas l'éloge, mais le pardon ; c'est le cas lorsqu'il s'agit de faits qu'on réprouve, mais qui dépassent les forces de la nature humaine et que personne ne pourrait endurer[65]. **8.** Parfois, peut-être, est-il des cas où il ne faut pas céder à la force, où il vaut mieux mourir en endurant d'horribles supplices. En effet, les motifs qui poussent le personnage d'Alcméon, chez Euripide[66], à tuer sa mère sont, de l'aveu de tous, ridicules. **9.** Il est donc parfois difficile de déterminer quelle conduite tenir de préférence à une autre, quels maux supporter plutôt que tels autres, et il est encore plus difficile de s'en tenir à sa décision. C'est qu'en général ce à quoi on s'attend est pénible et ce à quoi on est contraint, déshonorant. De là les blâmes et les éloges, selon que l'on a été contraint ou non à agir. **10.** A quoi donc reconnaître le cas de force majeure ? Est-ce tout simplement le cas d'une cause extérieure à nous et lorsque l'exécutant n'a aucune intention de prendre part à l'action ? Certains actes sont par eux-mêmes involontaires ; mais, dans telle circonstance, on les préfère à d'autres, et alors la cause réside dans l'exécutant. Par eux-mêmes ils restent involontaires ; mais ils deviennent volontaires par ce choix momentané. Aussi ressemblent-ils plutôt aux actes volontaires ; car les actions ont rapport avec les circonstances particulières et ces dernières comportent une intervention de la volonté. Mais sur le choix à faire de préférence à un autre, il n'est pas facile de s'expliquer, car les cas particuliers présentent beaucoup de différences. **11.** Et si l'on venait à dire que ce qui est agréable et beau comporte la contrainte — car, l'agréable et le beau étant extérieurs à nous, nous nous verrions alors contraints —, tout, dans ces conditions, impliquerait une pareille contrainte[67]. Car c'est en vue de ces fins que tous les hommes accomplissent tous leurs actes. Et, à la vérité, une partie d'entre eux, contraints et forcés, n'agissent qu'à contrecœur, dans le cas de la peine, tandis que d'autres, se proposant l'agréable et le bien, éprouvent du plaisir. Il serait donc ridicule d'incriminer ce qui nous est extérieur et non notre propre personne, facilement séduite par ces avantages du dehors, et de s'attribuer le mérite des belles actions, en reportant sur l'attrait du plaisir la responsabilité de nos actes honteux. **12.** Il semble bien qu'on appelle acte forcé celui dont le principe est hors de nous et auquel l'agent ne participe en rien. **13.** Quant aux actes que nous commettons par ignorance, tous sont sans doute dépourvus de volonté ; l'acte exécuté contre notre gré est affligeant et suivi de regret. Car quiconque agit par ignorance et ne retire pas de désagrément de ses actes, n'agit pas de son plein gré, puisqu'il était ignorant ; et d'autre part, il n'agit pas contre son gré, puisqu'il n'éprouve aucune tristesse. Ainsi donc, pour ce qui a rapport à cette ignorance, on peut dire de l'un, celui qui regrette son acte, qu'il a agi contre son gré ; quant à l'autre, qui n'éprouve aucun regret, disons, puisqu'il diffère du premier, qu'il n'a pas agi de son plein gré. Puisque la situation est différente, mieux vaut lui donner un nom particulier. **14.** Il semble donc qu'il faille distinguer ce qu'on fait par ignorance de ce qu'on exécute sans savoir ce qu'on fait. En effet, l'homme qui s'enivre ou qui se met en colère ne paraît pas agir par ignorance, mais pour une des raisons que nous avons indiquées, et non pas sans savoir, mais inconscient de son acte. Ainsi donc tout homme pervers, quel qu'il soit, ignore ce qu'il faut faire et ce dont il faut s'abstenir. Faute qui rend injustes et franchement mauvais tous les hommes de cette sorte. **15.** Il faut donc définir l'acte involontaire, non pas celui qui comporte l'ignorance de notre intérêt – car cette ignorance volontaire dans la détermination est la cause, non pas du caractère involontaire de l'acte, mais de sa perversité –, ce n'est pas non plus l'ignorance générale qui est en cause, puisque celle-là du moins encourt le blâme ; mais c'est l'ignorance des circonstances particulières dans lesquelles et au sujet desquelles l'action a lieu. C'est dans les cas de ce genre que trouvent à s'exercer la pitié et le pardon, car celui-là agit involontairement qui, par ignorance, agit mal sans le savoir. **16.** Peut-être ne sera-t-il pas mauvais d'indiquer quels sont, pour ce genre d'actions, la nature, le nombre, l'agent, l'action elle-même, les circonstances, les conditions, quelquefois même les moyens – par exemple, tel instrument –, les motifs – par exemple s'il s'agit de son salut –, enfin la manière – si c'est avec douceur, avec violence. **17.** Toutes ces circonstances, personne ne saurait, à moins d'être fou, les ignorer ; et il est clair que l'agent ne saurait lui non plus les méconnaître – qui voudrait, en effet, s'ignorer lui-même ? Mais il peut arriver que l'agent ignore ce qu'il fait, comme on dit qu'en parlant des mots vous ont échappé ; ou qu'on révèle, comme Eschyle[68], les mystères sans savoir que c'est interdit ; ou bien, en voulant montrer l'appareil, on fait partir la catapulte. Il peut arriver qu'on fasse comme Mérope[69], qui prend son fils pour son plus mortel ennemi ; qu'on croie moucheté un fer de lance acéré ; qu'on prenne un caillou pour une pierre ponce ; ou qu'en faisant boire quelqu'un pour le sauver on le fasse périr ; ou bien encore qu'en voulant montrer comment on s'y prend dans la lutte à main plate, on assène à quelqu'un un mauvais coup. **18.** En raison de l'ignorance où l'on est de toutes les conditions de l'action, l'homme qui en méconnaît quelques-unes semble agir contre son gré, surtout dans le cas des plus importantes. Or les plus importantes sont celles dans lesquelles et en vue desquelles s'exécute l'action. **19.** Cet acte qu'on appellera involontaire à cause d'une telle ignorance, encore faut-il qu'il s'accompagne de chagrin et de regret. **20.** Si donc l'action involontaire est celle qui résulte de la violence ou de l'ignorance, ce qui est volontaire semble être ce dont le principe se trouve dans l'agent qui connaît toutes les circonstances particulières de l'action. **21.** On a peut-être tort, en effet, de classer parmi les actes involontaires ceux qui émanent de la colère ou d'un vif désir. **22.** Car tout d'abord, dans ce cas, aucun des autres êtres vivants n'agira de son plein gré — non pas même les enfants. Ensuite, est-il vrai que nous ne faisons de notre plein gré aucun des actes que nous exécutons par désir ou par emportement ? Ou bien les belles actions les faisons-nous de notre plein gré, les actions honteuses contre notre gré[70] ? Une telle affirmation n'est-elle pas risible, étant donné que la cause du moins est la même ? Il serait absurde aussi de prétendre que sont accomplies contre notre gré les actions vers lesquelles on est tenu de se porter. C'est qu'il convient même de se mettre en colère dans certains cas et de désirer vivement certains biens, comme la santé et l'instruction. **23.** D'autre part, à ce qu'il semble, les actes involontaires causent de la peine, ceux qui sont accomplis par désir du plaisir. **24.** Posons encore cette question : quelle différence y a-t-il dans les actes involontaires, dont l'erreur provient d'un faux raisonnement ou d'un mouvement de la sensibilité ? **25.** Tous deux sont à éviter. Les fautes contre la raison procèdent tout autant que les autres de la nature humaine, si bien que les actes de l'homme proviennent de la colère et du désir. Il est donc absurde les considérer comme ne provenant pas de notre volonté.

CHAPITRE II

Après avoir fixé les limites de ce qui est volontaire et involontaire, il nous reste à parler du choix réfléchi. C'est, semble-t-il, un caractère essentiellement propre à la vertu et permettant, mieux que les actes, de porter un jugement sur la valeur morale. **2.** Ce choix paraît bien dépendre de la volonté, sans s'identifier cependant avec elle, la volonté ayant une plus vaste extension. Car les enfants et les autres êtres vivants sont capables d'agir volontairement, mais non pas avec choix délibéré. De plus, les actes soudains sont, comme nous le disons, exécutés volontairement, mais non de choix délibéré. **3.** D'autre part, ceux qui identifient ce choix avec le désir, avec l'ardeur de la sensibilité, avec la volonté de la fin ou avec l'opinion ne semblent pas s'exprimer correctement. Car le choix n'a rien de commun avec les êtres dépourvus de raison, capables cependant de désir et de mouvements du cœur. **4.** En effet, qui n'est pas maître de soi est capable de désirer, non d'agir par libre choix ; en revanche, qui est maître de soi agit par choix délibéré et non sous l'impulsion du désir. **5.** De plus le désir s'oppose aux calculs du choix, tandis qu'un désir ne s'oppose pas à un désir. Le désir est lié au plaisir et à la peine ; le choix ne dépend ni de la peine ni de l'agréable. **6.** Le choix est encore moins une impulsion du cœur, car les actes venus du cœur, visiblement, ne sont pas inspirés par ce choix raisonné. **7.** Ce n'est pas le moins du monde, non plus, un acte de volonté, bien qu'il en paraisse fort rapproché. En effet, le choix ne vise pas l'impossible et dire que celui-ci est l'objet d'un choix serait pure insanité. Or on peut vouloir l'impossible, comme de ne jamais mourir. **8.** De plus la volonté concerne également ce que ne pourrait jamais réaliser l'agent lui-même, par exemple la victoire pour un acteur ou pour un athlète. Or personne ne prend une décision réfléchie pour des actes analogues ; on ne le fait que pour les actes possibles à réaliser par soi-même.

9. Ajoutons encore que la volonté concerne surtout le but, et le choix les moyens de l'atteindre : par exemple, nous voulons la santé, mais nous portons notre choix sur les moyens de la conserver. Nous disons que nous voulons le bonheur. Mais dire que nous choisissons d'être heureux, c'est ne pas être en accord avec les faits ; en un mot, le choix s'exerce, semble-t-il, sur ce qui dépend de nous[71]. **10.** Le choix délibéré ne saurait être non plus une opinion. Car l'opinion, semble-t-il, embrasse toutes choses, aussi bien celles qui sont éternelles et impossibles que celles qui dépendent de nous. En outre, les opinions sont réparties en vraies et en fausses, et non pas en honnêtes et en vicieuses, alors que le choix a trait plutôt au mal et au bien qu'à la vérité et à l'erreur. **11.** En général donc, personne ne dit que le choix s'identifie avec l'opinion ; nous disons bien : avec aucune opinion. Car c'est le libre choix du bien et du mal qui décide de notre nature morale, mais non la qualité de nos opinions. **12.** Nous choisissons de rechercher ou de fuir telle chose, ou de nous comporter de telle ou telle manière, tandis que nous exprimons notre opinion sur la nature d'une chose, son utilité, son emploi. Il ne s'agit pas du tout d'opinion dans l'acte de rechercher ou d'éviter. **13.** On loue le choix parce qu'il s'accorde plutôt avec les circonstances qu'avec la réalité, et l'opinion pour son accord avec la vérité. Enfin nous choisissons ce que nous savons être le bien, tandis que nos opinions portent sur des choses que nous ne connaissons pas avec précision. **14.** De plus, semble-t-il, les gens qui exercent le mieux leur choix réfléchi ne sont pas ceux qui font preuve des meilleures opinions. Quelques-uns ont une opinion plus juste, mais en raison de leur perversité, ne font pas pour agir le choix qu'il faudrait. **15.** Quant à la question de savoir si l'opinion précède ou suit le choix, elle n'importe pas. Car ce n'est pas l'objet de notre examen qui vise à déterminer si le choix s'identifie avec l'opinion. **16.** Qu'est-ce donc que ce choix et quelle est sa nature, puisque ce n'est rien de ce que nous venons d'envisager ? De l'avis commun, c'est un acte volontaire, mais tout acte volontaire n'est pas exécuté en vertu du libre choix. **17.** Ne serait-ce pas ce qui a été l'objet d'une délibération préalable ? En effet, ce choix s'accompagne de raison et de réflexion. Et c'est bien ce que semble indiquer le mot grec (πρὸ ἑτέρων αἱρετόν) : ce qui a été choisi de préférence.

CHAPITRE III

Y a-t-il lieu de délibérer sur tous les sujets ? Tout est-il objet de délibération ? Ou bien, dans quelques cas, la délibération n'intervient-elle pas ? **2.** Peut-être faut-il dire que n'est objet de délibération que ce sur quoi peut délibérer un homme sensé, et nullement un être stupide et fou furieux ? **3.** Or sur ce qui a un caractère éternel, par exemple sur le monde, sur le rapport de la diagonale au côté, nul ne consulte sur la question de savoir pourquoi ces choses sont incommensurables. **4.** On ne délibère pas davantage sur les mouvements célestes qui se reproduisent toujours suivant les mêmes lois, qu'il faille attribuer ce retour régulier à la nécessité, à leur nature ou à quelque autre cause, comme c'est le cas pour les mouvements des solstices et des équinoxes. **5.** Il en est ainsi pour les autres événements qui s'effectuent sans régularité — comme les sécheresses et les pluies —, ainsi encore pour les événements fortuits — comme la découverte d'un trésor. **6.** De même on ne délibère pas surtout ce qui intéresse les hommes : par exemple, aucun Lacédémonien ne s'avisera de délibérer sur les institutions les meilleures pour les Scythes. Car rien de tout cela ne peut se faire par notre intervention. **7.** Mais nous délibérons sur ce qui dépend de nous et peut être effectué par nous, c'est-à-dire sur tout le reste. C'est qu'en effet, semble-t-il, les causes des événements sont la nature, la nécessité, le hasard, à quoi il faut ajouter l'esprit humain et tous les actes de l'homme. Or chaque homme délibère sur ce qu'il croit avoir à faire. **8.** En ce qui concerne les connaissances précises et se suffisant à elles-mêmes, il n'y a pas lieu à délibération ; par exemple, en ce qui concerne la forme des caractères[72], car nous n'éprouvons pas d'incertitude sur la manière de les tracer. En revanche, nous délibérons sur ce qui s'exécute par nous-mêmes et d'une manière différente selon les cas, par exemple sur les questions de médecine, de négoce, de pilotage, plus que sur la gymnastique, attendu que ces sujets ont été moins exactement étudiés[73]. Et il en va ainsi du reste. **9.** Ainsi donc nous délibérons davantage sur les techniques que sur les sciences, car le doute est plus grand à leur sujet. **10.** Notre faculté délibérante porte sur les faits communs — attendu que nous ne savons pas comment ils s'exécuteront — et sur ceux qui ne comportent rien de défini. Quand les faits sont importants, nous nous adjoignons des conseillers, parce que nous nous défions de nos propres lumières, qui paraissent insuffisantes à notre discernement. **11.** En outre, nous ne délibérons pas sur les fins à atteindre, mais sur les moyens d'atteindre ces fins. Ni le médecin ne se demande s'il se propose de guérir le malade, ni l'orateur de persuader, ni l'homme politique d'instituer une bonne législation, et ainsi de suite pour le reste où la fin n'est pas en question. Mais, une fois la fin établie, on examine comment et par quels moyens on l'atteindra ; si cette fin paraît devoir être atteinte par plusieurs moyens, on recherche le moyen le plus facile et le meilleur ; s'il n'en est qu'un, on recherche comment ce moyen sera atteint, et par celui-là un autre encore, jusqu'à ce qu'on soit parvenu à la cause première, qui est celle qu'on trouve en dernier lieu. Car l'homme qui délibère pousse ses recherches et ses analyses, comme on résout un problème de géométrie. **12.** Or, de l'aveu général, toute recherche ne constitue pas une délibération, témoin les mathématiques ; en revanche, toute délibération est une recherche et le dernier résultat de l'analyse se trouve être le premier dans l'ordre de naissance des faits. **13.** Si, d'autre part, on se heurte à l'impossible, on renonce au moyen — par exemple quand on a besoin d'argent et qu'on ne trouve aucune façon de s'en procurer ; si la chose paraît possible, on se met à l'exécuter. Or on dit qu'est possible tout ce que nous pouvons exécuter par nous-mêmes, ou avec l'aide de nos amis, qui sont nous-mêmes en quelque sorte, car la raison de leur intervention réside en nous[74]. **14.** Ce qu'on recherche, ce sont tantôt les instruments, tantôt l'usage qu'on veut en faire. Il en va ainsi du reste : ce qu'on veut découvrir, c'est le moyen, l'emploi et l'intermédiaire. **15.** Il semble donc, comme nous l'avons dit, que l'homme est le principe de ses actes ; or la délibération porte sur ce qu'il peut exécuter par lui-même, les actions étant commandées par les résultats. **16.** L'objet de la délibération ne porterait donc pas sur la fin, mais sur les moyens d'y parvenir ; il ne porterait pas non plus sur les cas particuliers, par exemple sur la question de savoir si tel objet est du pain et s'il manque de cuisson ; les questions de ce genre relèvent de nos sens. Et si la délibération se poursuit sans cesse, elle sera infinie. **17.** L'objet de la délibération est identique à celui du choix, sauf que l'objet de notre libre choix est préalablement défini, car le jugement qui découle de la délibération constitue le choix. En effet tout homme interrompt sa recherche quand il a ramené à lui-même et à la partie supérieure de l'âme le principe de son action ; voilà ce qu'est le choix réfléchi. **18.** Cette façon de procéder est bien visible dans les anciennes constitutions qu'Homère nous a présentées[75] : les rois y prenaient les décisions, qu'ils communiquaient ensuite au peuple. **19.** Puisque l'objet de notre préférence est une décision qui nous porte vers ce qui dépend de nous, le choix réfléchi pourrait bien être une aspiration accompagnée de délibération vers ce qui dépend de nous ; car nous prenons une décision, après délibération préalable, et nous tendons vers sa réalisation conformément à cette délibération.

CHAPITRE IV

Voilà donc défini en général le choix réfléchi, son objet et sa nature qui concerne ce qui a rapport aux fins. Or nous avons dit que le choix concerne le but; mais aux uns il paraît envisager le bien, aux autres seulement le bien apparent. **2.** Or il s'ensuit, pour ceux qui identifient l'acte inspiré de délibération avec le bien, qu'on ne considérera pas comme volontaire la délibération de celui qui a mal choisi; en effet, dans cette hypothèse, ce qui est voulu sera bon par là même; mais en fait ce sera mauvais d'après le choix : **3.** d'autre part, pour ceux qui disent que l'on ne peut vouloir que le bien apparent, cet objet ne sera pas tel par la nature, mais le sera seulement à leurs yeux. Les apparences diffèrent selon les gens et il peut arriver qu'elles soient le contraire de ce qu'on imagine. **4.** Si ces explications ne nous satisfont pas, faut-il donc reconnaître que, d'une manière absolue, le bien est ce qu'on veut conformément à la vérité et que, pour chaque individu, c'est le bien suivant son idée? Ainsi donc pour l'honnête homme ce sera le bien véritable et, pour le méchant, ce qui se rencontrera. Il en va ainsi pour les corps : les gens bien portants estiment salubres les nourritures qui le sont véritablement, tandis que les malades en jugent tout autrement. On pourrait raisonner de même sur l'appréciation de l'amer, du doux, du chaud, du lourd et sur chacune des autres sensations. C'est que l'homme sensé juge exactement les cas particuliers et, dans toutes circonstances, la vérité apparaît à ses yeux dans tout son éclat. **5.** En effet, l'agrément, la beauté, le plaisir dépendent des dispositions de chacun. Et ce qui fait peut-être la plus grande originalité de l'homme de bon sens, c'est qu'il discerne, en toutes circonstances, le vrai bien, comme s'il en était lui-même le canon et la mesure[76]. En revanche, la plupart des gens sont, semble-t-il, les dupes du plaisir, qui leur fait l'effet du bien, sans l'être. **6.** Du moins recherchent-ils comme un bien ce qui est agréable et fuient-ils la douleur comme un mal.

CHAPITRE V

La fin étant l'objet de la volonté, les moyens en vue de cette fin étant l'objet de délibération et de choix, il s'ensuit que les actes relatifs à ces moyens seront exécutés d'accord avec le choix réfléchi et accomplis de plein gré. C'est là encore le domaine où se manifeste l'action génératrice des vertus. La vertu dépend donc de nous, ainsi que le vice. **2.** Dans les circonstances où nous pouvons agir, nous pouvons aussi nous abstenir; là où nous disons : non, nous sommes maîtres aussi de dire : oui. Ainsi donc, si l'exécution d'une belle action dépend de nous, il dépendra aussi de nous de ne pas exécuter un acte honteux; et si nous pouvons nous abstenir d'une bonne action, l'accomplissement d'un acte honteux dépend encore de nous. **3.** Si donc l'exécution des actes honorables et honteux est en notre pouvoir, nous pouvons aussi ne pas les commettre — or c'est en cela que consiste l'honnêteté et le vice —, à coup sûr il dépend de nous d'être gens de bien ou malhonnêtes. **4.** Aussi prétendre que :

> Nul n'est méchant volontairement
> et que nul n'est heureux contre son gré

est, semble-t-il, une affirmation qui participe à la fois de l'erreur et de la vérité. Car nul n'est heureux involontairement, mais le vice ne va pas sans participation de notre volonté. **5.** Ou alors il faut remettre en discussion ce que nous venons de dire et renoncer à déclarer que l'homme est le principe et le générateur de ses actes comme de ses enfants. **6.** Par contre, si la proposition nous paraît évidente et si nous ne pouvons ramener nos actes à d'autres principes que ceux qui sont en nous, celles de nos actions qui ont leur principe en nous dépendent, elles aussi, de nous et sont volontaires. **7.** Je n'en veux pour preuve que la conduite privée de chacun de nous et celle des législateurs eux-mêmes. Ceux-ci infligent des punitions et des châtiments à ceux qui agissent mal, à moins que les actes aient été imposés par la violence ou causés par une ignorance involontaire. En revanche, ils décernent des récompenses à ceux qui se conduisent bien, pour encourager les uns et retenir les autres. Il faut toutefois ajouter que nul ne nous engage à accomplir des actes qui ne dépendent pas de nous et de notre plein gré. Par exemple, on perdrait son temps à vouloir nous persuader de ne pas avoir chaud, froid, faim ou de ne pas éprouver quelqu'une de ces sensations, car nous n'aurions pas moins à en souffrir. **8.** En effet, on punit l'acte commis par ignorance, lorsqu'il est évident que le coupable est responsable de son ignorance. C'est ainsi que les gens en état d'ivresse se voient infliger un double châtiment, la cause de la faute étant en eux, car il dépendait d'eux de ne pas s'enivrer, et d'autre part l'ivresse était la cause de leur état d'inconscience. De plus, on punit aussi ceux qui ignorent quelques dispositions de la loi, que nul n'est censé ignorer, surtout quand c'est facile. **9.** Il en va de même dans tous les autres cas où l'agent semble être dans l'ignorance du fait de sa négligence, attendu qu'il ne dépendait que de lui d'éviter cette ignorance et que rien ne l'empêchait d'y parer. **10.** Mais peut-être un homme dans ce cas n'était-il pas en état d'y remédier ? Eh bien ! nous affirmons que, pour ceux qui se trouvent être la cause de cette situation, leur responsabilité est établie parce qu'ils vivent dans le désordre, et ils sont injustes et intempérants, les uns par leur mauvaise conduite habituelle, les autres par leur vie passée dans les beuveries et autres débauches. Car l'activité déployée en différents domaines détermine notre caractère[77]. **11.** Cette influence est bien claire, à en juger par ceux qui s'entraînent pour quelque exercice de gymnastique ou pour quelque autre action : jamais leur effort n'est interrompu. **12.** Méconnaître que les dispositions résultent de cet exercice continu de l'activité est le fait d'un esprit complètement stupide. **13.** Il est absurde aussi de ne pas admettre que l'homme injuste veut pratiquer l'injustice et le débauché la débauche. Si donc, en toute connaissance de cause, on commet des actes qui rendent injuste, on peut passer avec raison pour être injuste de son plein gré. **14.** C'est qu'en effet malgré notre volonté nous ne cesserons pas d'être injustes pour devenir justes. Le malade, lui non plus, ne recouvrera pas la santé, et il peut arriver qu'il soit malade par sa faute en menant une vie de désordres et en n'obéissant pas aux médecins. C'est autrefois qu'il lui était possible d'éviter la maladie ; mais, une fois qu'il s'est laissé aller, il est trop tard. De même, qui lance une pierre ne peut plus la rattraper. Toutefois, il était en son pouvoir de la jeter ou de la laisser tomber, car cela dépendait de lui. Il en va de même pour les hommes qui pouvaient, dès le début, éviter de devenir injustes et débauchés ; aussi le sont-ils volontairement ; mais une fois qu'ils le sont devenus, ils ne peuvent plus ne pas l'être. **15.** On contracte volontairement non seulement les difformités de l'âme, mais parfois aussi celles du corps ; dans ce cas, ceux qu'elles atteignent n'échappent pas à nos critiques. Si nul ne songe à critiquer ceux qui sont difformes par nature, il n'en vas pas de même pour ceux qui ne le sont par manque d'exercice et par négligence. Nous ne nous comportons pas autrement en présence de débiles ou d'estropiés. Nul ne songerait à faire des reproches à un homme aveugle de naissance ou devenu aveugle à la suite d'une maladie ou d'un traumatisme ; on en aurait plutôt pitié. Mais que cette infirmité soit la conséquence de l'ivrognerie ou de quelque débauche, les critiques seront unanimes. **16.** C'est qu'aussi bien les défauts du corps provoquent des critiques, quand ils proviennent de nous, alors qu'il n'en est rien quand ils n'engagent pas notre responsabilité. S'il en va ainsi, dans d'autres cas encore, les défauts qu'on nous reproche semblent bien dépendre de nous. **17.** Peut-être nous objectera-t-on que chacun tend vers les apparences du bien, sans être maître de son imagination et qu'ainsi le but à atteindre apparaît à chacun selon sa propre nature. Si d'un côté chacun est, dans quelque mesure, responsable de ses habitudes, il sera par conséquent responsable des images qui se présentent à son esprit ; si d'autre part nul ne porte la responsabilité de ses mauvaises actions, mais agit ainsi parce qu'il méconnaît le but à atteindre, et pense de la sorte obtenir ce qui sera pour lui le meilleur, la poursuite de la fin ne résulte pas d'un choix volontaire ; il faut donc supposer l'homme doué par nature d'une faculté qui le fera juger exactement et choisir le bien conforme à la vérité et celui-là a de bonnes dispositions qui est heureusement doué par la nature de cette qualité — qualité essentielle et très belle qu'on ne peut ni acquérir ni apprendre d'autrui et qui n'est telle que par une disposition naturelle ; c'est le fait d'un heureux naturel, et vraiment parfait, que venir au monde avec cette aptitude au bien et à l'honnête ; si toutes ces propositions[78] sont conformes à la vérité, en quoi la vertu sera-t-elle plus volontaire que le vice ? **18.** C'est que pour tous deux également, l'homme de bien et le vicieux, le but est, semble-t-il et d'ailleurs avec raison, fixé par la nature ou de quelque autre manière ; et, de quelque façon qu'ils agissent, c'est en rapportant tout le reste à ce but. **19.** Soit donc que la nature ne fasse pas apercevoir exactement à chacun le but, dans sa diversité, et qu'elle ajoute encore quelque trait pour sa détermination, soit que le but soit donné par la nature ; en tout cas, du fait que l'honnête homme accomplit volontairement tous les actes qui en découlent, la vertu a une origine volontaire. Et il en résulte que le vice serait tout autant une conséquence de notre volonté, car chez le méchant, tout comme chez l'homme de bien, l'action personnelle est manifeste dans les actes, même s'il n'a pas ce discernement en ce qui concerne la détermination de la fin[79]. **20.** Si donc, comme nous l'avons dit, les vertus émanent d'un acte de notre volonté — car nous sommes, dans quelque mesure, responsables de nos dispositions et c'est d'après notre manière d'être que nous nous proposons tel ou tel but –, les vices à leur tour risquent bien d'être volontaires. Car leur origine est la même. **21.** Toutefois les actions et les dispositions ne sont pas volontaires d'une manière identique ; nous sommes maîtres de nos actes depuis le principe jusqu'à l'achèvement, quand nous en connaissons les circonstances particulières. Quant aux habitudes, nous n'en disposons qu'à leur début ; l'apport des circonstances n'est pas discernable, ainsi qu'il arrive chez les malades. Comme il dépend de nous d'utiliser d'une façon ou de l'autre ces habitudes, nous dirons qu'elles relèvent de notre volonté. **22.** Ainsi, donc, nous avons traité des vertus dans leur ensemble ; nous avons dit en gros leur nature – elles consistent en une juste moyenne et sont des dispositions acquises ; leur origine – elles sont génératrices d'actes, et par leur propre exercice. Nous avons dit aussi qu'elles dépendaient de nous, qu'elles étaient volontaires et conformes aux prescriptions de la saine raison. **23.** Maintenant nous allons reprendre une à une chacune de ces vertus en particulier et nous dirons leur nature, leur objet et leur fonctionnement. En même temps, on verra clairement leur nombre. Parlons d'abord du courage.

CHAPITRE VI

Le courage[80] est un juste milieu entre la peur et l'audace ; nous l'avons déjà montré. **2.** Or, évidemment, nous redoutons les dangers et, pour parler en général, ce qui nous fait peur, ce sont les maux. Aussi définit-on ainsi la peur, l'attente du malheur. **3.** Nous redoutons donc tous les maux, tels que l'infamie, la pauvreté, la maladie, le manque d'amis, la mort ; néanmoins l'homme courageux ne saurait avoir du courage contre tous les maux. Certains sont à redouter, et avec raison. Ne pas le faire serait honteux, par exemple l'infamie : qui la redoute se montre homme de bien et se respecte; qui ne la redoute pas fait preuve d'imprudence, mais quelques-uns décernent à ce dernier le nom de courageux par un abus de mots; et, de fait, il montre quelque analogie avec l'homme courageux, puisque, comme lui, il n'a pas peur. **4.** Quant à la pauvreté et à la maladie[81], sans doute ne faut-il pas les redouter, ni en un mot tout ce qui n'est pas le résultat du vice et ne nous est pas imputable. N'en concluons pas que se montrer sans crainte devant les maux, c'est faire acte de courage. Si nous employons ce mot, c'est par analogie. Certains, qui dans les dangers de la guerre se montrent lâches, ont une âme élevée et se comportent avec fermeté quand ils perdent leurs richesses. **5.** Autre chose : redouter ou bien les outrages à quoi peuvent être exposés ses enfants et sa femme, ou bien la jalousie, ou quelque autre malheur de ce genre n'est pas pour un homme une preuve de lâcheté; en revanche, celui qui, sous la menace du fouet, ne perd rien de son assurance, ne mérite pas pour cela le nom de courageux. **6.** Dans quelles circonstances redoutables le courage se manifestera-t-il? N'est-ce pas dans les plus graves? Nul alors ne se montre plus endurant que l'homme courageux à l'égard de ces maux terribles. Or, ce qui est le plus effrayant, c'est la mort, qui est le terme final au-delà duquel il n'y a plus, semble-t-il, ni bien, ni mal[82]. **7.** Néanmoins, l'homme courageux ne peut se montrer dans toutes les circonstances où il trouve la mort, par exemple s'il périt au cours d'un naufrage ou de maladie. **8.** A quelle occasion se manifestera-t-il? N'est-ce pas dans les plus éclatantes? Par exemple, dans la mort qu'on trouve à la guerre, au milieu des périls les plus grands et les plus glorieux. **9.** Je n'en veux pour preuve que les honneurs décernés par les cités et par les monarques au courage militaire. **10.** Aussi peut-on légitimement déclarer courageux l'homme qui se montre sans peur en face d'une belle mort et devant les dangers soudains, susceptibles d'entraîner la mort; ceux-là se rencontrent tout particulièrement à la guerre. **11.** Néanmoins si l'homme courageux ne montre aucune peur aussi bien en mer qu'au cours des maladies, ce n'est pas à la manière des marins ; lui désespère de son salut et accepte avec peine une pareille fin, tandis que les marins conservent l'espoir en raison de leur expérience de la mer. **12.** En même temps, les hommes courageux agissent virilement dans les circonstances qui demandent de l'énergie et où il est beau de mourir ; mais disparaître de telle manière ne répond ni à l'une ni à l'autre de ces conditions.

CHAPITRE VII

Les sujets d'effroi ne sont pas identiques pour tous et, par cette expression, nous désignons aussi parfois ce qui excède les forces humaines. Ce qui présente ce caractère est redoutable pour tout homme, bien entendu s'il est doué de raison. Quant aux périls à la mesure de l'homme, l'effroi qu'ils nous inspirent diffère d'intensité et est plus ou moins vif. Il n'en va pas autrement de ce qui nous inspire de la confiance. **2.** L'homme courageux montre un sang-froid inaltérable, en tant qu'homme. Il redoutera donc aussi ce qui dépasse les forces humaines, tout en le supportant comme il le faut et comme la raison le veut, en vue du bien ; car telle est la fin de la vertu. **3.** D'autre part, il arrive que dans l'effroi que nous ressentons, il y ait des degrés et que même nous redoutions ce qui n'est pas effectivement redoutable. **4.** Les erreurs que nous commettons sur ce point proviennent ou bien de ce que nous faisons ce qu'il ne faut pas faire, ou que nous nous trompons sur la manière et les circonstances de notre action, ou de quelque autre cause semblable ; il en va de même aussi de ce qui nous inspire de la confiance. **5.** L'homme qui tient bon et qui redoute ce qui convient, pour un but, d'une manière et dans des circonstances convenables, et qui montre de la confiance dans des conditions analogues, est vraiment courageux. Car il tient bon et agit comme les faits le méritent et comme l'exige la raison[83]. **6.** La fin de toute activité est en rapport avec les habitudes ; il en va ainsi pour l'homme courageux ; or le courage est beau en soi ; la fin du courage sera donc belle elle aussi, car tout se définit selon la fin poursuivie ; c'est donc en vue du bien que l'homme courageux tient bon et agit conformément au courage. **7.** Il est des gens qui dépassent la mesure ; l'un, qui pèche par excès, par absence de toute crainte, ne porte pas de nom particulier – or nous avons vu précédemment que bien des comportements n'ont pas de mots qui les expriment. D'autre part, ce serait faire acte de folie ou d'insensibilité que ne rien redouter, ni tremblement de terre, ni vagues irritées, ainsi que le font, dit-on, les Celtes[84]. Celui qui montre face aux dangers une confiance excessive est l'audacieux. **8.** L'audacieux, semble-t-il, est aussi un fanfaron qui affecte le courage ; en effet, il veut paraître dans les dangers avoir l'attitude de l'homme de cœur et, dans la mesure où il le peut, il s'efforce de l'imiter. **9.** C'est pourquoi beaucoup de ces faux audacieux ne sont que des poltrons qui font les braves ; avec toute leur affectation de confiance, ils ne tiennent pas devant le péril véritable. **10.** Celui qui ressent une peur excessive est lâche. En effet, il redoute ce qui n'est pas redoutable, et d'une manière qui ne convient pas, et il s'ensuit pour lui toutes sortes de conséquences analogues. De plus, il pèche aussi par manque de confiance, mais, comme il se montre excessif dans l'affliction, c'est là qu'apparaît surtout sa nature. **11.** Ainsi donc le lâche est en quelque sorte réfractaire à l'espérance. Ne redoute-t-il pas tout ? L'homme courageux se comporte tout différemment, car la confiance en soi naît d'une ferme espérance. **12.** Il s'ensuit que le lâche, l'audacieux, et le courageux apparaissent devant les mêmes dangers, mais ils se comportent différemment ; les premiers pèchent par excès et par manque ; le courageux garde le juste milieu et se comporte comme il convient. De plus les audacieux se jettent fougoureusement dans les périls et, dès l'abord, veulent s'y précipiter; mais dans la mêlée, ils lâchent pied, tandis que les hommes courageux sont résolus dans l'action, sans avoir perdu leur calme auparavant. **13.** Comme nous l'avons dit, le courage est un juste milieu dans les cas où la confiance et la peur trouvent à se montrer — avec les réserves que nous avons indiquées. Il accepte et supporte ce qu'il est beau d'affronter et honteux de fuir. Mais se donner la mort parce qu'on veut échapper à la pauvreté, ou par suite de chagrins d'amour ou de toute autre affliction, n'est pas le fait de l'homme courageux, mais bien plutôt du lâche[85]. Quelle mollesse de ne pas supporter les dures épreuves! L'homme que nous envisagions à l'instant ne se résigne pas à la mort parce qu'il est beau de le faire, mais pour éviter un mal.

CHAPITRE VIII

Voilà à peu près ce que c'est que le courage. Or il existe, dit-on, cinq autres genres de courage. Le premier est celui du citoyen; il ressemble fort au précédent. En effet, les citoyens, semble-t-il, affrontent les dangers tant par crainte des peines infligées par les lois et du déshonneur que par désir des charges honorifiques. Raison qui fait que les peuples les plus courageux sont ceux chez qui la lâcheté est marquée d'infamie et le courage glorifié. **2.** C'est ainsi qu'Homère représente ses personnages, par exemple Diomède et Hector. Ce dernier dit[86] :

Polydamas sera le premier à me couvrir d'opprobre.

et Diomède de s'écrier[87] :

Hector, un beau jour, dira en parlant en public
[devant les Troyens :
Par moi, le fils de Tydée…

3. Ainsi ce genre de courage ressemble de très près au précédent, parce qu'il procède d'une qualité excellente, précisément du sentiment de l'honneur — d'une aspiration vers le bien, digne d'estime —, du désir d'éviter le blâme, cause de honte. **4.** On peut être tenté de ranger dans cette catégorie ceux qui sont contraints par leurs chefs à se montrer courageux ; mais leur mérite est moindre, parce que c'est, non le sentiment de l'honneur, mais la crainte qui les fait agir de la sorte et qu'ils cherchent à éviter non le déshonneur, mais le châtiment. De fait, leurs maîtres usent à leur endroit de contrainte, témoin Hector disant[88] :

Celui que je verrai se défiler pour éviter le combat
Sera bien assuré de ne pas échapper aux chiens.

5. Les chefs qui mettent des combattants en première ligne et les frappent en cas de recul ne font pas autrement, non plus que ceux qui les rangent en bataille en avant des fossés et autres retranchements. Tous en effet usent de contrainte. Aussi convient-il d'être courageux, non par nécessité, mais parce que cela est beau. **6.** L'expérience, dans les cas particuliers, semble aussi être une éducatrice du courage. De là vient que Socrate lui-même parlait de la science du courage[89]. Effectivement, suivant les cas, la bravoure se montre différemment chez les uns et chez les autres, mais c'est à la guerre que se manifeste celle du soldat de métier. Il s'y trouve bien des circonstances qui n'offrent aucun péril pour ceux qui les ont vues souvent. D'où il résulte que des soldats paraissent courageux, parce que les autres ne savent pas juger la situation. **7.** Leur expérience les rend surtout capables de faire du mal à l'ennemi, sans en subir, car ils savent manier les armes dont ils disposent et ils sont munis des plus efficaces pour l'offensive et la défensive. **8.** Ils combattent, pour ainsi dire, en véritables hoplites des gens désarmés, comme des athlètes luttant avec des adversaires manquant d'entraînement. Dans des rencontres de ce genre, les plus courageux ne sont pas les meilleurs combattants ;

ce sont les plus vigoureux et ceux dont le corps est le plus résistant. **9.** D'ailleurs les soldats de métier deviennent lâches, quand le danger est trop pressant et quand ils se sentent inférieurs par le nombre et l'armement. Ils sont alors les premiers à fuir, tandis que les troupes formées de bons citoyens meurent sur place, comme il est arrivé à la bataille d'Hermaeon[90]. Pour ces hommes, la fuite est déshonorante et la mort préférable à ce moyen de salut. Les autres, qui, au début, affrontaient le danger, confiants dans leur supériorité, fuient dès qu'ils le voient en face, craignant la mort plus que la honte. L'homme courageux est bien différent. **10.** On donne aussi comme cause du courage la colère. On regarde comme des braves ceux qui agissent sous le coup de cette passion, pareils aux bêtes sauvages furieuses contre ceux qui les ont blessées. Car le courage ressemble à un état d'irritation. La colère est un aiguillon très puissant pour affronter les dangers. D'où les expressions homériques : « La colère accrut ses forces », et celle-ci : « Il éveilla son ardeur et son irritation », celle-ci encore : « Une vive colère gonflait ses narines », et enfin : « Son sang bouillait. » Toutes expressions qui semblent traduire l'excitation et l'impulsion de la colère. **11.** Les gens courageux agissent poussés par le sentiment de l'honneur et l'irritation ne fait que leur venir en aide. Les bêtes sauvages, au contraire, ne sont sensibles qu'à la douleur, aux coups et à la crainte ; car, si elles se trouvent à l'abri dans une forêt ou dans un marécage, elles n'attaquent personne ; elles ne sont donc pas vraiment courageuses du fait qu'elles s'élancent contre le danger, poussées par la souffrance et l'irritation, car elles n'aperçoivent rien de terrible dans ce qui les attend. Sinon, on pourrait dire également que les ânes montrent du courage quand ils ont faim : ils ont beau recevoir des coups, ils ne se détournent pas pour autant de leur pâture. Les hommes adultères, eux aussi, sous l'impulsion du désir, font souvent preuve de beaucoup d'audace. **12.** Cette forme du courage provoquée par l'irritation est, semble-t-il, très conforme à notre nature ; quand elle s'accompagne d'un choix réfléchi et de la conscience du but, elle devient le véritable courage. Ajoutons que, chez les hommes, la colère est un sentiment pénible et la vengeance un sentiment agréable. Ceux que ces sentiments poussent à combattre peuvent bien être belliqueux ; ils ne sont pas courageux, car ils ne sont animés ni par le sentiment de l'honneur, ni par l'influence de la raison, mais par la passion. Toutefois, il y a quelque analogie entre ces divers cas. 13. Ceux que soutient l'espoir ne sont pas non plus pour autant de vrais braves ; pour avoir vaincu souvent de nombreux adversaires, ils sont pleins de confiance dans les périls. Toutefois ils ont avec les vrais courageux quelque ressemblance, puisque les uns comme les autres ont un cœur confiant et hardi. Les courageux doivent cette hardiesse aux motifs déjà exposés ; les autres à leur conviction d'être les plus forts et, pour leur personne, à l'abri du mal. **14.** Les gens en état d'ivresse se trouvent dans le même cas ; la confiance les soutient ; mais que les événements les déçoivent, les voilà en fuite. Or la caractéristique du courage est bien d'endurer avec constance ce qui est ou paraît effrayant à l'homme, pour la raison qu'il est bien d'affronter le danger et honteux de l'éviter. **15.** Aussi, semble-t-il, fait-on preuve de plus de courage, quand on se montre sans peur et sans trouble devant un péril subit que devant un péril attendu. Le courage provient bien plus d'une habitude acquise que d'une préparation au danger. Pour affronter les dangers prévisibles chacun peut s'armer à l'avance de raisonnement et de raisons, mais, dans les dangers soudains, on ne peut compter que sur ses dispositions habituelles. 16. Ceux qui ignorent le péril paraissent aussi courageux ; effectivement, ils sont peu éloignés de ceux qui se montrent pleins de confiance ; ils leur sont cependant inférieurs dans la mesure où ils ne font preuve d'aucune appréciation exacte du danger, au contraire des autres. C'est pourquoi ceux-ci résistent quelque temps, tandis que les premiers, trompés dans leur attente, quand ils s'aperçoivent de l'inexactitude de leurs conjectures, se mettent à fuir. Ainsi firent les Argiens, tombant sur les Lacédémoniens, qu'ils croyaient être des Sicyoniens.

CHAPITRE IX

Nous venons de définir la nature des gens courageux et de ceux qui n'ont que l'apparence du courage. Cette vertu, tout en ayant rapport avec la confiance et la crainte, ne se montre pas également dans les deux cas. Elle est plus manifeste dans le cas des périls redoutables. Celui qui demeure sans crainte et se comporte comme il faut dans des circonstances effrayantes fait preuve de plus de courage que celui qui affronte ce qu'on peut accomplir hardiment. 2. Ainsi, comme nous l'avons dit, on définit le courage par la constance montrée dans les cas pénibles; aussi le courage s'accompagne-t-il d'affliction et on a bien raison d'en faire l'éloge : il est plus difficile de supporter la douleur que de s'abstenir du plaisir. 3. Néanmoins, on pourrait être tenté de penser que, si le but qu'envisage le courage ne manque pas de charme, les circonstances qui l'entourent en ternissent l'éclat, comme il arrive aux jeux gymniques. En effet, pour les pugilistes, le but n'est pas dépourvu d'agrément, car au bout sont la couronne et les honneurs. Mais les coups sur des êtres de chair, et toute la peine qu'ils se donnent, ne vont pas sans douleur ni souffrance. Nombreux sont les désagréments, mince le profit, à cause de quoi cet exercice ne paraît pas être agréable. 4. S'il en est ainsi par rapport au courage, la mort et les blessures ne laissent pas d'être pénibles à l'homme courageux et de l'atteindre à son corps défendant. Pourtant il les endure avec constance, en se disant qu'il est beau d'agir ainsi et honteux de faire autrement. Ajoutons que plus il possédera la vertu complète et plus il sera heureux, plus il sera désolé de mourir. Car, pour un homme de cette sorte, la vie méritait tout particulièrement d'être vécue et il sait que la mort va le priver de ses biens les plus grands[91]. Quelle tristesse! Son courage, néanmoins, n'en sera pas diminué. Bien au contraire, peut-être, puisqu'il préfère à ces biens l'éclat d'une mort à la guerre. 5. Dans l'exercice de toutes les vertus, l'action ne s'accompagne pas de plaisir, sauf si l'on considère la nature de la fin. Rien n'empêche peut-être des soldats tels que nous les avons définis d'être vaincus par de moins courageux et qui n'ont pas en vue d'autre bien. Ces derniers eux aussi sont prêts à affronter les dangers et ils donnent leur vie pour une maigre solde.

CHAPITRE X

En voilà assez sur le courage. Il n'est pas difficile de comprendre sa nature, tout au moins en gros, d'après ce que nous venons de dire. Parlons maintenant de la tempérance. Cette vertu, comme le courage, semble avoir trait à la partie de l'âme qui ne dépend pas exactement de la raison. Sur la tempérance, nous avons déjà dit[92] qu'elle constitue un juste milieu relativement aux plaisirs; elle a moins de rapport, et un rapport d'une autre nature, avec les peines. Dans ces mêmes plaisirs se manifeste son contraire, l'intempérance. Déterminons maintenant la nature des plaisirs avec lesquels la tempérance a rapport. **2.** Distinguons d'abord les plaisirs du corps et ceux de l'âme, par exemple la recherche des honneurs et l'amour de l'étude. Dans l'un comme dans l'autre cas, on prend plaisir à ce qu'on aime; rien ne s'adresse au corps; ce sont plutôt des plaisirs de l'esprit. Les gens qui s'adonnent à de tels plaisirs, on ne les appelle ni tempérants ni intempérants. Il en va de même de ceux qui recherchent des plaisirs n'intéressant pas le corps. Nous ne qualifions pas d'intempérants, mais de babillards ceux qui aiment à conter des histoires, les bavards, ceux qui passent leurs journées à jacasser sur les événements du jour, ainsi que ceux qui s'affligent de la perte de leur argent ou de leurs amis. **3.** La températance concernerait donc les plaisirs du corps, mais non pas tous indistinctement. Les gens qui prennent plaisir aux sensations de la vue, par exemple aux couleurs, aux gestes, au dessin, on ne les appelle ni tempérants ni intempérants. Pourtant, on pourrait s'imaginer qu'ils trouvent là un plaisir raisonnable ou qui pèche par excès et par défaut. **4.** Il en va de même en ce qui concerne les sensations de l'ouïe. Êtes-vous un amateur passionné de musique ou de théâtre ? Nul ne dira que vous êtes intempérant, non plus qu'on ne vous qualifiera de tempérant si vous y prenez un plaisir raisonnable. 5. Il n'en va pas autrement en ce qui concerne l'odorat, sauf dans certains cas accidentels. Nous n'appelons pas intempérants ceux qui prennent plaisir à respirer l'odeur des fruits, des roses ou de l'encens ; nous réservons plutôt ce mot pour ceux qui se délectent à respirer les parfums de toilette ou le fumet des plats ; les intempérants trouvent là leur plaisir parce que ces sensations leur rappellent l'objet de leurs désirs[93]. **6.** On peut constater aussi que bien des gens, dont l'appétit est éveillé, prennent plaisir à respirer l'odeur des plats. Les jouissances de cette sorte sont une marque d'intempérance, la mangeaille étant l'objet de leur désir. **7.** D'ailleurs, pour les autres êtres vivants, eux aussi, ces sensations ne s'accompagnent pas de plaisir, sauf par hasard. Les chiens ne prennent pas plaisir à sentir les fumées des lièvres, mais à dévorer ceux-ci. Cette sensation est associée à l'odeur. Le lion, lui non plus, ne se complaît pas à entendre le mugissement du bœuf, mais à l'idée d'en faire sa proie. Le mugissement lui apprend la présence de sa victime et voilà pourquoi le cri semble le réjouir. Il n'est pas autrement affecté à la vue d'un cerf ou d'une chèvre sauvage ; son plaisir naît de l'idée qu'il trouvera là sa nourriture. **8.** C'est donc avec des plaisirs de cette sorte qu'ont rapport la tempérance et l'intempérance ; les autres êtres vivants y participent ; aussi paraissent-ils de nature servile et bestiale : ce sont ceux du toucher et du goût. **9.** D'ailleurs les plaisirs paraissent bien n'intéresser que faiblement le goût, ou même ne l'intéresser aucunement. En effet, le goût nous permet de discerner les saveurs, comme font les dégustateurs de vins ou les cuisiniers qui assaisonnent les mets. Ils n'y trouvent pas de grandes satisfactions, ni non plus les intempérants. Ces derniers ne s'intéressent qu'à la jouissance causée par le contact, aussi bien pou le manger et le boire que pour les plaisirs de l'amour, comme on les appelle[94]. **10.** Aussi a-t-on vu un gourmet souhaiter avoir un gosier plus allongé que celui d'une grue; de cette manière il traduisait le plaisir que lui donnait le toucher. Parmi nos sensations, celle qui a trait à l'intempérance est la plus communément répandue. Aussi la juge-t-on avec raison blâmable, parce qu'elle intéresse en nous non la partie humaine, mais la partie animale. **11.** Se complaire à des sensations de cette sorte et les rechercher particulièrement, c'est se comporter à la manière des bêtes. Car nous exceptons, parmi les plaisirs naissant du toucher, ceux qui conviennent le plus à un homme libre, par exemple, ceux qu'occasionnent dans les gymnases le massage et l'agréable sensation de chaleur[95]; car chez l'intempérant, le toucher n'est pas répandu par tout le corps, il ne concerne que certaines parties.

CHAPITRE XI

Parmi les désirs, les uns, semble-t-il, sont communs; les autres particuliers et viennent s'ajouter à notre nature. Par exemple, le désir de la nourriture est naturellement commun à tous. Tout homme, quand il en éprouve le besoin, désire soit de la nourriture, soit de la boisson, parfois les deux; l'adolescent et l'homme à la fleur de l'âge désirent les plaisirs du lit conjugal, comme le dit Homère. **2.** Les uns désirent une chose, les autres une autre. Tous les hommes n'ont pas les mêmes désirs pour les mêmes choses. Il existe en nous quelque chose qui est propre à chacun de nous. Toutefois ces plaisirs restent par un fond commun conformes à notre nature. Si les uns trouvent leur agrément ici, les autres là, tous prennent à de certains plaisirs plus de satisfaction qu'à d'autres, n'importe lesquels. **3.** En ce qui concerne les désirs naturels, peu d'hommes commettent de fautes. Encore n'est-ce que sur un point et en un seul sens — en en abusant. Car manger et boire ce qu'on trouve au hasard jusqu'à en être littéralement gavé, c'est dépasser par excès les besoins naturels ; en revanche, le désir naturel consiste seulement à satisfaire le besoin. Aussi appelle-t-on gloutons les gens de cette espèce, parce qu'ils remplissent leur ventre au-delà du nécessaire. Ceux qui ont un caractère trop servile sont destinés à s'adonner à cette gloutonnerie. **4.** En revanche, en ce qui concerne ceux des plaisirs qui nous sont particuliers, maintes personnes commettent des fautes, et de plus d'une façon. Quels que soient les goûts des uns et des autres, tous prennent leur plaisir là où il ne faudrait pas le prendre, ou ils le prennent en excès, ou ils se comportent comme la foule ; ou enfin ils ne le prennent pas comme il faut. En toutes circonstances, les intempérants dépassent la mesure ; parfois, ils prennent du plaisir à des satisfactions à éviter — car elles sont haïssables — ; si certains de ces plaisirs sont permis, ils en tirent plus de plaisir qu'il ne convient et à la manière des gens du commun. **5.** L'excès, en ce qui concerne les plaisirs, est manifestement de l'intempérance et cette conduite est blâmable. En ce qui concerne les chagrins, il n'en va pas comme pour le courage. Pouvoir les supporter ne vous fait pas appeler tempérant, non plus qu'intempérant quand on ne le peut pas. L'intempérance se caractérise par l'affliction disproportionnée qu'on ressent quand on est privé de ce qui fait plaisir — effectivement, on dira que c'est le plaisir qui cause la peine ; le tempérant, au contraire, ne manifeste aucune peine à la privation de ce qui est agréable. **6.** L'intempérant souhaite toutes les satisfactions et surtout celles qui le touchent le plus ; son désir le mène au point de lui faire préférer son agrément à tout le reste. Aussi éprouve-t-il de la peine d'être privé de ce qu'il veut et de continuer à désirer — le désir s'accompagne de peine, quoiqu'il semble absurde d'éprouver de la peine pour un plaisir. 7. Il n'y a qu'un nombre très restreint de personnes pour rester insensibles aux plaisirs et les apprécier moins qu'il ne convient. Une pareille insensibilité n'a rien d'humain. En effet, les autres êtres vivants distinguent fort bien les différents aliments, prenant plaisir aux uns, aux autres non. Ne prendre plaisir à rien, ne pas discerner à ce point de vue une chose d'une autre, c'est se montrer fort éloigné de la nature humaine. L'homme de cette sorte, vu qu'il n'existe pas, n'a pas de nom particulier. 8. En revanche, le tempérant garde une juste mesure; d'un côté, il ne goûte pas ce dont surtout se délecte l'intempérant; il est plutôt porté à s'en indigner; il ne recherche pas les voluptés qui ne conviennent pas; rien de tel n'est capable de l'émouvoir vivement; l'absence de ces sentiments ne provoque en lui aucun regret et, s'il désire, ce ne peut être qu'avec modération, sans excès et non hors de propos. En un mot, il évitera toute faute de cette nature. Les satisfactions agréables et susceptibles d'entretenir la santé et le bon état physique, le tempérant les recherchera avec mesure et décence; il agira de même pour tous les agréments qui ne font pas obstacle aux avantages précédemment indiqués, ne sont pas en désaccord avec le bien et ne dépassent pas ses moyens[96]. L'homme qui fait cas de ces plaisirs les recherche exagérément et les apprécie au-dessus de leur valeur; mais le tempérant, loin d'agir comme lui, se comporte selon la raison.

CHAPITRE XII

L'intempérance paraît dépendre de notre volonté plus que la lâcheté[97]. La première est fille du plaisir; la seconde de la douleur. Or le plaisir est souhaitable, tandis que la peine est à fuir. **2.** La douleur dénature et corrompt le caractère de celui qui la ressent, tandis que le plaisir ne produit jamais un pareil trouble. Le plaisir est donc plus volontaire et, par conséquent, plus sujet au blâme. En effet, il est assez facile de s'y accoutumer; la vie nous en fournit bien souvent l'occasion et l'habitude en paraît sans danger, tandis qu'il en va autrement dans les grands périls. **3.** Il semblerait que, selon les cas, la lâcheté n'est pas volontaire au même degré. En effet, par elle-même, elle n'est pas une douleur, mais les actes par lesquels elle se manifeste précipitent l'homme, par la peine qu'ils lui infligent, hors de sa nature au point de le faire jeter ses armes et de le couvrir de déshonneur ; pour ce motif, la lâcheté paraît provoquée par la violence. **4.** En revanche, chez l'intempérant, selon les cas particuliers, c'est la volonté qui agit, celle d'être en proie aux élans du désir ; mais l'intempérance, envisagée en général, est moins volontaire, car nul ne désire être intempérant. **5.** Nous appliquons aussi ce mot d'intempérance aux fautes des enfants, à cause d'une certaine analogie. Quel cas a reçu son nom de l'autre ? Peu importe pour le moment, quoiqu'il soit clair qu'un des sens provient de l'autre. **6.** Ce transfert se justifie, semble-t-il. Il faut, en effet, réprimer les mouvements vers les actes honteux et qui peuvent prendre une grande extension ; l'homme qui désire et l'enfant présentent au plus haut point ces caractères. Les enfants eux aussi vivent dans un perpétuel état de désir et l'appétit du plaisir est particulièrement développé chez eux. **7.** Si l'on ne rend pas l'enfant docile, et dès le début, cela peut aller fort loin. Car cette recherche du plaisir devient insatiable, et en toute occasion, chez l'être en proie à cette folie. La violence de la passion ne fait qu'accroître les états de même nature, si bien que, devenus grands et puissants, ils vont jusqu'à supplanter la raison. Aussi faut-il veiller que ces passions se maintiennent dans une juste moyenne et en limiter le nombre, en ayant soin qu'elles ne contrarient en rien la raison. **8.** Dans ces conditions, nous appelons cet état un caractère docile et aisé à contenir. Car, de même que l'enfant doit vivre selon les commandements de son maître, de même notre faculté de désirer doit se conformer aux prescriptions de la raison[98]. **9.** Aussi, chez l'homme tempérant, il faut qu'il y ait accord entre cette faculté et la raison. Toutes deux se proposent, en effet, le même but, qui est le bien ; et le tempérant désire ce qu'il doit désirer, comme il le doit, et dans les circonstances convenables ; les prescriptions de la raison sont identiques.

LIVRE IV

[Les différentes vertus.]

CHAPITRE PREMIER

En voilà assez sur la tempérance. Parlons maintenant de la générosité. Cette qualité semble être un juste milieu par rapport à l'usage des biens. On loue le généreux non point pour son attitude à la guerre, non pas pour les raisons qui font le tempérant, non pas non plus pour ses jugements ; on fait son éloge pour sa façon de donner et de recevoir de l'argent, surtout pour sa façon de donner. **2.** Or, nous appelons des biens tout ce dont la valeur se mesure en monnaie. **3.** La prodigalité et la grossière avarice désignent l'excès et le défaut dans l'usage des richesses. Pour ce qui est de l'avarice, nous appliquons toujours le mot à ceux qui montrent toujours une avidité trop grande relativement à l'argent ; quant à la prodigalité, c'est un mot que nous employons parfois en y impliquant d'autres idées. Car nous appelons aussi prodigues ceux qui mènent une vie désordonnée et qui dépensent pour leurs dérèglements. **4.** Aussi paraissent-ils être particulièrement méprisables, étant donné qu'ils montrent simultanément plusieurs vices[99]. Cette dénomination n'est cependant pas assez précise. **5.** Celui-là mérite le nom de prodigue qui possède un seul défaut, celui de dilapider son patrimoine. En effet, qui se plaît à perdre son bien prépare lui-même sa perte. Or la dilapidation des biens semble être pour un individu une sorte de destruction de soi-même, car la vie ne subsiste que par les biens en question. **6.** C'est dans cette acception que nous prenons le mot prodigalité. Des objets qui sont à notre disposition nous pouvons faire bon et mauvais usage ; or la richesse fait partie des choses utiles. On fait de chaque chose le meilleur usage, si l'on possède l'art de l'utiliser. Pour la richesse également, on l'utilisera au mieux, si l'on possède l'art la concernant — art que possède le généreux. **7.** L'usage de la richesse, semble-t-il, consiste à dépenser et à donner ; l'acte de recevoir et de conserver a rapport à l'acquisition des biens plus qu'à leur usage. Aussi le propre de l'homme généreux est-il de donner à qui mérite plutôt que de recevoir de qui il convient et de ne pas accepter ce qui ne lui revient pas — le caractère de la vertu consistant plutôt dans les bons offices qu'on rend qu'en ceux qu'on reçoit, et dans l'exécution de bonnes actions plus que dans l'abstention d'actes honteux. **8.** Il est bien visible que l'acte de donner s'accompagne de bienfaits et de belles actions à l'adresse d'autrui ; en revanche, le fait de recevoir de l'argent provoque notre satisfaction, ou tout au moins la volonté de ne pas commettre d'actes honteux. La reconnaissance va au donateur et non pas à celui qui se borne à ne pas recevoir ; et l'éloge également. **9.** Aussi ne pas recevoir est-il plus facile que donner ; on est moins disposé à se défaire de ses biens qu'à s'abstenir d'accepter le bien d'autrui. **10.** De plus, de ceux qui donnent, on dit qu'ils sont généreux ; ceux qui se bornent à ne pas recevoir, si on ne les félicite pas pour leur générosité, on les félicite du moins pour leur esprit de justice. **11.** Quant à ceux qui reçoivent, on ne leur décerne pas le moindre éloge. Or la générosité se fait chérir au plus haut prix, car elle rend service à autrui, et c'est bien là l'effet des largesses. **12.** Les actions conformes à la vertu sont véritablement belles et exécutées en vue du bien. Aussi l'homme généreux, en donnant, se proposera-t-il le bien et donnera-t-il à bon escient : à ceux à qui il doit donner, en quantité convenable et au moment approprié ; bref, il se conformera à toutes les conditions d'un don judicieux[100]. Ce faisant, il éprouvera de l'agrément, tout au moins pas de regret. **13.** Car l'acte de vertu s'accompagne de plaisir ou il est dépourvu d'amertume et susceptible de ne nous causer que le moindre chagrin. **14.** Mais quiconque donne à ceux qui ne méritent pas, sans se proposer le bien, en obéissant à quelque autre motif, ne s'entend pas traiter de généreux, mais de quelque autre nom. Il en va de même pour celui qui s'afflige de donner. Ne serait-il pas bien capable de préférer l'argent à une belle action ? Ce qui n'est pas la conduite de l'homme généreux. **15.** Ce dernier ne recevra pas d'argent dont l'origine serait blâmable ; en accepter dans ces conditions n'est pas le fait d'un homme qui méprise la richesse. **16.** Le généreux ne saurait être non plus un solliciteur ; il n'appartient pas à l'homme bienfaisant d'accepter les bienfaits avec tant de facilité. **17.** Mais il acceptera de l'argent qui a une origine convenable, qui provient, par exemple, du produit de ses terres, en se disant qu'il est nécessaire, sinon beau, d'agir ainsi, pour avoir de quoi alimenter ses dons. Ajoutons que le généreux prendra soin de sa fortune, s'il veut du moins venir en aide, par ce moyen, à quelques personnes. Il ne répandra pas ses dons au hasard, afin de conserver de quoi donner à qui mérite, dans les circonstances qui conviennent et où il est honorable de donner. **18.** Il est tout à fait dans la nature de l'homme généreux de ne pas craindre l'excès dans la générosité[101], et de ne pas garder autant d'argent qu'il en distribue. S'oublier caractérise bien la générosité. **19.** C'est selon les possibilités de chacun qu'on lui reconnaît cette générosité, car ce n'est pas dans la multitude des dons que consiste l'attitude généreuse, mais dans la disposition d'esprit du donateur, disposition qui consiste à donner selon ses moyens. Ainsi donc, rien n'empêche qu'en donnant moins on soit plus généreux, si l'on a de moindres ressources à sa disposition. **20.** Ceux qui n'ont pas acquis eux-mêmes leur fortune et qui l'ont reçue d'autrui par héritage montrent, semble-t-il, plus de générosité. La raison en est qu'ils n'ont pas l'expérience du dénuement et qu'aussi tout le monde montre plus de tendresse pour ses propres œuvres — comme font les parents et les poètes[102]. Il n'est pas facile non plus à l'homme généreux de s'enrichir, attendu qu'il est peu porté à accroître et à conserver sa fortune; au contraire, il aime à donner et ne fait aucun cas de l'argent en lui-même et ne l'estime que pour le don qu'il peut en faire. **21.** Aussi reproche-t-on à la fortune d'enrichir le moins ceux qui le méritent le plus. Mais ce n'est pas sans raison. Car il n'est pas possible d'avoir de l'argent, si l'on ne se préoccupe pas d'en acquérir; il n'en va pas autrement dans d'autres domaines. **22.** La générosité, certes, ne consiste pas à donner à qui ne mérite pas, dans des conditions qui ne conviennent pas; on évitera aussi, en toutes circonstances, d'agir de la sorte. Ce ne serait plus se comporter selon les règles de la générosité; et des dépenses de cette nature empêcheraient de faire face aux frais nécessaires. **23.** Comme nous l'avons dit, on est généreux, si on dépense selon ses moyens et pour ce qui convient. La prodigalité, elle, consiste à dépasser la mesure. Aussi ne disons-nous pas des tyrans qu'ils sont prodigues : leurs dons et leurs dépenses ne semblent pas devoir épuiser les ressources de leurs immenses trésors. **24.** Ainsi donc, la générosité étant une juste moyenne en ce qui concerne l'argent qu'on donne et qu'on reçoit, le généreux donnera et dépensera pour ce qui convient et autant qu'il convient, aussi bien dans les petites que dans les grandes occasions, et toujours avec plaisir. En outre, il acquiert d'où il convient et autant qu'il convient. Puisque la vertu tient le juste milieu entre ces deux attitudes, le généreux, dans les deux cas, fera ce qui convient. On accepte de bon cœur quand on donne de bon cœur; s'il n'y a pas de lien entre les deux actions, elles se contrarient[103]. Ces deux comportements, s'ils se suivent, peuvent se trouver dans la même personne; il est bien évident que c'est impossible, s'ils s'opposent. **25.** Il peut arriver à l'homme généreux de gaspiller son argent mal à propos et contrairement au bien; il en éprouvera de la peine, mais modérément et comme il convient, la vertu demandant qu'on ressente du plaisir et de la douleur pour les sujets qui en valent la peine et dans la mesure convenable. **26.** Ajoutons que le généreux est accommodant dans les questions d'argent ; il supporte qu'on lui fasse tort, attendu qu'il ne fait pas cas de l'argent et qu'ils ressent plus de peine et de chagrin d'avoir manqué une bonne occasion de dépense qu'il n'est fâché d'une dépense faite mal à propos. Là-dessus, il ne partage pas l'opinion de Simonide[104]. **27.** Le prodigue, là aussi, commet des fautes. Il n'éprouve pas du plaisir et de la peine quand et comme il le faut, nous le verrons plus facilement par la suite. **28.** Par ailleurs, nous avons déjà dit que la prodigalité et l'avarice étaient excès et manque, et relativement à l'argent qu'on donne ou qu'on reçoit ; car nous avons rangé la dépense parmi les actes de générosité. La prodigalité montre de l'excès quand elle donne et omet de recevoir ; elle pèche par manque quand elle reçoit. L'avarice, au contraire, pèche par défaut quand il s'agit de donner, par excès quand il s'agit de recevoir, sauf dans les cas sans importance. **29.** Les deux états de la prodigalité ne peuvent pas du tout rester associés — il n'est pas facile, si l'on ne reçoit rien, de donner à tous. Et les particuliers enclins à donner, ceux-là qui nous paraissent les véritables prodigues, voient bientôt s'épuiser leur avoir. **30.** D'ailleurs, un homme de cette sorte peut paraître bien préférable à un avare ; l'âge et la diminution de ses ressources sont susceptibles de le guérir et d'arriver à le placer dans le juste milieu. Il possède, en effet, des parties de la générosité : il donne et ne reçoit pas. Mais, dans aucun cas, il n'agit comme il faut, ni bien ; toutefois, s'il prend l'habitude de donner et de recevoir comme il faut, s'il se modifie en quelque façon, il peut devenir généreux. Il donnera alors à qui le mérite ; il acceptera de qui il convient d'accepter. Aussi son caractère, semble-t-il, n'est pas méprisable. Il n'y a rien de pervers ni de vulgaire dans cette tendance excessive à beaucoup donner et à ne pas recevoir ; c'est plutôt l'acte d'un sot. **31.** L'homme qui se montre ainsi prodigue vaut beaucoup mieux, semble-t-il, que l'avare ; d'abord pour les raisons que nous avons dites et aussi parce qu'il rend service à bien des gens, tandis que l'avare n'est utile à personne, même pas à lui-même. **32.** Mais la plupart des prodigues, comme nous l'avons dit, reçoivent de l'argent d'où il ne faudrait pas et, pour cette raison, se conduisent en avares. **33.** Leur cupidité provient de leur envie de dépenser et de leur difficulté à continuer à le faire, car les ressources ne tardent pas à leur faire défaut ; ils se voient donc obligés d'en tirer d'ailleurs. En même temps, comme ils ne tiennent aucun compte de ce qui est bien, ils n'ont aucun scrupule de se procurer de l'argent de tous côtés ; dans leur désir de donner, peu leur importe le caractère et l'origine de ces largesses. **34.** Aussi ne peut-on même pas parler de la générosité de leurs dons ; ils ne sont ni méritoires en eux-mêmes ni inspirés par le souci du bien, ni exécutés comme il convient : parfois il arrive à ces prodigues d'enrichir des gens qu'il serait préférable de laisser dans la pauvreté, et de ne rien donner à des gens de bonne conduite ; ils font des largesses à des flatteurs et à de complaisants serviteurs de leurs plaisirs. Aussi beaucoup d'entre eux sont-ils en même temps des débauchés ; ils dépensent avec insouciance, se mettent en frais pour leurs débauches, et, comme leur vie n'est pas soumise à la règle du bien, ils se laissent aller à tous leurs plaisirs. **35.** Voilà donc jusqu'où descend le prodigue, s'il lui manque la direction d'un maître ; par contre, s'il trouve quelqu'un pour le guider, il n'est pas incapable d'atteindre le juste milieu et le sentiment du devoir. **36.** Par contre, l'avarice est incurable. Il semble qu'elle soit provoquée par l'âge ou par quelque faiblesse physique[105]. Ajoutons que l'avarice est plus naturelle à l'homme que la prodigalité : la plupart des gens aiment mieux amasser de l'argent qu'en faire cadeau. **37.** De plus, ce vice s'étend fort loin et affecte maintes formes. Les variétés de l'avarice sont nombreuses, semble-t-il. Comme celle-ci se traduit à la fois par le défaut quand il s'agit de donner et par l'excès quand il s'agit de recevoir, elle ne se présente pas complète chez tous ; parfois, elle ne montre qu'un seul caractère. Les uns pèchent par excès quand il s'agit de recevoir, les autres par défaut quand il s'agit de donner. **38.** Ceux qui sont désignés sous des noms comme ceux de grippe-sous, de ladres, de pingres ont ce trait commun de pécher par défaut quand il est question de donner, mais ne cherchent pas à s'approprier le bien d'autrui ; ils ne veulent pas non plus l'accepter. Voici à quels mobiles ils obéissent : les uns sont conduits par une certaine honnêteté, par une sorte de précaution contre tout acte honteux ; quelques-uns semblent, ou du moins prétendent garder leurs biens, afin de ne pas être contraints un jour de commettre quelque action laide ; à cette catégorie appartiennent les coupeurs de liards en deux et ceux qui leur ressemblent — le surnom qu'on leur donne vient de ce qu'ils poussent à l'extrême leur volonté de ne rien donner ; les autres, au contraire, sont mus par la crainte, quand ils refusent ce qui appartient à autrui ; ils prétextent qu'il est difficile, si l'on accepte d'autrui quelque chose, de ne pas payer les autres de la même monnaie. Ces gens-là se complaisent donc à ne rien recevoir et à ne rien donner. **39.** D'autres, au contraire, dépassent la mesure quand il s'agit de prendre, prenant de partout et indistinctement : par exemple, ceux qui exercent des métiers indignes d'hommes libres, les maquereaux, les gens de cet acabit et les pêcheurs d'argent à intérêts usuraires. Toute cette clique se procure de l'argent par des moyens malhonnêtes et en quantité indue. **40.** Tous paraissent posséder le même amour sordide du gain. Leur activité n'est déterminée que par le profit — et médiocre, encore ! — qui leur fait avaler leur honte. **41.** Quant à ceux qui tirent des profits considérables et indus par des moyens blâmables, nous n'employons pas à leur sujet le mot d'avares, par exemple, s'il s'agit de tyrans qui mettent des villes à sac et qui pillent des temples ; en ce cas, nous les qualifions plutôt des noms de méchants, d'impies, de criminels. **42.** Néanmoins le joueur de dés, le voleur d'habits et le brigand sont à ranger parmi les hommes les plus vils, car ils vivent de profits honteux. Les uns comme les autres n'agissent qu'en vue du gain et ont toute honte bue. C'est le désir de se procurer de l'argent qui fait supporter aux uns les pires dangers, tandis que les autres cherchent à exploiter leurs amis, auxquels ils devraient plutôt faire des cadeaux. Comme tous cherchent à gagner là où il ne faut pas, on dit qu'ils sont de sales profiteurs. Toutes ces manières de mettre la main sur l'argent ont quelque chose de sordide. **43.** Et l'on a bien raison de dire que cette cupidité s'oppose tout à fait à la générosité. En bref, l'avarice est un plus grand défaut que la prodigalité et l'homme pèche plus souvent par avarice que par cette prodigalité que nous venons d'étudier.

CHAPITRE II

Mais en voilà suffisamment sur la générosité et les défauts qui lui sont opposés. La suite naturelle de notre sujet est, semble-t-il, la question de la magnificence; elle paraît être l'art d'employer les grandes richesses. Toutefois, à la différence de la générosité, elle ne s'étend pas à toutes les manières de faire usage de l'argent, mais à celles-là seulement qui concernent la dépense. Sur ce point, elle surpasse la générosité. En effet, comme le nom grec l'indique, il s'agit d'une dépense convenable dans la catégorie de la grandeur. **2.** Or la grandeur, en vue de quoi est-elle relative ? Les dépenses qui ont pour objet l'équipement d'une trière ou l'envoi d'une délégation publique[106] ne sont pas du même ordre de grandeur. Ce qu'il convient de faire, sur ce point, dépend donc de la personne qui dépense, de l'objet et de l'origine de la dépense. **3.** On ne saurait parler de magnificence dans le cas de débours pour des dépenses de faible ou de moyenne importance, par exemple pour l'homme qui répétait :

« Bien des fois, j'ai donné à un vagabond[107]. »

Mais le magnifique est celui qui dépense très généreusement dans les grandes occasions. La magnificence suppose la générosité, mais la générosité ne se hausse pas toujours à la magnificence. **4.** Relativement à un comportement de cette sorte, le manque s'appelle mesquinerie, l'excès vulgarité, mauvais goût et autres noms de la sorte — toutes attitudes qui dépassent la mesure par suite de l'importance de la dépense, non pas relativement à ce qui convient, mais relativement à ce qui ne convient pas et en prenant des airs de grandeur à contretemps. Mais, sur ce point, nous donnerons des explications par la suite. **5.** Le magnifique n'est pas dépourvu des qualités de l'homme avisé. Il est susceptible d'envisager ce qui est convenable et de faire de grandes dépenses dans les proportions voulues. **6.** Comme nous l'avons dit au début, l'habitude est définie par nos actes et ce qui s'y rapporte. Ainsi donc les dépenses du magnifique sont importantes et honorables. Les résultats doivent l'être aussi. Ainsi la dépense sera grande et convenable par rapport à l'œuvre. En conséquence, l'œuvre sera nécessairement digne de la dépense et la dépense de l'œuvre — et même la dépassant. **7.** Le magnifique, dans des dépenses de cette nature, se proposera le bien, but commun de toutes les vertus. **8.** Ajoutons qu'il donnera avec plaisir et largesse. Car éplucher les comptes est le fait de la mesquinerie. **9.** Il est naturellement porté à viser ce qui est le plus beau et le plus convenable, au lieu de s'informer du prix et des moyens les plus économiques. **10.** Il est donc indispensable qu'il soit, lui aussi, généreux, sachant dépenser ce qu'il faut et comme il faut. Mais c'est l'importance de la dépense qui caractérise le généreux, car, en ces matières, la générosité trouve à s'exercer et, avec une dépense identique, elle donnera à l'objet un caractère de magnificence plus accusé. La valeur de l'œuvre ne se mesure pas à celle des moyens employés. La chose peut avoir un grand prix et être des plus précieuses, telle que l'or, mais l'œuvre se recommande par sa beauté dans la grandeur[108]. La vue d'un tel objet provoque l'admiration et, en effet, la magnificence est admirable. **11.** Au genre de dépenses dont nous parlons se rattachent celles que nous appelons honorifiques; par exemple, les ex-voto, les objets du culte offerts aux divinités et les sacrifices. Il en va de même de tout ce qui est consacré à une divinité, quelle qu'elle soit, et de tout ce que notre zèle nous porte à faire pour la communauté, par exemple toutes les dépenses que l'on croit devoir assumer splendidement pour une chorégie, une triérarchie ou pour un repas public. **12.** Dans tous ces cas, comme nous l'avons dit, il faut que les dépenses soient proportionnées à la personne et qu'il y ait un rapport de convenance entre l'œuvre et l'auteur. Il faut que la dépense satisfasse à toutes ces exigences et convienne aussi bien au but envisagé qu'à la personne de l'exécutant. **13.** Aussi un citoyen pauvre ne saurait-il être magnifique, car il ne dispose pas des moyens pour dépenser convenablement — le voulût-il, ce serait folie; pareille conduite est contraire au mérite et aux convenances; l'action raisonnable, seule, est conforme à la vertu. **14.** Une pareille attitude de magnificence convient donc à des gens qui disposent de ressources soit acquises par eux-mêmes, soit transmises par leurs ancêtres ou par leurs relations; elle convient aussi aux gens bien nés, à des gens en vue, ou à ceux qui ont des avantages de cette sorte — toutes conditions qui présentent un caractère de grandeur et de dignité. **15.** C'est donc dans des dépenses de cette nature que se montre le magnifique et dans de pareilles dépenses consiste la magnificence, dépenses très élevées et qui confèrent de l'honneur. En ce qui concerne les dépenses des particuliers, la magnificence se manifeste lors des événements qui ne se produisent qu'une fois, par exemple le mariage ou quelque autre cérémonie; lors des faits qui provoquent l'empressement de toute une cité ou des gens en vue; enfin dans les circonstances où l'on accueille des hôtes ou quand on se sépare d'eux; ou encore quand on échange des cadeaux. Ce n'est pas pour son propre avantage que le magnifique engage de pareilles dépenses, mais pour la communauté. Les dons ainsi faits ne sont pas sans analogie avec les offrandes aux dieux. **16.** Ajoutons que le caractère du magnifique l'incite à organiser sa maison en rapport avec sa propre richesse — ce qui ne laisse pas de lui conférer quelque prestige — et à dépenser, sur ce point, de préférence pour les objets qui ont un certain caractère de durée et qui sont effectivement les plus beaux. A propos de chacun d'eux, il tient compte de ce qui convient. **17.** En effet, ce qu'il sied de faire n'est pas identique pour les dieux et pour les hommes : on ne dépense pas la même somme pour un temple et pour un tombeau. Chaque dépense doit être importante en son genre et la plus magnifique est celle qui est grande dans un genre important et ici encore, dans les cas que nous venons d'indiquer, il faut avoir égard à l'importance de l'objet. **18.** Il y a une différence entre la grandeur de l'objet et l'importance de la dépense — par exemple, une balle ou un lécythe, si beaux qu'ils soient, ont un caractère de magnificence, quand on les donne en cadeau à des enfants, alors qu'en fait leur prix est minime et ne constitue pas une générosité. **19.** Ainsi, le propre du magnifique est-il de se comporter magnifiquement dans chaque ordre d'action — car, alors, on ne peut guère aller au-delà — et sa dépense restera en rapport avec son objet. **20.** Telle est donc la définition du magnifique; celui qui, sur ce point, montre de l'excès et fait preuve de mauvais goût, pèche par ses dépenses exagérées, comme nous l'avons dit. Pour les petites choses, qui n'exigent que de faibles frais, il dépense sans compter et fait preuve d'une ostentation hors de mesure; par exemple, à l'occasion d'un pique-nique, il apporte un véritable repas de noces; chef d'un chœur comique, il déploie sur la scène des tapis de pourpre, dès l'entrée du chœur, comme font les gens de Mégare[109]. Dans toutes ces circonstances, il ne sera pas conduit par le sentiment de ce qui convient, mais par le désir de montrer sa richesse et par celui de se faire valoir. Quand il faut dépenser beaucoup, il se montrera mesquin; quand il faut dépenser peu, il se montrera prodigue. **21.** Quant à l'homme parcimonieux, en tout il pèchera par défaut, et, malgré de grandes dépenses, il gâte le bel effet par un petit détail, parce qu'il hésite toujours avant d'agir, qu'il cherche toujours le moyen de s'en tirer à meilleur compte, qu'il ne cesse de gémir et croit toujours en faire plus qu'il ne doit. **22.** De pareils comportements constituent par eux-mêmes des défauts; toutefois, ils n'impriment aucun caractère déshonorant, parce qu'ils sont inoffensifs pour les autres et ne constituent pas une inconvenance excessive.

CHAPITRE III

La magnanimité — et le nom même, à ce qu'il semble, l'indique — se montre dans les grandes choses. Voyons d'abord de quelles grandes choses il s'agit. **2.** Il importe peu que nous envisagions la disposition en elle-même ou celui qui en est doué. **3.** D'après l'opinion générale, le magnanime est celui qui se juge en état d'accomplir de grandes actions et qui l'est en effet. Celui qui, sans mérite, se croit apte à agir de la sorte, n'est qu'un sot; or, du moment que l'on vit conformément à la vertu, on n'est ni sot ni dépourvu d'intelligence. Le magnanime est donc tel que nous venons de le définir. **4.** Celui qui n'est capable que de petites actions, et qui se juge tel, fait preuve de prudence, mais non de magnanimité : **5.** car la magnanimité est inséparable de la grandeur, il en va de même de la beauté, que l'on ne conçoit que dans un grand corps, les gens de petite taille pouvant être gracieux et bien proportionnés, mais non pas beaux à proprement parler. **6.** Celui qui s'estime à la hauteur de grandes choses et qui reste en dessous est un prétentieux — toutefois celui qui se croit des capacités au-dessus de son mérite n'est pas toujours un prétentieux : **7.** celui qui se sous-estime est pusillanime; que sa capacité porte sur de grandes, moyennes ou petites choses, il estime toujours ne pas être à la hauteur. Cette pusillanimité est surtout apparente chez qui serait capable de grandes choses. Car que ferait-il s'il n'avait pas la capacité de les exécuter ? **8.** Le magnanime, sous le rapport de la grandeur, atteint le sommet ; sous le rapport de la convenance, il reste dans la juste moyenne, car il s'estime selon son mérite. Les autres pèchent par excès et par défaut. **9.** Si donc il est effectivement capable des grandes actions dont il se juge digne, et surtout des plus grandes, il est un point surtout sur lequel il peut montrer ses moyens. **10.** Le terme mérite, d'après ce qu'on dit, a rapport à la possession des biens extérieurs. Ne devons-nous pas estimer particulièrement important ce que nous accordons aux divinités, ce à quoi tendent les gens en vue et qui est la récompense des actes les plus beaux ? L'honneur a un caractère approchant ; n'est-il pas, parmi les biens extérieurs, le plus important ? En conséquence, le magnanime se comporte comme il le doit par rapport à l'honneur et au déshonneur. **11.** Sans autre explication, on s'aperçoit nettement que la magnanimité se montre dans le domaine des honneurs. Les grands hommes surtout s'estiment dignes d'être honorés, bien entendu selon leur mérite[110]. **12.** Le pusillanime, par contre, pèche par défaut, aussi bien par rapport à ses intentions que relativement à l'estime qu'on fait du grand homme. **13.** Quant au vaniteux, il montre de l'excès par rapport à l'estime qu'il fait de soi, mais non par rapport au magnanime. **14.** Le magnanime, lorsqu'il est digne des plus grands honneurs, ne saurait être que l'homme le plus vertueux. Car, plus on est honnête, plus grands sont les honneurs dont on est digne, et le meilleur mérite les plus grands. Il est donc nécessaire que celui qui est véritablement magnanime soit homme de bien. La grandeur dans l'exercice de chaque vertu pourrait bien, semble-t-il, caractériser la magnanimité. **15.** Dans tous les cas, il y a contradiction entre la grandeur d'âme et le fait de fuir à toutes jambes devant l'ennemi et de commettre l'injustice. Pour quel motif le magnanime commettrait-il des actes honteux, lui pour qui rien n'existe qui en vaille la peine? Et, à examiner les cas particuliers, le magnanime, s'il n'était honnête homme, paraîtrait complètement ridicule.

Ajoutons qu'un homme vil ne pourrait mériter de l'honneur, celui-ci étant le prix de la vertu accordé aux gens de bien. **16.** Aussi la magnanimité semble-t-elle une sorte de parure de toutes les vertus; elle les relève en quelque sorte et ne peut exister sans elles. Aussi est-il difficile de se montrer réellement magnanime, à moins de posséder une vertu parfaite. **17.** Le magnanime se montre donc surtout dans ce qui touche à l'honneur et au déshonneur. Même les grandes marques accordées par les gens de bien ne le toucheront que modérément, car elles lui reviennent de droit et restent inférieures à sa valeur; il ne saurait exister de marques d'estime dignes de sa parfaite vertu. Toutefois, il acceptera volontiers ces distinctions, en se disant qu'on ne peut pas lui en accorder de plus grandes. Si ces marques d'honneur lui viennent du premier venu, il ne montrera que du dédain, car elles sont au-dessous de son mérite. Il montrera le même dédain pour le déshonneur qui ne saurait s'appliquer à lui en toute justice. **18.** Ainsi, nous le redisons encore[111], le magnanime considère particulièrement l'honneur. Toutefois, il montrera également de la mesure en ce qui concerne richesse, puissance, réussite ou échec de toute sorte, quoi qu'il arrive. Dans le bonheur comme dans le malheur, il ne ressentira ni joie ni affliction excessives. Il se comportera de la même manière à l'égard de l'honneur, sans le considérer comme le plus important des biens; charges et richesse sont désirables pour l'honneur qui en découle; du moins ceux qui possèdent ces avantages veulent-ils, en conséquence, obtenir des marques d'honneur. Le magnanime, qui fait peu de cas des honneurs, fait, par suite, peu de cas du reste. Aussi les gens de cette sorte semblent-ils regarder tout de haut. **19.** Les dons de la fortune paraissent apporter quelque contribution à la grandeur d'âme; une naissance illustre, la puissance politique, vous font juger dignes d'honneur — ce sont des éléments de supériorité; or la supériorité dans l'ordre du bien est encore plus digne d'être honorée. Aussi advient-il que la possession de ces biens accroisse la grandeur d'âme, puisque quelques-uns vous honorent par cela même. **20.** Mais, en réalité, on ne doit honorer que l'homme de bien. Celui qui allie à la vertu les deux avantages énoncés, mérite encore davantage l'honneur. Mais ceux qui, sans vertu, disposent de tels moyens de supériorité ont tort de se juger dignes de grandes choses et ne méritent pas qu'on les appelle magnanimes. **21.** Car, sans une vertu complète, aucun de ces avantages ne compte et, s'ils sont seuls, rendent insolents et méprisants ceux qui en sont dotés. Sans la vertu, il est difficile de rester dans la mesure au sein de la prospérité. Leur incapacité, à ce point de vue, et la pensée de leur supériorité à l'endroit des autres poussent ces privilégiés à mépriser autrui et à faire tout ce qui leur passe par la tête. Ils ne font qu'imiter le magnanime, sans lui ressembler en fait et ils le singent quand ils le peuvent. Ainsi, comme ils n'accomplissent pas les actes qui s'accorderaient avec la vertu, ils n'ont que mépris pour les autres hommes. **22.** Le magnanime, lui, n'exerce son mépris qu'à bon escient — car son opinion est conforme à la vérité ; la multitude, elle, méprise au petit bonheur. **23.** Ajoutons que la magnanimité ne consiste ni à affronter de faibles dangers ni à aimer le danger, parce qu'elle ne fait cas que d'un petit nombre de périls. En revanche, elle s'expose aux plus grands dangers et, dans le péril, elle ménage peu sa vie, car elle estime qu'on ne doit pas vouloir vivre à tout prix. **24.** Susceptible de faire du bien aux autres, le magnanime éprouve quelque honte à en recevoir d'autrui, c'est que la première attitude marque la supériorité, la seconde l'infériorité. Il rend, et au-delà, les bienfaits reçus. Ainsi celui qui a eu l'initiative du service sera fort en reste avec lui et deviendra son obligé. **25.** En outre, les magnanimes paraissent garder souvenir de ceux qu'ils ont obligés et non de ceux qui les ont obligés.

En effet, l'obligé est au-dessous de son bienfaiteur ; or le magnanime entend garder la supériorité et il éprouve du plaisir à entendre la voix de son obligé et non pas celle de son bienfaiteur. Pour cette raison, Thétis elle-même ne mentionne pas devant Zeus les services qu'elle lui a rendus[112], — ni les Lacédémoniens aux Athéniens, mais bien ceux qu'ils en ont reçus. **26.** Le propre du magnanime est de n'avoir besoin des services de personne ou, s'il le faut, de ne s'y résigner qu'avec peine ; au contraire, il se met avec empressement au service des autres : envers les gens en place et les favorisés de la fortune, il montre de la hauteur ; avec ceux de condition moyenne, de la mesure. La raison est la suivante : il est difficile et merveilleux de briller parmi les premiers, facile au contraire parmi les seconds. Un air de se prévaloir dans la compagnie des grands convient à un homme bien né, tandis que ce serait grossièreté à l'égard des humbles, comme de faire montre de sa force à l'égard des faibles. **27.** Il n'est pas dans le caractère du magnanime de fréquenter les personnes en vue, non plus que les sociétés où d'autres tiennent le premier rang. Il se montre peu entreprenant, peu pressé d'agir, à moins qu'il ne soit sollicité par un grand honneur ou une belle entreprise ; il intervient rarement, mais pour de grandes et glorieuses actions. **28.** De plus, c'est une nécessité pour lui de montrer ouvertement ses haines et ses amitiés ; la dissimulation indiquerait la lâcheté. Il se préoccupe de la vérité plus que de l'opinion ; il parle et agit toujours à découvert. Sa franchise vient de son dédain. Par là même, il respecte la vérité dans ses paroles, sauf lorsqu'il parle ironiquement[113] — ce qu'il fait en s'adressant à des gens ordinaires. **29.** Il ne peut vivre avec d'autres personnes qu'avec un ami, tant il craint une âme d'esclave, parce que tous les flatteurs sont serviles et tous les humbles flatteurs. **30.** Il n'a aucune propension à l'admiration, rien n'étant grand à ses yeux. Il n'a pas de rancune, car son caractère ne le porte pas à charger sa mémoire, principalement s'il s'agit de mauvais procédés à son égard ; bien au contraire, il tient ceux-ci pour négligeables. **31.** Il ne parle pas d'autrui ; sa conversation ne porte ni sur lui, ni sur les autres. Peu lui importe d'être loué lui-même ou de voir blâmer la conduite d'autrui. Il n'est pas complimenteur. Aussi la médisance lui est-elle inconnue, même à l'endroit de ses ennemis, sauf dans le cas d'une insolence volontaire. **32.** Sur ce qui est inévitable et de peu d'importance, il ne fait entendre que le moins possible de plaintes ou de sollicitations, pareille attitude trahissant trop d'inclination pour les choses du monde. **33.** Il est disposé à rechercher la possession de ce qui est beau et dépourvu de profit, plus que des biens profitables et utiles, attitude qui convient mieux à un homme indépendant. **34.** Ajoutons encore que les mouvements du magnanime sont lents, semble-t-il, sa voix grave, sa parole posée. La hâte, en effet, ne convient pas à qui ne porte d'intérêt qu'à peu de choses, non plus que la véhémence de la voix à qui ne reconnaît à rien de véritable grandeur. Une voix aiguë et la précipitation sont l'effet de dispositions opposées. **35.** Tel est donc le magnanime. Qui pèche par défaut, ici, est pusillanime; par excès, vantard. Toutefois ces gens-là ne paraissent pas mauvais, car ils ne font pas de mal. Néanmoins, ils sont fautifs : le pusillanime, tout en méritant certains avantages, se prive de ceux dont il est digne. Son défaut semble consister à ne pas s'estimer lui-même à la hauteur de ces avantages et à se méconnaître. S'il n'en était pas ainsi, il aspirerait aux biens réels qu'il mérite. Certes, des gens de cette sorte semblent être moins des sots que des timides. Leur défiance d'eux-mêmes contribue aussi, semble-t-il, à accroître leur infériorité. C'est que d'une manière générale l'homme vise ce qu'il mérite, tandis que ces timides, convaincus de leur indignité, se tiennent à distance des belles actions et des nobles occupations et se privent ainsi des biens extérieurs. **36.** Les vaniteux, de leur côté, font éclater leur sottise, en se méprenant sur leur propre compte; ils s'attaquent — croyant en être dignes — à ce qui peut rapporter de l'honneur, mais leur insuffisance se trouve mise ensuite en pleine lumière. De plus, ils s'attachent à briller par la parure, leur maintien et des avantages de cette sorte; ils veulent manifester aux yeux de tous leurs succès et se vantent comme s'ils rehaussaient ainsi leur prestige. **37.** Toutefois la petitesse d'âme est plus opposée à la magnanimité que la vanité. Elle est plus répandue et a un caractère plus fâcheux.

CHAPITRE IV

Ainsi donc la magnanimité se propose l'honneur dans ce qu'il a de grand. Or il semble qu'il doit exister, comme on l'a expliqué au début, une vertu se rapportant à l'honneur qui serait très voisine de la grandeur d'âme, comme la générosité l'est de la magnificence. Toutes deux, en effet, se tiennent à distance de ce qui est grand, mais nous placent dans la disposition convenable envers les desseins moyens et petits. **2.** Quand il s'agit de recevoir et de donner de l'argent, il existe une juste moyenne, un excès et un défaut. De même, dans le désir des honneurs, on discerne un empressement et un dédain également blâmables et une juste mesure qui les fait rechercher là où il convient et comme il convient. **3.** Parfois nous blâmons l'ambitieux, sous prétexte qu'il recherche les honneurs avec trop d'ardeur et des moyens répréhensibles. Par ailleurs nous faisons grief à l'indifférent pour le motif que même les actions honorables ne l'incitent pas à rechercher la considération. **4.** Par contre il nous arrive de ne pas ménager nos éloges à l'ambitieux pour sa conduite virile et éprise du bien, ainsi qu'à l'homme dépourvu d'ambition pour sa mesure, et sa retenue, comme nous l'avons dit plus haut[114]. Il est évident, d'autre part, qu'en raison de la pluralité des aspects de nos penchants, nous n'employons pas toujours le mot ambitieux dans le même sens ; s'il nous arrive de louer l'homme qui recherche les honneurs plus que la foule, nous blâmons ceux qui montrent plus d'empressement qu'il ne faut à les convoiter. Le juste milieu n'étant pas désigné par un terme particulier, les extrêmes, semble-t-il, se disputent, pour ainsi dire, une place vide. D'ailleurs, en tout ce qui comporte excès et défaut, il y a également juste milieu. **5.** Ainsi donc, on peut aspirer à l'honneur plus ou moins qu'il ne convient, parfois aussi dans la mesure raisonnable. Ce comportement a donc notre approbation, la bonne moyenne, eu égard aux honneurs, n'étant pas désignée par un mot particulier. Relativement à l'amour violent des honneurs, ce terme paraît être absence d'ambition ; eu égard à l'absence d'ambition, il semble être amour des honneurs ; en fait, il participe de quelque manière à l'une et à l'autre attitude. **6.** Le fait n'est pas rare, semble-t-il, en ce qui concerne les autres vertus. Les extrêmes paraissent s'opposer, parce que l'attitude intermédiaire n'est pas désignée d'une façon spéciale.

CHAPITRE V

La douceur de caractère constitue la juste mesure entre les sentiments d'irritation. Ce milieu n'a pas reçu de nom, non plus que les états extrêmes ; nous donnons donc ce nom de douceur à l'attitude moyenne qui tend d'ailleurs plutôt vers le défaut, lequel n'a pas de nom spécial, **2.** L'excès ici pourrait porter le nom d'irascibilité, car la passion qui en résulte est la colère, dont les causes sont aussi nombreuses que diverses. **3.** L'homme qui se met en colère pour des motifs valables et contre qui le mérite, ajoutons encore au moment et durant le temps voulus, obtient notre approbation. Cet homme pourra être appelé doux de caractère[115], puisque la douceur de caractère est louable : l'homme doux veut, en effet, se garder des troubles de l'âme et se refuse à être le jouet de la passion, il obéit aux ordres de la raison et, dans la mesure que veut la raison, il se permet la colère dans les circonstances et durant le temps que cette raison approuve. **4.** Cette douceur paraît plutôt incliner vers le défaut que vers l'excès, car elle pousse l'homme au pardon plus qu'à la vengeance. **5.** Le manque ici — qu'on l'appelle impossibilité de s'irriter ou autrement — encourt le blâme, car ceux qui ne s'emportent pas pour les raisons qui devraient exciter leur colère paraissent stupides, tout autant que ceux qui se mettent en colère d'une façon, dans un temps et pour des motifs qui ne se justifient pas. **6.** Un homme de cette sorte paraît manquer de sensibilité et n'être affligé par rien ; inaccessible à la colère, on le dirait dépourvu de tout moyen de défense. Or supporter sans riposte l'outrage, voir avec indifférence les siens outragés, c'est montrer une âme servile. **7.** L'excès, en matière d'irascibilité, prend toutes les formes, à savoir : s'emporter à tort, contre qui ne mérite pas notre colère, plus et plus vite qu'il ne faut, et pendant trop de temps. Toutefois tous ces traits ne se présentent pas dans le même homme ; en fait, ils ne pourraient y coexister ; le mal finit par se détruire lui-même et, s'il est total, il devient insupportable. **8.** Les irascibles s'emportent promptement et plus qu'il ne faut contre des personnes et pour des causes qui n'en valent pas la peine. Cependant cet emportement tombe rapidement et c'est ce qu'il y a peut-être en eux de meilleur. Or, s'ils se comportent ainsi, c'est qu'ils sont incapables de contenir leur colère et qu'ils réagissent avec une vivacité qui fait éclater leur aigreur ; puis cette colère tombe à plat. **9.** Les coléreux sont vifs à l'excès, se mettent en colère en toutes circonstances et à tout sujet, d'où leur nom d'acrocholes (ἀκρόχολοι). **10.** Les rancuniers (picrocholes) sont difficiles à apaiser et leur colère dure longtemps ; car ils contiennent leur ressentiment qui ne cesse qu'avec la vengeance. Celle-ci met un terme à la colère, en faisant succéder le plaisir à leur peine. Tant qu'ils ne se sont pas vengés, les rancuniers portent le poids du ressentiment. Voici pourquoi : leur rancune étant dissimulée, personne ne peut les engager à se calmer et il faut du temps pour qu'ils digèrent intérieurement leur colère. Ces gens-là sont pénibles pour eux-mêmes et pour leurs plus chers amis. **11.** Le nom d'insociables s'applique généralement à ceux qui s'emportent hors de propos, plus fort et plus longtemps qu'il ne se doit, et qui ne s'apaisent qu'après avoir tiré vengeance de l'offenseur. **12.** A notre avis, l'excès s'oppose à la douceur de caractère plus que le défaut ; il est plus répandu, la nature humaine inclinant davantage à la vengeance ; enfin les insociables sont encore moins adaptés à la vie en commun. **13.** Cela, nous l'avons déjà dit précédemment[116] et ce que nous venons de dire le montre jusqu'à l'évidence : il n'est pas commode de fixer comment, entre quelles personnes, pour quelles raisons et pour combien de temps on doit se mettre en colère ; il est difficile aussi d'indiquer les limites qui, sur ce point, séparent la droite conduite de la faute. On ne blâme pas d'emblée ceux qui s'écartent légèrement, soit par excès, soit par défaut, de la juste moyenne. Parfois même nous louons ceux qui demeurent en deçà, en disant qu'ils sont d'humeur facile, et ceux qui s'emportent au-delà, en disant que ce sont de vrais hommes et capables de commander. Réciproquement, il est bien difficile de fixer par des mots précis de combien et de quelle manière il faut s'écarter de la ligne droite pour être blâmable. Le jugement dépend des circonstances particulières et de la sensibilité de chacun. **14.** Voici qui du moins est évident : la disposition moyenne est louable qui fait que notre colère s'adresse aux personnes qui la méritent, pour de bonnes raisons et de la manière convenable et ainsi de suite ; l'excès et le défaut sont dans toutes leurs manifestations blâmables : légèrement, quand on s'écarte peu de la juste moyenne ; davantage, quand l'écart est plus grand ; vivement, quand il est considérable. Ce qui prouve qu'il faut se tenir à une façon d'être moyenne.

CHAPITRE VI

En voilà assez sur les comportements relatifs à la colère. Dans les relations familières, la vie en commun, les conversations et les affaires, les uns paraissent être d'un commerce agréable ; soucieux de plaire, ils n'ont qu'éloges à la bouche, ne font jamais la moindre opposition et estiment qu'il ne faut pas causer de peine à qui que ce soit. **2.** Il en est d'autres qui, tout à l'opposé, prennent toujours le contrepied en toutes circonstances et ne montrent pas le moindre souci de la peine qu'ils peuvent causer ; on dit qu'ils sont d'humeur chagrine et querelleuse. **3.** Les dispositions habituelles ci-dessus indiquées sont blâmables, c'est bien certain, tandis que la disposition moyenne est louable, puisqu'elle nous fera accueillir ou repousser ce qu'il faut et de la manière qu'il faut[117]. **4.** Cette disposition moyenne n'a pas de nom particulier, mais semble très voisine de l'amitié. L'homme qui en est doué ressemble à celui que nous voulons désigner, quand nous parlons d'un ami doux et indulgent, capable en outre d'affection. **5.** Toutefois cette disposition diffère de l'amitié, parce qu'elle ignore le sentiment et se passe de l'affection des personnes avec qui elle se trouve en relations. Elle n'obéit ni à l'amitié ni à la haine en accueillant toutes choses comme il convient, mais simplement à sa propre nature. Elle se comportera de la même façon envers les personnes inconnues et connues, envers les familiers et les étrangers, avec la seule réserve qu'elle règle son attitude selon les cas particuliers. Car il ne convient pas de montrer aux familiers et aux étrangers la même sollicitude ou le même mécontentement. **6.** En général, nous l'avons dit, l'homme de cette sorte se conduira comme il convient dans ses relations et comme il rapporte tout au bien et à l'utile, il réussira à ne pas faire de peine et même à faire plaisir. **7.** Il semble bien, en effet, que ce comportement ait uniquement rapport aux plaisirs et aux peines que l'on éprouve dans les relations avec autrui, mais chaque fois qu'il ne peut faire plaisir qu'en allant à l'encontre du bien et de l'utile, l'homme en question manifestera sa désapprobation et préférera même faire de la peine. Si un acte doit causer à son auteur un préjudice de quelque importance au point de vue de la réputation ou de la situation, et l'attitude contraire une peine légère, notre homme, loin d'approuver cet acte, le condamnera. **8.** Toutefois, il mettra des nuances dans ses rapports avec les gens en vue et les premiers venus, avec ceux qui sont plus ou moins connus de lui ; il aura égard semblablement aux autres distinctions à faire, se comportant respectivement envers chacun comme il convient, cherchant le plaisir des autres pour ce plaisir même et évitant de leur faire de la peine. Quant aux événements, s'ils le dépassent, il s'y prêtera, bien entendu dans la mesure de l'honnête et de l'utile. Pour ménager la possibilité d'un grand plaisir, il se résignera à causer une peine légère. **9.** Tel est donc cet homme qui se tient dans la juste moyenne ; il n'a pas reçu de nom particulier. Parmi ceux qui font plaisir à autrui, les uns, qui ne visent qu'à être agréables, sans autre intention, sont des complaisants. Les autres qui visent quelque avantage relatif à la fortune ou à tout ce qui dépend de la fortune, sont des flatteurs. Nous avons dit que celui qui fait une perpétuelle opposition était d'humeur chagrine et querelleuse. Si les comportements extrêmes semblent s'opposer, c'est que le juste milieu n'a pas reçu de nom particulier.

CHAPITRE VII

Le juste milieu, en ce qui concerne la sotte vanité et à l'opposé la feinte réserve, présente, à peu de chose près, les mêmes traits. Lui aussi n'a pas reçu d'appellation particulière. Toutefois, il ne sera pas sans intérêt d'exposer également ces comportements. Nous connaîtrons avec plus de précision ce qui concerne les mœurs, si nous étudions chacun de ces cas en particulier ; nous nous convaincrons que la vertu, en quelque genre que ce soit, est un juste milieu quand nous nous serons rendu compte de l'exactitude de cette proposition en toutes circonstances. En ce qui concerne les relations de la vie en société nous avons parlé de ceux qui se comportent selon le plaisir ou la peine qu'ils peuvent causer. Il nous reste maintenant à parler de ceux qui respectent la vérité ou pratiquent le mensonge, tant par leurs paroles que par leurs actes ou leurs faux-semblants. **2.** Le sot vaniteux, semble-t-il, s'attribue faussement des actions qui peuvent lui assurer de la gloire, actions qui n'existent pas ou qui sont exagérées. **3.** En revanche l'homme réservé[117bis] tend à nier ses propres moyens ou à les minimiser. **4.** L'homme qui garde le juste milieu étant franc, respecte la vérité, tant dans ses actes que dans ses paroles et, en ce qui le concerne, convient des moyens qu'il possède, sans les exagérer ni les rapetisser. **5.** Or, dans tous ces cas, on peut agir avec ou sans motif. D'ailleurs, chacun parle, agit et vit selon sa nature, à moins d'avoir un motif particulier. **6.** En soi, le mensonge est vil et blâmable, la vérité belle et louable. Ainsi l'homme qui dit la vérité et qui observe la juste mesure mérite des éloges, tandis que les autres, qui trompent autrui, sont à blâmer dans les deux cas, et plus particulièrement le vaniteux.

Parlons donc des uns et des autres et, en premier lieu, de l'homme doué de franchise. **7.** Pour l'instant, nous laissons de côté celui qui exprime la vérité dans les relations d'affaires[118], et en tout ce qui a rapport à l'injustice ou à la justice — les actes de ce genre pouvant relever d'une autre vertu ; nous n'envisageons que l'homme respectueux de la vérité dans les cas où cette question est sans très grande importance et qui, en paroles et en actes, est franc parce que telle est sa nature. **8.** Un homme de cette sorte peut passer pour un homme de bien. Car celui qui aime la vérité là où elle importe peu la respectera, à plus forte raison, là où la chose est de conséquence : il évitera le mensonge comme un acte honteux, puisque auparavant il l'évitait par une répulsion naturelle. Un tel homme mérite de l'estime. **9.** Ajoutons qu'il aura plutôt tendance à atténuer la réalité, car cette attitude lui paraît plus convenable, tellement il a en horreur les exagérations. **10.** Celui qui s'attribue des faits volontairement grossis, et cela sans aucun motif, semble méprisable — sinon, il ne se plairait pas à mentir ; toutefois, de l'avis commun il est plus léger que méchant. **11.** Quand on a, ce faisant, quelque intention et si c'est pour se faire valoir ou se procurer quelque honneur, on n'est pas absolument blâmable : c'est le cas du vaniteux ; si l'on a en vue quelque avantage pécuniaire ou quoi que ce soit de nature à obtenir de l'argent, le déshonneur est plus grand. **12.** La vanité se manifeste, non pas dans la possibilité même de se faire valoir, mais dans la volonté déterminée. On est vaniteux par habitude ou par nature, tout comme on pratique le mensonge, tantôt pour le plaisir même de mentir, tantôt parce qu'on cherche à obtenir par ce moyen de la réputation ou quelque gain. **13.** Les vantards qui visent à la réputation s'attribuent des mérites susceptibles de donner de la considération ou de faire naître l'admiration envieuse des hommes. Ceux qui ont en vue un avantage matériel se donnent des qualités dont les autres peuvent tirer quelque profit et dont il est possible de dissimuler l'absence : par exemple, quand on se donne la qualité de devin, de sage, de médecin. Aussi sont-ce là des talents que la plupart des vantards s'attribuent et qu'ils feignent de posséder. On trouve bien là les caractères que nous avons dits. **14.** Quant aux prétendus ignorants qui parlent en se tenant au-dessous de la vérité, leur caractère dénote manifestement des dons plus aimables, car ils semblent ne pas viser, quand ils parlent, quelque avantage et éviter plutôt tout excès dans l'expression. Les gens de cette sorte se dérobent tout particulièrement à toute espèce de gloire, comme faisait Socrate. **15.** Ceux qui se vantent, aussi bien en grand qu'en petit, on les appelle des « finassiers » et ils sont plus méprisables. Parfois même on distingue clairement une sorte de vantardise dans le vêtement trop simple des Lacédémoniens, par exemple : dans l'excès et dans le défaut poussé à l'extrême, il y a également de la vantardise. **16.** Ceux qui font montre, avec modération, d'une feinte réserve à propos de ce qui n'est pas trop à la portée de tous ni trop évident, on s'accorde à reconnaître qu'ils sont de commerce agréable. **17.** Le vantard semble donc s'opposer à l'homme franc, car il est pire[119].

CHAPITRE VIII

Comme le repos a sa place aussi dans l'existence, et que ce repos est rempli par la distraction et le jeu, il semble qu'il y a là encore un genre de relations de bon goût, consistant à dire et à entendre ce qui convient et comme il convient[120]. On notera une différence selon qu'on parle au milieu de gens de cette sorte et qu'on les entend parler. **2.** Mais il est évident que, sur ce point, il existe, par rapport au juste milieu, un excès et un défaut. **3.** Ceux qui, en provoquant le rire, vont au-delà des justes limites sont, semble-t-il, des bouffons et des gens grossiers, s'attachant en toutes circonstances au ridicule et visant bien plutôt à provoquer le rire qu'à tenir des propos convenables et à ne pas offenser ceux qui sont l'objet de leurs railleries. Ceux qui ne font pas de plaisanteries et supportent mal ceux qui en font sont, semble-t-il, des rustres et des grincheux. Ceux qui, dans leurs plaisanteries, restent des gens enjoués (εὐτράπελοι), ce qui signifie quelque chose comme : des gens d'esprit bien tourné (εὔτροποι). Il semble qu'il y ait là des mouvements du caractère et, comme on juge le corps d'après les mouvements qu'il exécute, il en va ainsi du caractère. **4.** Comme le goût de la plaisanterie est fort répandu, que la plupart des gens prennent aux facéties et aux railleries plus de plaisir qu'il ne faut, il arrive qu'on fasse aux bouffons une réputation de gens d'esprit, parce qu'ils plaisent. Mais ils diffèrent beaucoup de ceux-ci, on a pu le voir clairement d'après ce que nous avons dit. **5.** Le tact, lui aussi, est peu éloigné du comportement moyen, en cette matière. L'homme de tact a pour caractéristique d'exprimer, aussi bien que d'entendre, ce qui convient à un homme comme il faut et libre. Or il y a des propos qu'un homme de cette sorte peut tenir et écouter en manière de plaisanterie ; mais la plaisanterie de l'homme libre diffère de celle de l'esclave, comme celle de l'homme bien élevé diffère de celle de l'homme sans éducation. **6.** La chose est visible, si l'on considère les comédies anciennes[121] et les comédies nouvelles. Dans les premières, ce qui faisait rire, c'était l'obscénité ; dans les secondes, ce sont plutôt les sous-entendus, ce qui constitue une sensible différence au point de vue du bon ton. **7.** Faut-il donc définir celui qui sait plaisanter agréablement : « un homme qui ne dit rien qui ne convienne à un homme libre et qui, non seulement ne blesse pas l'auditoire, mais sait encore le charmer » ? Ou bien une définition de cette sorte est-elle encore trop vague ? Car ce qui déplaît et ce qui plaît varie avec chaque individu. **8.** Tels seront aussi les propos auxquels on prêtera l'oreille. Ce que l'on se permet d'entendre volontiers, on semble aussi le faire habituellement. **9.** Ainsi celui qui plaisante adroitement ne se permettra pas tout. Car certaines railleries sont des sortes d'injures. Les législateurs interdisent certains propos injurieux ; peut-être aurait-il fallu faire porter la même interdiction sur certaines formes de plaisanterie. **10.** L'homme bien élevé et libre se comportera comme s'il se fixait sa loi à lui-même.

Tel est donc l'homme qui observe une juste moyenne, et que l'on appelle l'homme de tact ou enjoué. Quant au bouffon, il se laisse emporter par son goût de ridiculiser, n'épargnant ni lui-même, ni les autres, pourvu qu'il fasse rire ; aucun de ses propos ne serait tenu par l'homme bien élevé, qui ne voudrait même pas écouter certains d'entre eux. Quant au rustre, il est absolument impropre à des entretiens de cette nature ; il n'y apporte aucune contribution et se fâche contre tout le monde. **11.** Ainsi donc le repos et les jeux d'esprit semblent un besoin de la vie humaine.

12. Il y a donc, dans les relations de société, trois attitudes moyennes, comme nous l'avons dit, qui ont rapport aux propos échangés et aux relations communes. Or leur différence consiste en ceci que l'une concerne la vérité, les deux autres l'agrément ; et de celles qui ont rapport au plaisir, l'une se manifeste dans les distractions, l'autre dans le reste de la vie.

CHAPITRE IX

Il ne convient pas de parler de la pudeur comme d'une vertu. Elle ressemble plus à une émotion[122] qu'à une disposition acquise. On la définit donc comme une crainte de donner de soi mauvaise opinion. **2.** Elle présente quelque analogie avec l'effroi que l'on éprouve devant le danger. On voit rougir ceux qui ressentent de la honte ;

ceux qui redoutent la mort, on les voit pâlir. Dans l'un comme dans l'autre cas, le corps est visiblement intéressé, ce qui caractérise, semble-t-il, les émotions plus que les qualités acquises. **3.** Le trouble physique ne convient pas à tout âge et sied surtout à la jeunesse. Nous estimons qu'il faut que les jeunes gens manifestent de la pudeur parce que des êtres vivant sous l'empire de la passion sont amenés à commettre beaucoup de fautes et qu'ils en sont garantis parfois par la pudeur. Aussi louons-nous ceux des jeunes gens qui montrent ce sentiment. Mais nul ne voudrait à ce sujet louer un homme plus âgé. Car, à notre avis, il ne doit rien faire d'où puisse naître de la honte. **4.** La honte est étrangère aussi à l'homme de bien, puisqu'elle naît du regret des mauvaises actions — or un tel homme doit s'en abstenir. **5.** Peu importe, d'ailleurs, que certains actes soient effectivement honteux et que d'autres ne le soient qu'aux yeux de l'opinion. On doit s'abstenir des uns comme des autres. Ainsi, on sera sûr de ne pas éprouver de honte. **6.** La honte caractérise le méchant, puisqu'il est par nature susceptible de commettre des actes honteux. Mais se trouver dans des dispositions telles qu'on commette des actes de cette nature et croire que parce qu'on en rougit on redevient homme de bien, voilà qui est absurde. La honte ne naît qu'à l'occasion de nos actes volontaires et l'homme de bien ne commettra jamais d'actes honteux. **7.** La pudeur ne pourrait donc être un sentiment convenable que dans l'hypothèse où, après avoir commis un acte honteux, on en éprouverait du regret. Mais une pareille conduite ne concerne pas les vertus. Si on blâme l'impudence et l'absence de retenue qui nous fait accomplir des actes honteux, on ne voit pas pourquoi la conduite d'un homme qui agit ainsi et éprouve ensuite de la honte serait celle d'un honnête homme. **8.** La maîtrise de soi-même n'est pas non plus une vertu ; elle est simplement mêlée de vertu ; nous le prouverons par la suite[123]. Pour l'instant, parlons de la justice.

LIVRE V

[La justice.]

CHAPITRE PREMIER

Il nous faut maintenant étudier la justice et l'injustice, chercher avec quelles actions elles ont rapport, définir quelle sorte de moyenne constitue la justice, et trouver par rapport à quels extrêmes la justice est bien le milieu[124]. **2.** Procédons, dans cette étude, selon le même plan que précédemment[125]. **3.** Nous voyons que tous s'accordent à nommer justice la disposition qui nous rend susceptibles d'accomplir des actes justes, nous les fait accomplir effectivement et désirer les accomplir. Il en va de même pour l'injustice qui nous fait commettre et vouloir des actes injustes. Que cette définition nous serve comme d'esquisse générale. **4.** Il y a une différence entre les connaissances et les facultés d'une part, et les dispositions morales d'autre part. Une faculté et une connaissance nous font connaître, semble-t-il, la faculté et la connaissance opposées. Mais une disposition ne nous apprend rien sur ses contraires. Exemple : de la santé ne découlent pas des effets opposés, mais seulement ce qui concerne la santé. Nous disons que la marche de quelqu'un révèle un bon état de santé, quand la personne en question marche comme un homme bien portant. **5.** Souvent, sans doute, on découvre une disposition d'après la disposition opposée ; souvent aussi les dispositions apparaissent d'après les conditions qu'elles impliquent : si on connaît nettement la bonne complexion physique, on connaît aussi la mauvaise; et, sachant les conditions qui la favorisent, on est renseigné sur la bonne complexion physique et réciproquement. Puisque la bonne complexion du corps se traduit par la fermeté de la chair, nécessairement la mauvaise se traduira par la maigreur et ce qui favorise une bonne complexion sera ce qui donnera aux chairs de la fermeté. **6.** Il s'ensuit que souvent, si l'on emploie plusieurs caractéristiques pour une disposition, il y en aura aussi plusieurs pour la disposition contraire; ainsi en va-t-il pour le juste et, conséquemment, pour l'injuste et l'injustice. **7.** La justice et l'injustice admettent, semble-t-il, bien des définitions, mais, du fait que les termes sont très proches par la signification, on ne se rend pas bien compte de la différence qui n'apparaît pas comme pour des choses plus éloignées les unes des autres. La différence est sensible quand elle se manifeste dans l'idée, par exemple, chez les Grecs, le même mot (κλεῖς) sert à désigner la clavicule des animaux et le verrou qui ferme les portes[126]. **8.** Cherchons donc dans combien de cas on peut dire de quelqu'un qu'il est injuste. L'homme injuste est, semble-t-il, aussi bien celui qui agit contre la loi que celui qui veut posséder plus qu'il ne lui est dû, et même aux dépens d'autrui. Aussi est-il évident que le juste sera celui qui se conforme aux lois[127] et qui observe l'égalité. Le juste nous fait nous conformer aux lois et à l'égalité; l'injuste nous entraîne dans l'illégalité et l'inégalité. **9.** Puisque l'homme injuste veut avoir pour lui plus qu'il ne lui est dû, il se montrera aussi injuste en ce qui concerne les biens de ce monde — sinon tous indistinctement, du moins ceux qui font le succès ou l'insuccès. Ce sont là des biens en soi et toujours : cependant, il peut arriver que cette proposition ne soit pas exacte dans tous les cas pour un individu pris à part. Or les hommes souhaitent ces biens et les recherchent; mais cette manière de faire est blâmable. Il faut souhaiter que ceux des biens qui sont des biens absolument soient aussi des biens pour nous-mêmes, et porter notre choix sur ceux qui sont des biens pour nous. **10.** L'injuste, il est vrai, ne tourne pas toujours son désir vers le plus, mais aussi vers le moins, quand il s'agit des maux en soi. Mais parce que le moindre mal semble être dans quelque mesure un bien et que l'avidité s'attache à un bien, l'injuste paraît présenter les traits de l'avidité. **11.** En fait, il manque du sentiment de l'égalité, ce faisant, il se rend coupable de cupidité, défaut fort répandu. **12.** Puisque l'injuste agit, comme nous avons dit, contre les lois et que celui qui se conforme à celles-ci est juste, il est évident que tous les actes conformes aux lois sont de quelque façon justes[128]. Puisque ce qui est fixé par le législateur est légal, nous déclarons que chacune de ces prescriptions est juste. **13.** Les lois se prononcent sur toutes choses et ont pour but soit l'intérêt commun[129], soit celui des chefs — cela conformément à la vertu ou de quelque manière analogue. Aussi appelons-nous d'une seule expression : le juste, ce qui est susceptible de créer ou de sauvegarder, en totalité ou en partie, le bonheur de la communauté politique. **14.** La loi prescrit encore à chacun de se comporter en homme courageux : par exemple, de ne pas quitter sa place au combat, de ne pas fuir, de ne pas abandonner ses armes; en homme tempérant : par exemple de ne pas commettre l'adultère, de n'outrager personne; en homme sociable : par exemple, de ne frapper personne, de ne médire de personne. Elle en fait autant pour les autres vertus et les autres vices, qu'elle recommande de pratiquer ou auxquels elle défend qu'on s'abandonne. Tout cela, d'une manière convenable, si la loi a été faite convenablement, d'une manière défectueuse, si la loi a été improvisée. **15.** La justice ainsi entendue est une vertu complète, non en soi, mais par rapport à autrui. Aussi, souvent, la justice semble-t-elle la plus importante des vertus et plus admirable même que l'étoile du soir et que celle du matin[130]. C'est ce qui fait que nous employons couramment ce proverbe :

La justice contient toutes les autres vertus[131].

Elle est une vertu absolument complète parce que sa

pratique est celle de la vertu accomplie. Or ce caractère de vertu accomplie provient du fait suivant : celui qui la possède peut manifester sa vertu également à l'égard d'autrui et non seulement par rapport à lui-même. Bien des gens, en effet, peuvent pratiquer la vertu, en ce qui les concerne personnellement, mais sont dans l'impossibilité de la manifester en ce qui concerne autrui. **16.** De là la justesse du mot de Bias[132] : « C'est la fonction qui fera juger l'homme. » L'homme qui exerce une charge publique, en effet, est immédiatement en rapport avec autrui et participe à la communauté civile. **17.** Cette raison même fait que, seule de toutes les vertus, la justice paraît être un bien qui ne nous est pas personnel, puisqu'elle intéresse les autres. N'accomplit-elle pas ce qui leur est utile, qu'il s'agisse des magistrats ou du reste des citoyens ? **18.** Si le pire des hommes est celui qui montre de la perversité et envers lui-même et envers ses amis, le meilleur n'est pas celui qui pratique la vertu seulement par rapport à lui-même, mais celui qui l'observe, envers autrui ; car c'est là le difficile. **19.** Cette justice ainsi entendue n'est pas une vertu partielle, mais une vertu complète, de même que l'injustice, son contraire, n'est pas un vice partiel, mais un vice complet. **20.** En quoi diffère donc de la vertu la justice ainsi comprise ? On le voit clairement d'après ce que nous venons de dire. Elle se confond avec la vertu, mais en son essence elle est différente ; dans la mesure où elle a rapport avec autrui, elle est justice ; dans la mesure où elle est une disposition acquise, elle est vertu, absolument parlant.

CHAPITRE II

Nous cherchons à déterminer la forme de la justice qui participe à la vertu ; il en est une, particulière, comme nous l'avançons ; de même pour l'injustice qui participe du vice. **2.** Et voici une preuve de cette participation au vice : l'homme qui agit suivant les différentes catégories du mal moral commet, sans aucun doute, l'injustice, mais il n'est pas poussé par le désir de s'attribuer plus qu'il ne lui est dû ; prenons comme exemple celui qui jette son bouclier par lâcheté ; celui qui médit d'autrui par emportement ; celui qui refuse une aide pécuniaire par manque de générosité. Mais lorsqu'on veut s'attribuer plus que son dû, souvent on n'est poussé par aucun des motifs indiqués. Néanmoins, si l'on n'est pas mené par toutes ces raisons réunies, on l'est du moins par quelque perversité — puisque l'action provoque notre blâme — et par l'injustice. **3.** Il y a donc une forme de l'injustice qui est, pour ainsi dire, une partie de l'injustice totale ; de même qu'il y a une forme de l'injuste qui participe de l'injustice totale, nous voulons dire celle qui consiste à violer la loi. **4.** Ajoutons encore ceci : on peut commettre l'adultère en se proposant un gain matériel et en tirant de son action un profit, ou bien être simplement poussé par le désir, en dépensant son argent et en s'imposant des frais ; dans ce dernier cas, semble-t-il, on obéit davantage à son libertinage qu'à un désir d'obtenir plus que son dû ; dans l'autre, on est injuste, sans être libertin, puisqu'il est visible qu'on n'a en vue que le profit. **5.** En ce qui concerne toutes les autres actions injustes, on peut les rapporter à quelque perversité : par exemple, dans les cas de l'adultère, au goût de la débauche ; dans le cas d'abandon de poste au combat, à la lâcheté ; en cas de violences, à la colère. Mais quand on en retire un profit, on ne peut imputer l'action à aucune forme de perversité autre que l'injustice[133]. **6.** Ainsi, il est manifeste qu'à côté de l'injustice totale, il en est une autre forme qui n'en constitue qu'une partie et qui est désignée par le même nom, parce qu'elle est contenue dans le même genre. Toutes deux présentent ce caractère de pouvoir s'exercer à l'endroit d'autrui ; toutefois l'une se propose des avantages honorifiques et pécuniaires, ou bien le propre salut de l'individu ou toutes sortes de profits analogues, si nous pouvions les désigner d'un seul mot ; cela s'explique par le plaisir qu'on peut retirer du gain obtenu par l'injustice. L'autre forme a rapport à tout ce qui peut intéresser, en sens inverse, l'homme de bien.

7. Qu'il y ait plusieurs formes de la justice et qu'à côté de la vertu entière, il y en ait une autre différente, voilà qui est manifeste. Quelle est cette vertu ? Et de quelle nature est-elle ? Voilà ce qu'il faut rechercher. **8.** Pour ce faire, nous avons déjà défini l'injuste : ce qui est illégal et inégal ; le juste : ce qui est prescrit par la loi et ce qui s'accorde avec l'égalité[134]. La forme de l'injustice dont nous avons précédemment parlé est celle qui va à l'encontre de la loi. **9.** Mais, puisque ce qui est contraire à l'égalité se distingue de ce qui va à l'encontre des lois et que l'un est comme une partie relativement au tout — car tout ce qui est contraire à l'égalité va à l'encontre de la loi sans que ce qui va à l'encontre de la loi soit toujours entaché d'inégalité —, il s'ensuit que l'injuste et l'injustice se distinguent et sont différents des formes indiquées plus haut, tantôt comme parties du tout, tantôt comme le tout lui-même — la forme de l'injustice qui résulte de l'inégalité étant une partie de l'injustice totale, de même que la justice, sous un certain point de vue, est une partie de la justice totale. Dans ces conditions, il faut parler de la justice et de l'injustice qui ne sont que partielles ; il faut en faire autant à propos du juste et de l'injuste. **10.** Quant à la justice et à l'injustice qui se confondent avec la vertu et le vice complets, et dont l'une consiste dans la pratique de la vertu totale envers autrui, l'autre dans la pratique du vice total, nous laisserons la question de côté pour l'instant. Pour le juste et l'injuste qui en découlent dans les deux cas, on voit clairement comment il faut les définir. A peu de chose près, la plupart des prescriptions des lois sont imposées par la vertu complète. La loi prescrit, en effet, de vivre conformément à toutes les vertus et interdit de s'abandonner à aucun vice. **11.** En outre, les causes efficientes de la vertu complète sont les prescriptions légales instituées en ce qui concerne l'éducation reçue en commun par la jeunesse ; quant à l'éducation individuelle, susceptible de rendre chacun honnête homme, à proprement parler, nous réservons pour plus tard[135] la question de savoir si elle est d'ordre politique ou non. Car ce n'est peut-être pas la même chose pour tous d'être honnête homme et bon citoyen. **12.** En ce qui concerne la justice partielle et le droit qui en découle, elle a un premier aspect, distributif, qui consiste dans la répartition des honneurs, ou des richesses, ou de tous les autres avantages qui peuvent échoir aux membres de la cité. Sur ces points, il est possible qu'il y ait inégalité, et aussi égalité, de citoyen à citoyen. L'autre aspect est celui de la justice relative aux contrats. **13.** Cette dernière se divise en deux parties : parmi les relations, les unes sont volontaires, les autres involontaires. En ce qui concerne les premières, citons, par exemple, la vente, l'achat, le prêt à intérêts, la caution, la location, le dépôt, le salaire. On les appelle volontaires parce que leur principe est librement consenti. Parmi les relations involontaires[136], les unes sont clandestines, par exemple le vol, l'adultère, l'empoisonnement, la prostitution, le détournement d'esclave, le meurtre par ruse, le faux témoignage. Les autres sont des actes de violence comme les coups et blessures, l'emprisonnement, le meurtre, le pillage, la mutilation, la diffamation, l'outrage.

CHAPITRE III

Puisque l'injuste ne respecte pas l'égalité et que l'injustice se confond avec l'inégalité, il est évident qu'il y a une juste mesure relativement à l'inégalité. **2.** Cette juste moyenne, c'est l'égalité. Dans les actes qui comportent le plus et le moins, il y a place pour une juste moyenne. **3.** Si donc l'injuste, c'est l'inégal, le juste est l'égal. Pas besoin de raisonnement pour que tous s'en aperçoivent. Or, puisque l'égal consiste dans une juste moyenne, il pourra en être ainsi du juste. **4.** L'égal suppose au moins deux termes. Il faut donc que le juste, qui est à la fois moyenne et égalité, ait rapport à la fois à un objet et à plusieurs personnes. Dans la mesure où il est juste moyenne, il suppose quelques termes : le plus et le moins ; dans la mesure où il est égalité : deux personnes ; dans la mesure où il est juste : des personnes d'un certain genre. **5.** Nécessairement, le juste implique au moins quatre éléments. Pour qu'il se réalise, il faut deux personnes et deux objets par rapport auxquels il existe. **6.** Il en sera de même de l'égalité, si l'on examine les personnes et les choses. Le rapport qui existe entre les objets se retrouvera entre les personnes[137]. Si les personnes ne sont pas égales, elles n'obtiendront pas dans la façon dont elles seront traitées l'égalité. De là viennent les disputes et les contestations, quand des personnes sur le pied d'égalité n'obtiennent pas des parts égales, ou quand des personnes, sur le pied d'inégalité, ont et obtiennent un traitement égal. **7.** Ajoutons que la chose est claire si l'on envisage l'ordre de mérite des parties prenantes. En ce qui concerne les partages, tout le monde est d'accord qu'ils doivent se faire selon le mérite de chacun ; toutefois, on ne s'accorde pas communément sur la nature de ce mérite, les démocrates le plaçant dans la liberté, les oligarques dans la richesse ou la naissance, les aristocrates dans la vertu. **8.** Ainsi le juste est, en quelque sorte, une proportion. Cette proportion caractérise non seulement le nombre envisagé comme unité, mais encore le nombre envisagé absolument. La proportion est donc l'égalité des rapports entre des termes au nombre de quatre au moins. **9.** Que la proportion, quand on la ramène à ses parties composantes, soit effectivement constituée par quatre termes, c'est ce qui est évident. Elle l'est également quand elle est continue[138]. Dans ce dernier cas, au lieu de deux termes, elle se sert d'un terme, comme s'il en constituait deux et elle le répète deux fois. Par exemple, si l'on dit que le rapport de A à B est identique au rapport de B à C. Dans ce cas, le terme B est exprimé deux fois. Si donc nous posons deux fois B, les termes de la proportion seront au nombre de quatre. **10.** De même le juste présente un rapport entre quatre termes au moins et le raisonnement est identique. Le rapport est le même entre les personnes d'un côté et les choses de l'autre. **11.** Le rapport qui existe entre A et B se retrouvera identique entre C et D, et inversement le rapport entre A et C existera entre B et D. Ainsi les deux totaux se trouveront dans le même rapport ; on réunit les termes deux à deux et, s'ils sont bien posés, l'addition est juste. **12.** De la sorte, la réunion du terme A avec le terme C et celle du terme B avec D constituent le juste, si on l'envisage sous cet aspect distributif et, dans ce cas, le juste est un milieu entre des extrêmes qui, autrement, ne seraient plus en proportion, car la proportion est un milieu et le juste consiste dans cette proportion. **13.** Les mathématiciens appellent cette proportion géométrique. C'est qu'en effet dans cette proportion le rapport entre les totaux est comme le rapport entre chacun des deux termes. **14.** Toutefois cette proportion n'est pas continue, car on ne trouve pas numériquement, pour la personne et pour l'objet, un terme unique. Le juste est donc ce qui est défini par cette proportion géométrique ; l'injuste, ce qui la contrarie ; en effet, on y distingue du plus et du moins. Et c'est bien ce qui arrive dans les actions de la vie courante. Celui qui commet l'injustice s'attribue plus que son dû ; celui qui subit l'injustice reçoit moins qu'il ne devrait avoir[139]. **15.** En ce qui concerne le mal, c'est le contraire qui se produit. Le moindre mal fait figure de bien, eu égard à un mal plus grand. **16.** Car un moindre mal est préférable à un mal plus grand. Ce qu'on recherche est toujours le bien, et plus ce bien est souhaitable, plus il est grand.

CHAPITRE IV

Telle est donc une des deux formes du juste. Il en existe une autre, la justice corrective, qui se montre dans les relations volontaires aussi bien qu'involontaires. **2.** Cette seconde forme diffère de la première. La justice distributive, en effet, en ce qui concerne les biens de l'État, doit présenter toujours la proportion que nous avons indiquée. Quand il s'agit de partager les ressources communes, cette distribution se fera proportionnellement à l'apport de chacun, l'injuste, c'est-à-dire l'opposé du juste ainsi conçu, consistant à ne pas tenir compte de cette proportion. **3.** Mais le juste dans les contrats consiste en une certaine égalité, l'injuste en une certaine inégalité. Toutefois, il ne saurait être question de la proportion géométrique, mais de la proportion arithmétique[140]. Car peu importe que ce soit un homme distingué qui ait dépouillé un homme de rien, ou réciproquement ; peu importe que l'adultère ait été commis par l'un ou l'autre de ces deux hommes ; la loi n'envisage que la nature de la faute, sans égard pour les personnes qu'elle met sur un pied d'égalité. Il lui importe peu que ce soit un tel ou un tel qui commette l'injustice ou qui la subisse, un tel ou un tel qui cause le dommage ou en soit victime. **4.** En conséquence, cette injustice, qui repose sur l'inégalité, le juge s'efforce de la corriger. En effet, quand une personne reçoit des coups et qu'une autre en donne, quand un individu cause la mort et qu'un autre succombe, le dommage et le délit n'ont entre eux aucun rapport d'égalité ; le juge tâche à remédier à cette inégalité, par la peine qu'il inflige, en réduisant l'avantage obtenu. **5.** On emploie communément ces mots et dans un sens général dans les cas de cette nature, bien que l'expression ne semble pas convenir à certains d'entre eux : par exemple, on parle du profit de celui qui frappe et de la perte de celui qui est frappé. **6.** Mais quand le juge a évalué le mauvais traitement, l'un devient le perdant, et l'autre le gagnant. Ainsi l'égal est-il le juste milieu entre le plus et le moins ; le gain se confond avec le plus ; la perte, au contraire, avec le moins, le premier étant l'excès par rapport au bien, et le manque par rapport au mal ; la perte étant le contraire. Et puisque l'égal tient le milieu, nous dirons que c'est le juste. En conséquence, la justice corrective serait le juste milieu entre la perte de l'un et le gain de l'autre. **7.** Aussi, lorsque quelque différend se produit entre les hommes, ils ont recours au juge. Aller trouver celui-ci, c'est aller devant la justice, car le juge entend être, pour ainsi dire, la justice incarnée. Dans la personne du juge on cherche un tiers impartial et quelques-uns appellent les juges des arbitres ou des médiateurs, voulant signifier par là que, quand on aura trouvé l'homme du juste milieu, on parviendra à obtenir justice. **8.** La justice est donc un juste milieu, si du moins le juge en est un. Le juge maintient la balance égale entre les deux parties. Prenons une comparaison : une ligne ayant été coupée en deux parties inégales, le juge prend ce qui, dans la partie la plus grande, dépasse la moitié, et ce qui est repris ainsi est ajouté à la partie la plus petite. Quand le tout est partagé également, chacun reconnaît avoir ce qui lui revient ; des deux côtés, les parties sont égales. **9.** Or, ce qui est égal est intermédiaire entre le plus et le moins, selon la proportion arithmétique. Aussi le grec se sert-il du mot δίκαιον, parce que le partage est fait en deux parties égales δίχα ; c'est comme si l'on disait : partagé en deux : δίχαιον, et le mot juge : δικαστής est synonyme de διχαστής (qui partage en deux). **10.** Si, deux objets étant égaux, on enlève une quantité à l'un et qu'on l'ajoute à l'autre, ce nouvel objet sera plus grand que les deux autres, précédemment envisagés. Car, si on enlevait une quantité à un de ces objets, sans l'ajouter à l'autre, l'un des objets ne sera supérieur à l'autre que de cette différence. Soient deux objets égaux, celui à qui on a ajouté quelque chose surpasse le moyen de cette partie et l'objet moyen dépasse l'autre de la partie qui a été enlevée à ce dernier. **11.** Nous reconnaîtrons donc qu'il faut enlever quelque chose à celui qui a davantage pour l'ajouter à celui qui a moins. Il faut ajouter au plus petit objet la partie par laquelle le plus grand dépasse le moyen ; c'est au plus grand qu'il faut enlever la quantité dépassant la moitié. **12.** Supposons trois lignes AA, BB, CC, égales entre elles. Enlevons à AA la partie AE et ajoutons cette fraction, CD à CC. Ainsi toute la ligne CCD surpasse la ligne AE des parties CD et CF. Elle surpasse aussi la dimension BB de la partie CD[141]. Il en va ainsi des autres arts ; ils disparaîtraient si ce que fait la partie agissante, en quantité et en qualité, n'était supporté par la partie qui subit dans les mêmes conditions[142]. **13.** Les noms de perte et de profit, dont nous nous sommes servi, proviennent du langage des échanges volontaires. On dit qu'une personne obtient un profit quand elle a plus que son dû ; qu'elle subit une perte quand elle a moins qu'elle n'avait précédemment, par exemple dans les ventes, les achats et dans tous les échanges où la loi laisse toute liberté. **14.** En revanche, quand on n'obtient ni plus ni moins qu'on avait et que l'égalité est sauvegardée, on dit que chacun a ce qui lui revient et qu'il n'y ni perte ni profit. Ainsi le juste se trouve à égale distance du profit et de la perte, en ce qui concerne les transactions non volontaires, et il en résulte que chacun a autant après qu'avant.

CHAPITRE V

Quelques personnes s'imaginent que la loi du talion incarne purement et simplement la justice ; les Pythagoriciens l'ont affirmé. Car, tout uniment, ils définissaient le juste : ce qu'on fait subir à autrui, après l'avoir subi de lui[143]. **2.** Mais cette loi du talion ne s'accorde ni avec la justice distributive ni avec la justice corrective, **3.** quoique l'on veuille invoquer ici la justice de Rhadamanthe :

Quand on subit le tort qu'on a fait, c'est pure [justice.

4. Souvent pareille attitude est en désaccord avec le droit : par exemple, si un magistrat vous frappe, vous ne devez pas lui rendre des coups ; par ailleurs, qu'une personne frappe un magistrat, elle mérite de recevoir, je ne dis pas seulement des coups, mais encore une punition supplémentaire. **5.** Ajoutons qu'il faut faire une grande différence entre la faute volontaire et involontaire. **6.** Mais, dans les relations et les échanges, ce droit de réciprocité maintient la société civile en se basant sur la proportion et non sur l'égalité. Cette réciprocité entre les rapports fait subsister la cité. Car, ou bien on cherche à infliger au coupable le mal causé par lui ; faute de quoi, il apparaît qu'il n'y a qu'un état d'esclavage ; ou bien, on cherche à rendre le bien pour le bien ; sinon, il n'y a plus échange de services ; or c'est par ce genre d'échanges que l'union des citoyens est sauvegardée. **7.** Voilà la raison qui fait élever un temple des Charites (Grâces)[144], accessible à tous : on veut inspirer l'idée de reconnaissance, car rendre grâces, n'est-ce pas précisément cela ? En effet, il vous faut payer de retour le gracieux bienfaiteur et vous mettre, à votre tour, à être gracieux envers lui. **8.** Or ce qui constitue cet échange proportionnel, c'est l'union en diagonale [145]. Prenons, par exemple, un architecte A, un cordonnier B, une maison C, une chaussure D. Il faut que l'architecte reçoive du cordonnier le travail de celui-ci, et qu'il lui donne en échange le sien. Si donc, premièrement, est réalisée cette égalité proportionnelle, si deuxièmement la réciprocité existe, les choses se passeront comme nous venons de le dire. Faute de quoi, l'égalité sera détruite et ces rapports n'existent plus. Car rien n'empêche alors l'œuvre de l'un de l'emporter sur l'œuvre de l'autre. Il faut donc les rendre égales. **9.** Ceci existe aussi dans les autres arts ; ils disparaîtraient si ce que fait la partie agissante, en quantité et en qualité, n'était supporté par la partie qui subit dans les mêmes conditions [146]. Il ne peut exister de communauté de rapports entre deux médecins ; en revanche, la chose est possible entre un médecin et un laboureur, et, d'une façon générale, entre gens différents et de situation dissemblable. Toutefois, il est indispensable, auparavant, de les rendre égaux. **10.** Aussi faut-il que toutes choses soient en quelque façon comparables, quand on veut les échanger. C'est pourquoi on a recours à la monnaie, qui est, pour ainsi dire, un intermédiaire. Elle mesure tout, la valeur supérieure d'un objet et la valeur inférieure d'un autre, par exemple, combien il faut de chaussures pour équivaloir à une maison ou à l'alimentation d'une personne. Il faut donc, en maintenant le rapport entre l'architecte et le cordonnier, un nombre proportionnel de chaussures pour équivaloir à une maison ou à l'alimentation d'une personne, faute de quoi il n'y aura ni échange ni communauté de rapports. Ce rapport ne serait pas réalisé, s'il n'existait un moyen d'établir l'égalité entre des choses dissemblables. **11.** Il est donc nécessaire de se référer pour tout à une mesure commune, comme nous l'avons dit plus haut. Et cette mesure, c'est exactement le besoin que nous avons les uns des autres, lequel sauvegarde la vie sociale ; car, sans besoin, et sans besoins semblables, il n'y aurait pas d'échanges, ou les échanges seraient différents. La monnaie est devenue, en vertu d'une convention, pour ainsi dire, un moyen d'échange pour ce qui nous fait défaut. C'est pourquoi on lui a donné le nom de νόμισμα, parce qu'elle est d'institution, non pas naturelle, mais légale (νόμος : loi), et qu'il est en notre pouvoir, soit de la changer, soit de décréter qu'elle ne servira plus. **12.** En conséquence, ces échanges réciproques auront lieu, quand on aura rendu les objets égaux. Le rapport qui existe entre le paysan et le cordonnier doit se retrouver entre l'ouvrage de l'un et celui de l'autre. Toutefois, ce n'est pas au moment où se fera l'échange qu'il faut adopter ce rapport de proportion ; autrement, l'un des termes extrêmes aurait doublement la supériorité dont nous parlions tout à l'heure ; c'est au moment où chacun est encore en possession de ses produits. A cette condition, les gens sont égaux et véritablement associés parce que l'égalité en question est en leur pouvoir ; par exemple un paysan A, une certaine quantité de nourriture C, un cordonnier B et le travail de celui-ci D, qu'on estime équivaloir à cette quantité. Si l'on ne pouvait pas établir cette réciprocité, il n'y aurait pas de communauté sociale possible. **13.** Quant au fait que c'est le besoin qui maintient la société, comme une sorte de lien, en voici la preuve : que deux personnes n'aient pas besoin l'une de l'autre, ou qu'une seule n'ait pas besoin de l'autre, elles n'échangent rien. C'est le contraire si l'on a besoin de ce qui est la propriété d'une autre personne, par exemple du vin, et qu'on donne son blé à emporter. Voilà pourquoi ces produits doivent être évalués. **14.** Pour la transaction à venir, la monnaie nous sert, en quelque sorte, de garant et, en admettant qu'aucun échange n'ait lieu sur-le-champ, nous l'aurons à notre disposition en cas de besoin. Il faut donc que celui qui dispose d'argent ait la possibilité de recevoir en échange de la marchandise. Cette monnaie même éprouve des dépréciations, n'ayant pas toujours le même pouvoir d'achat. Toutefois elle tend plutôt à être stable. En conséquence de quoi, il est nécessaire que toutes choses soient évaluées ; dans ces conditions, l'échange sera toujours possible et par suite la vie sociale. Ainsi la monnaie est une sorte d'intermédiaire qui sert à apprécier toutes choses en les ramenant à une commune mesure. Car, s'il n'y avait pas d'échanges, il ne saurait y avoir de vie sociale ; il n'y aurait pas davantage d'échange sans égalité, ni d'égalité sans commune mesure. Notons qu'en soi, il est impossible, pour des objets si différents, de les rendre commensurables entre eux, mais, pour l'usage courant, on y parvient d'une manière satisfaisante. **15.** Il suffit de trouver un étalon, quel qu'il soit — et cela, en vertu d'une convention ; d'où le nom de νόμισμα donné à la monnaie. Elle soumet tout, en effet, à une même mesure ; tout s'évalue en monnaie. Soient une maison A, dix mines que nous désignons par B, un lit C ; supposons que A soit la moitié de B, la maison coûtant cinq mines ou équivalant à cinq mines ; le lit C, étant la dixième partie de B, on voit clairement combien de lits équivalent à une maison, soit cinq lits. **16.** Et qu'on fît des échanges avant l'emploi de la monnaie, c'est bien évident ; peu importe que l'échange porte sur cinq lits contre une maison ou contre tout objet correspondant, en valeur, à cinq lits. **17.** En quoi consistent le juste et l'injuste, nous venons de le dire; une fois cette définition donnée, il est évident que l'action juste occupe le milieu entre l'injustice qu'on commet et celle qu'on subit, celle-là consistant à obtenir plus, celle-ci à obtenir moins qu'on ne doit. Aussi la justice est-elle, en quelque sorte, intermédiaire, toutefois d'une façon différente des autres vertus, attendu qu'elle se place au milieu, tandis que l'injustice a sa place aux extrêmes[147]. De plus, la justice est la qualité qui permet de qualifier de juste l'homme susceptible d'exécuter, d'après un choix librement consenti, des actes justes et d'opérer une juste répartition soit entre lui-même et autrui, soit entre deux autres personnes. Bien entendu, il doit se garder de s'attribuer à lui-même plus et d'attribuer à autrui moins, quand la chose est utile, et tout à l'inverse, quand elle est mauvaise; il doit respecter de lui à autrui cette proportion équitable et tenir la même conduite à l'égard des deux autres parties contractantes. **18.** L'injustice est le défaut opposé. C'est un excès et un défaut, contraires à la proportion raisonnable, en ce qui concerne ce qui est avantageux ou nuisible. Elle est excès et défaut, puisqu'elle est sans cesse dans l'excès ou dans le défaut. Elle est un excès à l'avantage de celui qui la commet et qui s'attribue plus qu'il ne convient d'une chose absolument utile; un défaut, en ce qu'il prend trop peu d'une chose nuisible. Pour le reste, l'injuste se conduit généralement ainsi; quant au fait qu'il n'observe pas les rapports convenables, sa conduite dépend des circonstances. L'action injuste comporte donc deux extrêmes : l'un d'eux, le moindre, consiste à subir l'injustice; l'autre, le plus grave, à la commettre[148].

CHAPITRE VI

Contentons-nous donc de cette détermination de la justice et de l'injustice, ainsi que de notre définition du juste et de l'injuste en général. Toutefois, comme celui qui agit injustement n'est pas, pour autant, injuste, cherchons à quel degré d'injustice il faut se porter pour être injuste dans chaque genre d'injustice, qu'il s'agisse par exemple d'un voleur, d'un adultère, d'un brigand. Ou bien, dans ce cas, n'aurons-nous aucune distinction à faire? En effet, un homme peut bien avoir des relations coupables avec une femme et savoir à qui il a affaire, sans obéir à une décision déterminée, mais à une impulsion passionnée. **2.** Sans aucun doute, il agit injustement; il n'est pas pour autant injuste; de même, on n'est pas voleur, par le seul fait d'avoir volé; ni adultère, du fait qu'on a commis l'adultère. Il en va de même pour les autres délits. **3.** Nous avons indiqué précédemment les rapports du talion et de la justice. **4.** Mais il ne faut pas perdre de vue que ce que nous cherchons à distinguer, c'est le juste en soi et le juste dans la société. Or, celui-ci existe entre gens qui vivent ensemble, afin de maintenir leur indépendance, je veux dire des hommes libres et égaux, soit proportionnellement, soit arithmétiquement[149]. Aussi, quand ces conditions ne sont pas réalisées, n'y a-t-il pas entre les individus de justice sociale, mais une sorte de justice qui ne lui ressemble que vaguement. Car la justice n'existe que quand les hommes sont aussi liés par la loi; par conséquent, la loi existe également quand l'injustice est possible, puisque la justice est la capacité de discerner le juste et l'injuste. Par conséquent, dans les sociétés où l'injustice est possible, on peut commettre des actes injustes. Mais ceux qui se rendent coupables d'actes injustes ne commettent pas réellement l'injustice envers tous. L'injustice consiste à s'attribuer plus qu'il ne convient des choses qui constituent des biens en soi, et moins qu'il ne convient des choses qui constituent des maux en soi. **5.** Aussi refusons-nous de donner le pouvoir à un homme; ce pouvoir, nous le donnons à la raison. Un homme, en effet, exerce le pouvoir à son avantage et devient un tyran. Or, le magistrat qui exerce le pouvoir est le gardien de la justice, et, s'il l'est de la justice, il l'est aussi de l'égalité. **6.** A quoi on peut objecter que celui qui commande, tout au moins s'il est juste, ne paraît s'attribuer à lui-même rien de plus qu'aux autres — en effet, il ne s'accorde rien de plus de ce qui est en soi un bien, si la loi de proportion ne l'y autorise pas. Un homme de cette sorte va jusqu'à se donner du mal pour autrui, ce qui permet de dire que la justice n'est pas un bien strictement individuel, comme nous l'avons déjà affirmé précédemment[150]. **7.** En conséquence, il faut donner à cet homme une récompense qui consiste en honneurs et en distinctions. Ceux qui ne savent pas s'en contenter sont des tyrans.

8. Le droit du maître envers ses esclaves et celui du père envers ses enfants ne se confondent pas avec le précédent, mais lui ressemblent. En effet, on ne commet pas d'injustice à l'égard de ce qui vous appartient absolument, comme c'est le cas de l'esclave, qui est votre propriété, et de l'enfant, tout au moins jusqu'à ce qu'il soit d'un certain âge et qu'il ait quitté le domicile paternel. **9.** D'ailleurs personne ne consent à se faire tort à soi-même ; nul ne commet donc l'injustice envers soi. Sur ce point, il ne peut y avoir ni juste, ni injuste du point de vue politique. Car nous venons de dire que le juste était traduit par la loi et qu'il concerne ceux qui naturellement doivent obéir à la loi. Or, il s'agissait bien dans notre pensée de ceux qui étaient sur un pied d'égalité en ce qui concerne le commandement et l'obéissance. Aussi les rapports de justice existent-ils davantage entre l'époux et la femme qu'entre le père et les enfants ou le maître et les esclaves. Les rapports entre ces derniers dérivent de la justice domestique, qui est autre que la justice politique.

CHAPITRE VII

Une partie du droit politique est d'origine naturelle, l'autre, fondée sur la loi. Ce qui est d'origine naturelle est ce qui, en tous lieux, a le même effet et ne dépend pas de nos diverses opinions; quant à ce qui est fondé sur la loi — que les origines en aient été telles ou telles — peu importe; ce qui importe, c'est de le constater, une fois les lois établies, comme lorsqu'il s'agit de payer une rançon d'une mine pour un captif, ou de sacrifier à Zeus une chèvre et non deux brebis[151] ; ajoutons aussi ce que la loi prescrit pour tous les cas particuliers, par exemple de sacrifier à Brasidas[152] et tout ce qui est prescrit par des sortes de décrets. **2.** Quelques-uns s'imaginent que, dans le droit politique, tout a ce caractère d'être déterminé par des lois variables. En voici la raison ; ils voient que ce qui est naturel est immuable et a partout le même effet : le feu, par exemple, qui brûle aussi bien ici que dans le pays des Perses; au contraire, ils constatent que le droit est toujours changeant. **3.** Il n'en va pas exactement ainsi et ce n'est vrai qu'en partie; si, pour les dieux, les choses se passent autrement, chez nous, les hommes, il y a des choses naturelles, qui toutes sont susceptibles de changement, ce qui n'empêche pas que certaines soient fondées sur la nature, d'autres non. **4.** Il est facile, par conséquent, de discerner ce qui appartient à la nature, parmi ce qui est susceptible de changer et ce qui ne l'est pas et se trouve être fondé sur la loi et les conventions, quand bien même ces deux catégories de choses seraient également changeantes. La même distinction pourra s'appliquer dans les autres cas. Par exemple, bien que, par nature, la main droite soit plus forte que la main gauche, on constate que tout le monde peut devenir adroit des deux mains. **5.** Les règles de justice qui sont fondées sur une convention et sur l'utilité ne sont pas sans analogie avec les mesures; les mesures de capacité pour le vin et le blé ne sont pas identiques en tous lieux : là où l'on achète, elles sont plus grandes; là où l'on vend, elles sont plus petites[153]. Ainsi les prescriptions de justice qui ne sont pas fondées sur la nature, mais sur les conventions entre les hommes, ne sont pas semblables partout, non plus que les formes de gouvernement, quoiqu'il n'y en ait qu'une seule qui se montre partout en accord avec la nature, à savoir la meilleure. **6.** Toutes ces prescriptions du droit et de la loi présentent, pour ainsi dire, relativement aux affaires humaines, le rapport du général au particulier; nos actes sont nombreux, mais chacune de ces prescriptions est une, attendu qu'elle a un caractère général.

7. Il y a une différence entre l'injustice selon la loi et l'injustice en général, entre le juste légal et la justice; l'injustice est déterminée par la nature ou par les prescriptions légales; quand elle est réalisée, elle devient une faute aux yeux de la loi; auparavant, elle était seulement injuste en elle-même. Il en va de même de l'acte juste — on se sert plutôt de l'expression action juste δικαιοπράγμα dans un sens général, tandis que le mot δικαίωμα signifie réparation de l'injustice. Il nous faudra examiner par la suite, sur ces deux points, les cas particuliers, leurs caractères, leur nombre et leur objet.

CHAPITRE VIII

Ayant ainsi défini la justice et l'injustice, disons qu'on n'agit injustement ou justement que quand l'action est volontaire; quand elle est involontaire, on n'agit ni injustement ni justement, mais selon l'événement, qui donne alors aux actes leur caractère juste ou injuste. **2.** Ainsi l'action injuste ou juste est définie par le caractère volontaire ou involontaire. Est-elle volontaire? Elle provoque le blâme; en même temps, elle devient un méfait. En conséquence, elle ne sera qu'une action injuste, mais non encore un méfait, si elle est dépourvue d'intention volontaire. **3.** Or je dis qu'est volontaire, comme je l'ai indiqué précédemment[154], l'action qui dépend de l'agent et que celui-ci accomplit sciemment, c'est-à-dire sans ignorer la personne, les moyens et le but de l'action; par exemple, si l'on sait qui l'on frappe, pour quelle raison et avec quel instrument. Ajoutons que sur tous ces points, il ne doit pas y avoir hasard ou violence, ce qui serait le cas si une personne, prenant la main de quelqu'un, en frappait un autre personnage ; l'agent, alors, ne fait pas acte de volonté ; son action n'est pas en son pouvoir. Or il peut arriver que la personne frappée soit le père de celui qui frappe et que celui qui a guidé la main, tout en connaissant la qualité d'homme de la victime, sachant aussi qu'il est parmi les gens présents, ignore que c'est le père. Il faut introduire la même distinction en ce qui concerne le but de l'action et, par conséquent, toutes les circonstances. Ainsi toute action que nous faisons sans savoir ce que nous faisons ou même en connaissance de cause, mais dont l'exécution ne dépend pas de nous ou est imposée par la force, est involontaire. En effet, nous sommes amenés à exécuter ou à subir, en toute connaissance de cause, bien des actes imposés par la nature, dont aucun pourtant n'est volontaire, comme le fait de vieillir ou de mourir. **4.** De même, dans les actes injustes et justes, l'événement a aussi sa place. Supposons qu'une personne rende un dépôt malgré elle, ou poussée par la crainte ; nous ne devons pas dire, pour autant, que son action est juste ni qu'elle pratique la justice, sinon par accident. De même, supposons qu'une personne soit empêchée de rendre un dépôt par la force et malgré elle ; il nous faut dire que c'est par pur hasard qu'elle commet une injustice et fait une action injuste. **5.** Parmi les actes volontaires, les uns sont exécutés après un choix délibéré, les autres sans ce choix. Dans le premier cas, nous agissons toujours après réflexion ; n'est pas délibéré tout ce qui n'a pas été précédé d'un choix. **6.** Les dommages que nous pouvons causer dans la vie de société sont de trois sortes ; ceux qui s'accompagnent d'ignorance (ἁμαρτήμα) sont des fautes involontaires ; par exemple quand on agit sans se rendre compte de la personne, de l'acte, du moyen, du but ; c'est le cas d'un homme qui ne pensait ni frapper, ni avec tel instrument, ni telle personne, ni dans telle intention ; les faits se sont passés contrairement à ce qu'il désirait : par exemple, son intention n'était pas de blesser, mais simplement de piquer ; ce n'était pas telle personne qu'il visait, ni de telle manière. **7.** Lorsque le dommage est causé d'une manière imprévue, on parle de méprise (ἀτύχημα); quand il l'est, non pas de manière imprévue, mais sans intention de nuire, il y a faute, puisqu'il y a faute quand le principe de notre ignorance réside en nous, et méprise, quand il est hors de nous. **8.** Quand nous agissons en toute connaissance de cause, mais sans réflexion préalable, nous commettons une injustice[155], par exemple chaque fois que nous obéissons à la colère et aux autres passions qui ont dans l'homme un caractère nécessaire ou naturel; en infligeant à autrui des dommages de cette sorte, ou en commettant des fautes semblables, on pratique l'injustice et ces actes sont bien injustes; toutefois leurs auteurs ne sont pas pour autant injustes ni méchants, car le dommage n'a pas sa source dans la perversité de l'agent. **9.** Par contre, si le choix est délibéré, l'auteur de l'acte est injuste et pervers. Aussi fait-on bien de ne pas juger prémédités les actes inspirés par la colère. Car le responsable n'est pas alors celui qui agit par colère, mais celui qui a provoqué la colère. **10.** Ajoutons que, dans ce cas, la discussion ne porte pas sur la question de fait, mais sur la question de droit, car ce sont les apparences de l'injustice qui provoquent la colère. On ne discute pas, comme dans les contrats, la question de fait; dans ce dernier cas, il est inévitable que l'une des parties contractantes soit de mauvaise foi, à moins d'avoir l'excuse de l'oubli. Par contre, dans le premier cas, on est d'accord sur le fait, on ne discute que sur la question de droit – cela quand l'auteur de la faute agit en connaissance de cause –, si bien que l'un affirme être victime d'une injustice et que l'autre le nie. **11.** Faire tort à quelqu'un de propos délibéré, c'est commettre l'injustice, et du fait même de cette injustice, l'homme qui s'en rend coupable est vraiment injuste, attendu qu'il ne respecte ni la règle de proportion, ni celle d'égalité. Le même raisonnement peut servir pour le juste, s'il pratique la justice de propos délibéré; or il agit justement, à la seule condition d'agir de son plein gré. **12.** Parmi les fautes involontaires, les unes sont pardonnables, les autres, non. Toutes celles que nous commettons, je ne dis pas seulement dans notre ignorance, mais par suite de notre ignorance, sont susceptibles de pardon[156]. Quant à celles qui sont imputables, non pas à notre ignorance, mais à l'inconscience où nous plonge un état de passion qui n'est ni naturel, ni humain, elles ne méritent pas le pardon.

CHAPITRE IX

On pourrait s'inquiéter de savoir si nos précisions sur l'injustice subie et commise sont suffisantes et, tout d'abord, s'il en est ainsi que dit Euripide, lequel s'exprime d'une façon absurde :

J'ai immolé ma mère et, je le dis en deux mots,
Nous étions consentants l'un et l'autre.
Ou plutôt nous ne l'étions ni l'un ni l'autre[157].

Est-il vraiment possible de subir l'injustice de son plein gré, ou non ? Toute injustice subie ne l'est-elle pas contre notre gré, tout de même que toute injustice commise l'est de notre consentement ? Se peut-il que l'injustice subie le soit indifféremment contre notre gré ou de notre consentement, comme il apparaît aussi que toute injustice commise l'est de notre consentement ? Ou faut-il croire que, quand nous subissons l'injustice, tantôt nous sommes consentants, tantôt nous ne le sommes pas ? **2.** On peut se poser la même question au sujet de la justice qu'on se fait rendre. Toutes nos actions justes impliquent notre consentement, aussi est-on fondé à opposer de la même manière et terme à terme l'injustice qu'on subit et la justice qu'on obtient et à croire que, dans les deux cas, il y a d'un côté et d'un autre côté il n'y a pas participation de notre volonté. Il serait absurde en effet de soutenir que, dans tous les cas où se prononce la justice, notre consentement intervient, car il est des cas où ce n'est pas volontairement que nous obtenons cette décision de justice. **3.** Il est vrai qu'on peut aussi se demander si, dans toutes les circonstances, celui qui a subi un acte injuste supporte vraiment une injustice, ou bien s'il en va de même suivant que l'on commet ou souffre l'injustice. Il peut arriver en effet par hasard que, dans les deux cas, on obtienne ce qui revient de droit et il est évident qu'il n'en est pas autrement en ce qui concerne les actes injustes. Car il y a une grande différence entre commettre des actes injustes, et se rendre coupable d'injustice, de même qu'entre subir des actes injustes et être victime d'injustices. On peut faire la même distinction entre pratiquer la justice et en bénéficier passivement. En voici la raison : il est impossible d'être victime de l'injustice s'il n'y a personne pour la commettre et de bénéficier de la justice, s'il n'y a personne pour l'accomplir. **4.** Si donc l'injustice consiste purement et simplement dans le tort qu'on cause sciemment à autrui, et si cette condition implique qu'on connaît la personne, le moyen et la manière dont on fait tort, il en résulte que l'intempérant se ferait tort volontairement à lui-même et conséquemment que ce serait volontairement qu'il subirait l'injustice et qu'il lui arriverait de la commettre. C'est une question embarrassante de savoir si l'on peut être coupable envers soi-même. **5.** Bien plus, ce serait volontairement et en raison de son intempérance qu'une personne subirait un dommage d'une autre personne qui le lui infligerait volontairement. Mais ne devons-nous pas considérer comme inexacte la définition ci-dessus et ne faut-il pas ajouter aux termes : « causé volontairement, quand on connaît la personne, le moyen et la manière », ces mots : « contre la volonté de celui qui souffre l'injustice » ? **6.** Dans ce cas, on peut subir un dommage volontairement et supporter des actes injustes ; mais nul n'est volontairement injuste envers lui-même. Personne n'y consent, pas même l'intempérant ; dans ce cas, il agit contre sa propre volonté. Nul, en effet, ne consent à ce qui n'est pas personnellement avantageux et l'intempérant fait le contraire de ce qu'il croit devoir faire. **7.** Quant à celui qui donne ce qui lui appartient, il n'est pas victime d'une injustice, comme on voit chez Homère, quand il rapporte que Glaucus donna à Diomède :

En échange d'armes de bronze, des armes d'or,
En échange de neuf bœufs, la valeur de cent
[bœufs[158].

Il n'y a pas d'injustice subie. En effet, on est libre de donner et on ne peut pas être victime d'une injustice, s'il n'y a personne pour vous la faire subir.

8. Ainsi, il est évident qu'on ne peut subir l'injustice qu'involontairement. – Parmi les questions que nous nous étions proposées, deux doivent être abordées maintenant. Qui agit injustement ? celui qui attribue à une autre personne plus qu'elle ne mérite, ou celui qui reçoit plus que sa part ? En outre est-il possible de commettre soi-même contre soi-même des actes injustes ? **9.** S'il en va ainsi que nous avons dit plus haut et si c'est celui qui fait cette répartition qui commet un acte injuste et non celui qui reçoit plus qu'il ne mérite, dans le cas où on attribue à autrui sciemment et volontairement plus qu'à soi-même, commet-on personnellement et à son propre détriment une injustice ? C'est ce que font, semble-t-il, les gens désintéressés – l'honnête homme étant enclin à prendre moins que son dû. Mais peut-être n'est-ce pas si simple ? Car on a vu des honnêtes gens obtenir leur large part, s'ils reçoivent quelque autre bien, la gloire par exemple ou quelque autre avantage absolument honorable[159]. Objection qui se dissipe, à son tour, par la définition de l'injustice ; car l'honnête homme ne pâtit en rien contre sa propre volonté ; on ne peut donc dire qu'il est par là victime de l'injustice ; le cas échéant, il supporte seulement un dommage. **10.** Il est bien visible que l'auteur de l'injustice est celui qui fait une répartition inégale et non celui qui obtient plus qu'il ne doit, l'auteur de l'injustice étant non pas celui qui profite de l'acte injuste, mais celui qui a la possibilité de le commettre de son plein gré, ce qui revient à dire celui de qui procède l'action et c'est bien, dans ce cas, celui qui fait la répartition et non celui qui en profite[160]. **11.** Ajoutons que l'action implique souvent des modalités différentes, qu'il n'est pas impossible que le meurtre soit exécuté au moyen de choses inanimées, par une main guidée par autrui, par un esclave sur l'ordre de son maître; dans ces circonstances, l'exécutant, tout en ne commettant pas d'injustice, fait une action injuste. **12.** Disons encore qu'en rendant un jugement inspiré par l'ignorance, on ne se rend pas coupable d'injustice selon les lois et que le jugement, sans être à proprement parler injuste, a quelque apparence d'injustice — la justice selon la loi différant de la notion de justice morale. Mais, si l'on rend un jugement injuste en toute connaissance de cause, on dépasse la mesure soit dans l'indulgence pour l'une, soit dans la sévérité pour l'autre des parties. **13.** C'est tout à fait comme si l'on s'associait à un acte injuste; celui qui est inspiré par ces sentiments, en jugeant injustement, trouve un avantage répréhensible. En effet, il arrive que, dans l'injuste attribution d'un champ, le juge, sans recevoir de la terre, a du moins reçu de l'argent. **14.** Or les hommes s'imaginent que, du moment qu'il est en leur pouvoir de commettre l'injustice, la pratique de la justice ne comporte pas de difficulté. Mais il en va autrement. Il est facile évidemment — et il dépend de chacun — d'avoir des relations avec la femme du voisin, de frapper un passant, de corrompre quelqu'un en lui donnant de l'argent de la main à la main. Mais faire ces actes en s'inspirant de tels sentiments moraux déterminés n'est ni facile, ni en leur pouvoir. **15.** De même, on pense communément qu'il n'y a aucune preuve d'habileté dans le discernement des actes justes et injustes, parce qu'il n'est pas difficile de comprendre ce que prescrivent les lois. Mais ce n'est pas là la véritable justice, elle n'apparaît que par accident; la justice dépend de la manière dont nous la pratiquons et la distribuons, ce qui est plus difficile que de savoir ce qui est utile à notre santé. Sur ce point, il n'y a aucune difficulté à connaître le miel, le vin, l'ellébore, les effets de la cautérisation et des opérations. Mais savoir l'usage de ces différents moyens relativement à la bonne santé, sur quelles personnes et comment les appliquer, voilà une tâche vraiment digne d'un médecin. **16.** Pour cette raison, on pense que le juste, lui aussi, se trouve en mesure de commettre l'injustice, tout autant que l'injuste, parce que, tout autant que ce dernier, et mieux encore, il serait susceptible de se comporter de l'une et l'autre façon ; en effet, il peut lui arriver d'avoir des relations avec la femme d'autrui, de frapper un passant ; le courageux lui-même peut jeter son bouclier et, faisant demi-tour, courir à toutes jambes dans n'importe quelle direction. Mais la lâcheté et l'injustice ne consistent pas à commettre ce genre d'action, tout au moins par accident, mais bien à les commettre parce que les actes répondent à nos dispositions habituelles. De même la pratique de la médecine et l'art de guérir ne se limitent pas à pratiquer ou non une opération, à administrer ou non une purgation, mais à le faire à propos. **17.** Or la justice n'existe qu'entre les personnes ayant part aux choses qui sont des biens par elles-mêmes et qui peuvent y trouver matière à excès et à défaut[161]. D'aucuns peuvent ne pas tomber dans l'excès, comme c'est vraisemblablement le cas pour les dieux. D'autres, ceux qui sont incurablement mauvais, n'y peuvent trouver la moindre utilité ; tout leur est nuisible. D'autres enfin y trouvent une utilité relative et tel est bien le trait qui convient à l'homme.

CHAPITRE X

Il nous reste à parler de l'équité et du juge d'équité, et à envisager les rapports de l'équité avec la justice et de l'équitable avec le juste. A un examen approfondi, il apparaît que leurs caractères ne sont pas absolument identiques, sans différer toutefois spécifiquement. Parfois nous faisons l'éloge de l'équité et de l'homme doué de cette qualité, au point même que, dans notre approbation, nous employons ce mot pour certains cas, au lieu du mot bon, voulant indiquer par là la supériorité de l'homme équitable. Parfois encore, en suivant le même raisonnement, il nous paraît absurde qu'on fasse l'éloge de l'équité opposée en quelque façon à la justice. En effet, ou bien le juste n'est pas désirable, ou ce qui est équitable n'est pas juste, en étant différent. Ou bien, si tous deux sont désirables, c'est donc qu'ils se confondent ? **2.** Notre embarras, sur la question de l'équité, vient à peu de chose près des raisons indiquées. Néanmoins, toutes ces expressions sont en quelque mesure satisfaisantes et il n'y a rien de contradictoire. Car ce qui est équitable, étant supérieur au juste envisagé en particulier, est juste par cela même. Il ne faudrait pas croire cependant que c'est à titre de genre différent qu'il possède cette supériorité. Ainsi le juste et l'équitable sont identiques, et quoique tous deux soient désirables, l'équité est cependant préférable. **3.** Ce qui cause notre embarras, c'est que ce qui est équitable, tout en étant juste, ne l'est pas conformément à la loi ; c'est comme une amélioration de ce qui est juste selon la loi. **4.** La raison en est que toute loi est générale et que, sur des cas d'espèce, il n'est pas possible de s'exprimer avec suffisamment de précision quand on parle en général ; lors donc qu'il est indispensable de parler en général et qu'on ne peut le faire avec toute la précision souhaitable, la loi ne retient que les cas ordinaires, sans méconnaître d'ailleurs son insuffisance. La loi n'en est pas moins bien ordonnée. La faute ne lui est pas imputable, non plus qu'au législateur ; elle découle de la nature de l'action, telle étant bien exactement la matière des actes. **5.** Lorsque la loi s'exprime pour la généralité des cas, et que postérieurement il se produit quelque chose qui contrarie ces dispositions générales, il est normal de combler la lacune laissée par le législateur et de corriger l'omission imputable au fait même qu'il s'exprimait en général. Le législateur lui-même, s'il était présent, y consentirait et, s'il eût prévu la chose, eût introduit des précisions dans la loi. **6.** Aussi ce qui est équitable est-il juste, supérieur même en général au juste, non pas au juste en soi, mais au juste qui, en raison de sa généralité, comporte de l'erreur. La nature propre de l'équité consiste à corriger la loi, dans la mesure où celle-ci se montre insuffisante, en raison de son caractère général. Voilà pourquoi tout n'est pas compris dans la loi : sur certains cas, il est impossible de légiférer et il faut avoir recours, pour la préciser, à une décision de l'assemblée du peuple. **7.** En effet, pour tout ce qui est indéterminé, la règle ne peut donner de détermination précise, au contraire de ce qui se passe dans l'architecture à Lesbos, avec la règle de plomb ; cette règle, qui ne reste pas rigide, peut épouser les formes de la pierre ; de même les décrets s'adaptent aux circonstances particulières. **8.** Nous avons éclairci la nature de l'équitable et montré en quoi il se confondait avec le juste et était supérieur au juste envisagé d'un point de vue particulier. De ce qui précède se dégage nettement la nature du juge d'équité. C'est l'homme qui de propos délibéré se décide et agit pratiquement ; ce n'est pas l'homme d'une justice tatillonne et enclin à adopter la solution la moins favorable pour les autres ; il est toujours prêt à céder de son dû, bien qu'il puisse invoquer l'aide de la loi ; sa disposition ordinaire est l'équité, qui est une variété de la justice et une disposition qui n'en diffère pas[162].

CHAPITRE XI

Peut-il arriver ou non qu'on commette l'injustice à l'égard de soi-même ? On le voit clairement d'après ce que nous venons de dire. En effet, on fait rentrer dans le juste tout ce que la loi prescrit en accord avec toute espèce de vertu. Par exemple, la loi ne nous ordonne pas de nous supprimer nous-mêmes, et ce qu'elle n'ordonne pas, elle le défend[163]. **2.** Ajoutons que quiconque fait tort à autrui volontairement et contre la loi — sans répondre à un tort à lui causé — commet une injustice; or quand nous disons « volontairement », nous entendons qu'on agit en connaissant la personne atteinte et les moyens employés. Or celui qui, dans un transport de colère, s'égorge de sa propre main, agit volontairement et contre la droite raison, ce que n'autorise pas la loi. **3.** Il commet donc une injustice. Mais à l'égard de qui ? Es-ce à l'égard de la cité et non à l'égard de lui-même ? Car, si l'on convient que c'est volontairement qu'il souffre, nul ne subit l'injustice volontairement. Aussi la cité elle-même le punit-elle et un certain déshonneur[164] s'attache à quiconque se donne la mort, puisqu'on dit qu'il a commis une injustice contre la cité. **4.** Ajoutons que, selon la proposition suivant laquelle celui qui commet l'injustice est simplement injuste, mais non entièrement mauvais, il est impossible de commettre l'injustice à son propre détriment; ces deux formes d'injustice sont différentes; l'homme injuste et pervers agit de quelque façon à peu près comme le lâche, mais non point comme un homme totalement vicieux. Si bien qu'en commettant l'injustice, il n'est pas poussé par une perversité totale. De plus, dans le cas où le suicide serait une injustice envers soi-même, le même homme pourrait s'accorder ou se refuser la même chose, ce qui est impossible, vu la nécessité absolue pour le juste et l'injuste de n'exister qu'entre plusieurs personnes. **5.** Enfin l'injustice commise doit être volontaire, procéder d'un choix délibéré et être antérieure à toute offense; en effet, selon l'opinion commune, on ne commet pas d'injustice, quand on a été soi-même victime et qu'on rend le mal pour le mal. En commettant l'injustice sur soi-même, on serait dans la même mesure victime et agent. Par suite, il n'y aurait rien d'impossible à s'imposer à soi-même l'injustice volontairement. **6.** A quoi il faut ajouter que nul ne peut commettre l'injustice, en dehors de cas particuliers; personne ne commet l'adultère avec sa propre femme, personne ne se vole en perçant son propre mur, personne ne commet de vol à son propre détriment. En résumé, cette prétendue injustice à l'égard de soi-même se dissipe, étant donné les précisions que nous venons de donner relativement au fait que nul ne subit l'injustice volontairement. **7.** Il est bien évidemment fâcheux de subir comme de commettre l'injustice; dans le premier cas, on obtient moins, dans le second cas on obtient plus qu'il n'est convenable, alors qu'on devrait faire comme en médecine et en gymnastique, où l'on recherche la santé et le développement harmonieux du corps. A tout prendre, commettre l'injustice est plus grave que la souffrir[165]; car l'acte injuste va de pair avec la méchanceté et comporte le blâme, qu'il s'agisse d'une méchanceté totale ou simplement en approchant — car tout acte volontaire d'injustice ne comporte pas de méchanceté foncière. Au contraire; l'injustice subie ne comporte ni méchanceté ni injustice. **8.** En soi, l'injustice dont on est victime est moins fâcheuse; cependant, rien n'empêche que, par accident, elle ne constitue un mal plus grave; toutefois l'homme de l'art[166] ne s'en préoccupe pas; au contraire, il affirme qu'une pleurésie est plus redoutable qu'une chute, ce qui n'empêche pas qu'accidentellement la chute peut devenir plus grave qu'une pleurésie, si, par exemple, en vous renversant, elle vous fait tomber aux mains de l'ennemi ou cause votre mort. **9.** Par métaphore et par analogie, on peut dire que le juste existe, sinon dans un individu relativement à lui-même, du moins entre différentes parties de cet individu; il ne s'agit pas ici du juste absolu, mais du juste existant entre maître et esclave, ou entre père de famille et enfants. Dans toutes nos explications, on distingue la partie de l'âme douée de raison de celle qui en est privée. Voilà sur quoi on fixe les yeux, et alors on s'imagine que l'injustice s'exerce dans l'homme contre lui-même, parce qu'il peut arriver que telles parties de l'homme subissent quelque tort, contre leurs propres tendances. Ainsi une sorte de relation de justice peut intervenir ici, comme entre celui qui commande et celui qui obéit.

LIVRE VI

[Les vertus intellectuelles.]

CHAPITRE PREMIER

Au sujet de la justice et des autres vertus morales, acceptons donc la distinction que nous venons d'établir. Puisque nous avons dit précédemment[167] qu'il faut adopter le juste milieu et éviter l'excès et le défaut ; puisque d'autre part, le juste milieu est conforme à ce que prescrit la droite raison, apportons ici les précisions nécessaires. Dans tous les comportements que nous avons indiqués, comme en tous autres, il existe un but sur lequel l'homme doué de raison fixe ses regards pour tendre et relâcher son effort ; et il existe une définition de ces états moyens situés, nous le répétons, entre l'excès et le défaut et conformes à la droite raison. **2.** Si une telle affirmation est exacte, elle manque de clarté. En effet, dans tous les objets d'étude dont se préoccupe la connaissance, il est exact de dire qu'il ne faut apporter ni plus ni moins d'effort ou de relâchement que n'en comporte l'objet, bref qu'il faut exécuter toutes choses avec mesure et conformément aux exigences de la droite raison[168]. Mais un homme, muni de ce seul renseignement, n'en saurait pas davantage ; prenons comme exemple un homme à qui on demanderait les soins qu'il faut donner au corps et qui répondrait : tout ce que prescrit la médecine et de la façon qu'indique l'homme de l'art. **3.** Aussi, en ce qui concerne les comportements de l'âme, n'importe-t-il pas seulement que ce que nous venons de dire soit exact, il faut aussi distinguer ce qu'est la droite raison et en fixer la définition. **4.** En distinguant les vertus de l'âme, nous avons avancé[169] que les unes relevaient des mœurs, les autres de l'intelligence. Nous avons passé en revue les vertus morales. Parlons maintenant des autres, non sans avoir dit d'abord quelques mots de l'âme. **5.** Précédemment, nous avons reconnu que l'âme comportait deux parties, l'une douée, l'autre dépourvue de raison. Pour l'instant, en ce qui concerne la première, il faut faire une semblable distinction. Admettons qu'il y ait deux parties participant à la raison : l'une qui nous permet d'envisager par l'intelligence les choses dont les principes, de leur nature, sont immuables, l'autre celles qui admettent le changement. A des objets de nature différente, correspond une partie différente de l'âme, chacune étant adaptée à son objet, puisque toutes deux peuvent connaître ces objets, en raison d'une certaine ressemblance et d'une certaine affinité. **6.** Appelons donc ces deux parties : l'une, la partie connaissante; l'autre, la partie raisonnante de l'âme[170]. En effet, délibérer et raisonner constituent la même opération. Personne, d'ailleurs, ne délibère sur ce qui n'est pas susceptible de changement. Ainsi la partie raisonnante est un élément de la partie de l'âme douée de raison. **7.** Il faudra donc rechercher quel est pour ces deux parties le comportement le meilleur, ce qui montrera la vertu de chacune, chaque vertu étant déterminée par son objet propre.

CHAPITRE II

Il y a dans l'âme trois éléments qui déterminent souverainement l'action et la vérité : la sensation, la pensée, la tendance. **2.** Parmi eux, la sensation n'est le principe d'aucune activité créatrice. La preuve en est que les bêtes, tout en possédant la sensation, ne participent pas à l'action réfléchie. D'autre part ce qui est dans la réflexion affirmation et négation, est, dans la tendance, recherche et fuite. Ainsi, puisque la vertu morale est un comportement précédé de choix, et que ce choix délibéré est une tendance accompagnée de réflexion, il faut donc que la raison soit juste et que la tendance soit droite, si du moins le choix délibéré est bon — et qu'il y ait accord entre ce qu'affirme la raison et ce que poursuit la tendance. Cette réflexion et cette vérité ont donc un caractère qui se rapporte à l'action. **3.** En revanche, la réflexion théorique[171], qui n'a pas rapport à l'action et qui n'est pas créatrice, a pour conséquence, heureuse ou malheureuse, le vrai et l'erreur. Tel est l'objet de toute réflexion pure, tandis que ce qui caractérise en même temps la faculté d'agir et la faculté de réfléchir de l'âme a pour objet une vérité concordant avec une tendance droite. **4.** Le principe de l'activité est le choix délibéré[172], que suit le mouvement, et ce n'est pas le but qu'on se propose ; c'est le principe du choix délibéré qui est une tendance et la considération de quelque fin particulière. Aussi, sans pensée et réflexion, et sans dispositions morales ne peut-il y avoir de choix délibéré. En effet, la bonne et la mauvaise conduite impliquent nécessairement la réflexion et les mœurs. **5.** Or la réflexion par elle-même ne met rien en mouvement, sauf quand elle a un caractère de finalité et qui intéresse l'action. C'est elle alors qui commande aussi à la création. Car tout être agissant crée en vue de quelque chose et ce qu'on fait, sans être un but en soi, est un but relativement à autre chose ou de quelque autre chose. Il n'en va pas ainsi de l'action ; le but de celle-ci est une heureuse réussite et c'est à quoi vise la tendance. Aussi le choix délibéré est ou bien l'esprit animé par la tendance, ou bien la tendance éclairée par la réflexion, et c'est là un principe humain. **6.** Rien de ce qui est réalisé ne peut être l'objet d'un choix ; par exemple, personne ne se propose d'avoir pillé la ville d'Ilion ; on ne délibère pas non plus sur le passé, mais sur l'avenir et le possible, car le passé ne peut pas ne pas avoir été. Aussi Agathôn[173] a-t-il raison de dire :

Sur un seul point la puissance de dieu est en défaut :
Il ne peut faire que ce qui a été réalisé ne le soit pas.

Par conséquent le propre des deux parties de l'âme qui ont rapport à l'intelligence est la vérité. Et les dispositions morales selon lesquelles chacune de ces parties exprimera la vérité constituent la vertu de l'une comme de l'autre.

CHAPITRE III

Ayant ainsi repris la question depuis le début, continuons notre développement sur ces vertus. Admettons qu'il y a cinq formes d'activité, par lesquelles l'âme exprime la vérité, soit par affirmation, soit par négation[174]. Ce sont : l'art, la science, la prudence, la sagesse, l'intelligence, car il nous arrive de nous tromper, en suivant nos conjectures ou l'opinion. **2.** La nature de la science nous est révélée clairement, si nous voulons nous exprimer avec précision et ne pas nous fier à de vagues ressemblances. Tous sans exception nous croyons que ce que nous savons n'admet pas d'être autrement. Quant aux choses qui admettent des changements, dès qu'elles échappent aux regards de l'esprit, nous ne pouvons nous prononcer sur leur existence ou leur non-existence. Ainsi ce qui est l'objet de science existe de toute nécessité et a, par suite, un caractère éternel. Car tout ce qui existe nécessairement et absolument est éternel et tout ce qui est éternel ne connaît ni la naissance, ni la destruction. **3.** Ajoutons que toute science, semble-t-il, est susceptible d'être enseignée, tout objet de science pouvant être matière à enseignement. D'autre part, toute espèce d'enseignement procède de connaissances précédemment acquises, comme nous le disons également dans nos Analytiques[175]. Tantôt on utilise l'induction, tantôt le syllogisme. L'induction est donc un principe et concerne l'universel, tandis que le syllogisme découle des propositions universelles. Il y a donc des principes à partir desquels procède le syllogisme et qui échappent au syllogisme ; c'est le domaine de l'induction. **4.** La science est donc une disposition, permettant la démonstration, ayant tous les autres caractères que nous spécifions dans nos Analytiques. Quand on a, de quelque manière, une certitude et que les principes en sont connus, on sait de science sûre ; si l'on ne connaît rien de plus que la conclusion du syllogisme, la science que l'on possède aura un caractère accidentel[176].

CHAPITRE IV

En ce qui concerne la science, contentons-nous de la définition ci-dessus. Pour ce qui est des choses susceptibles d'être autrement, il en est qui relèvent de la création, d'autres de l'action, création et action étant distinctes[177]. **2.** Là-dessus, nous pouvons nous référer en toute confiance à nos traités exotériques[178]. Aussi la disposition, accompagnée de raison et tournée vers l'action, est-elle différente de la disposition, également accompagnée de raison, tournée vers la création ; aucune de ces notions ne contient l'autre ; l'action ne se confond pas avec la création, ni la création avec l'action. **3.** Puisque l'architecture est un art ; que cet art se définit par une disposition, accompagnée de raison, tournée vers la création ; puisque tout art est une disposition accompagnée de raison et tournée vers la création, et que toute disposition de cette sorte est un art ; l'art et la disposition accompagnée de la raison conforme à la vérité se confondent. **4.** D'autre part, tout art a pour caractère de faire naître une œuvre et recherche les moyens techniques et théoriques de créer une chose appartenant à la catégorie des possibles et dont le principe réside dans la personne qui exécute et non dans l'œuvre exécutée. Car l'art ne concerne pas ce qui est ou se produit nécessairement, non plus que ce qui existe par un effet de la seule nature — toutes choses ayant en elles-mêmes leur principe. **5.** Du moment que création et action sont distinctes, force est que l'art se rapporte à la création, non à l'action proprement dite. Et, en une certaine mesure, art et hasard s'exercent dans le même domaine, selon le mot d'Agathôn :

L'art aime le hasard, comme le hasard aime l'art[179].

6. Donc, ainsi que nous l'avons dit, l'art est une disposition, susceptible de création, accompagnée de raison vraie, par contre le défaut d'art est cette disposition servie par un raisonnement erroné dans le domaine du possible.

CHAPITRE V

Nous serons en mesure de discerner ce qu'est la prudence, en étudiant d'abord ceux qu'on appelle les gens prudents. Il semble bien que ce qui les caractérise, c'est le pouvoir de décider convenablement ce qui est bon et utile pour eux-mêmes — non pas partiellement, comme dans le cas de ce qui est profitable à la santé et à la vigueur, mais en général en ce qui concerne le bonheur. 2. La preuve en est que nous appelons prudents en quelque domaine ceux qui, par leurs calculs exacts, atteignent une fin honorable dans les questions où l'art n'intervient pas, de sorte que l'homme bien doué de réflexion serait la prudence même. **3.** D'ailleurs, nul ne délibère sur ce qui a un caractère de nécessité et qui se trouve hors de sa portée. Aussi, puisque la science s'accompagne de démonstration et qu'il n'y a pas de démonstration de ce dont les principes ne sont pas nécessaires — car tout ici est susceptible de changement; puisque, enfin, il n'est pas possible de délibérer sur ce qui possède un caractère de nécessité, il en résulte que la prudence ne saurait relever ni de la science, ni de l'art. Elle ne saurait être une science, parce que ce qui est de l'ordre de l'action est susceptible de changement, non plus qu'un art, parce qu'action et création sont différentes de nature. **4.** Il reste donc que la prudence est une disposition, accompagnée de raison juste, tournée vers l'action et concernant ce qui est bien et mal pour l'homme. Car le but de la création se distingue de l'objet créé, mais il ne saurait en être ainsi du but de l'action. Le fait de bien agir, en effet, est le but même de l'action. **5.** C'est bien cette raison qui nous fait reconnaître la prudence à Périclès et aux gens de cette nature : ils se montrent capables de déterminer ce qui est avantageux pour eux-mêmes et pour les hommes. Nous estimons qu'avec ces qualités ils sont vraiment capables de diriger une famille ou une cité. De là le nom de σωφροσύνη (bon sens), que nous employons pour signifier que cette qualité sauvegarde la prudence (ὡς σῴζουσαν τὴν φρόνησιν)[180]. **6.** Effectivement, elle sauvegarde des concepts de cette sorte ; tous les concepts, en effet, ne sont pas altérés et bouleversés par les impressions de plaisir et de peine, témoin celui qui affirme ou nie que le triangle a des angles égaux à deux droits. Seuls sont altérés les concepts qui se rapportent à l'action morale. En effet, les principes en ce qui concerne l'action morale sont la fin en vue de laquelle l'action s'exécute. Celui qui est égaré par le plaisir ou la peine cesse immédiatement de voir clairement le principe et le but de la raison qui doivent l'engager à choisir et à agir en toutes circonstances. Le vice, en effet, ruine le principe moral. Aussi est-on obligé de conclure que la prudence est une disposition, s'accompagnant de raison et de vérité, tournée vers l'action et concernant les biens humains. **7.** Bien plus, s'il y a des degrés de perfection dans l'art, il n'y en a pas dans la prudence. Ajoutons que celui qui, dans l'art, a la volonté déterminée de se tromper est préférable à celui qui se trompe à son insu. En ce qui concerne la prudence, c'est le contraire, de même que dans les autres vertus. Il est donc clair que la prudence est une vertu, non pas un art[181]. **8.** Comme il y a dans l'âme deux parties qui sont douées de raison, la prudence a des chances d'être la vertu de l'une d'elles, celle qui a pour objet de conjecturer, car, au sujet du contingent, interviennent l'opinion et la prudence. Toutefois la prudence n'est pas seulement une disposition éclairée par la raison : la preuve, c'est que l'oubli pourrait atteindre une disposition de cette sorte, ce qu'il ne peut faire pour la prudence.

CHAPITRE VI

Puisque la science est le concept de l'universel et du nécessaire ; puisqu'il y a des principes de ce qui est susceptible de démonstration et, par conséquent, de toute science — celle-ci s'accompagnant de raison —, il s'ensuit que, du principe même de ce qui est objet de science, il ne saurait exister ni science, ni art, ni prudence. Car ce qui est objet de science peut être démontré, tandis que l'art et la prudence ont pour matière ce qui est de l'ordre du possible. La sagesse non plus n'a pas sa place ici, car le propre du sage est de pouvoir fournir une démonstration sur certaines questions. **2.** Si donc c'est par la science, la prudence, la sagesse et l'intelligence que nous atteignons la vérité, sans nous tromper jamais, et cela aussi bien dans l'ordre du nécessaire que dans celui du possible ; si des trois facultés, j'entends la prudence, la science et la sagesse, aucune ne peut avoir la connaissance des principes premiers, il reste que c'est l'intelligence[182] (νοῦς) qui peut les atteindre.

CHAPITRE VII

Nous reconnaissons, dans les arts, la suprême habileté (σοφία) à ceux qui, dans chacun, sont les plus expérimentés ; par exemple, nous disons que Phidias est à la fois un habile architecte et sculpteur, Polyclète un habile statuaire ; par là nous voulons signifier seulement que leur habileté est l'excellence dans l'art. **2.** Nous sommes d'avis toutefois que certains sont habiles absolument, non pas en détail et sur des points particuliers, comme le dit Homère dans le Margitès[183] :

Celui-là, les dieux n'avaient fait de lui ni un
[vigneron ni un laboureur habile,
Ni un homme habile en quelque autre domaine.

Aussi est-il clair que ce que les Grecs appellent σοφία[184], est la perfection suprême dans les divers ordres de connaissances. **3.** Il faut donc non seulement que le σόφος connaisse ce qui découle des principes, mais aussi qu'il ait une connaissance exacte des principes. Aussi pourrait-on dire que la σοφία est à la fois esprit νοῦς et science, une science de ce qu'il y a de plus précieux et venant, en quelque sorte, au premier rang.

Il serait absurde, en effet, de penser que la science politique et la prudence ont un prix tout particulier, si l'homme n'avait pas un caractère d'excellence parmi tout ce qui existe dans l'univers. **4.** Si donc on peut dire que ce qui est profitable et bon diffère pour les hommes et les poissons, tandis que le blanc et le droit sont toujours identiques, à plus forte raison, la σοφία est immuable, tandis que la prudence ne l'est pas. En effet, on peut dire que cette dernière consiste pour chacun à voir exactement son propre intérêt en toutes circonstances, ce qui fait qu'on s'en remet à l'homme prudent sur ce point. On va même jusqu'à qualifier de prudentes certaines bêtes parce qu'elles paraissent posséder la capacité de prévoir ce qui sera avantageux pour leur existence. Il est donc bien clair que σοφία (sagesse) et science politique ne sauraient se confondre. Car, si l'on affirme que la sagesse consiste à distinguer ce qui est avantageux pour chacun, il y aura bien des sortes de sagesse. Une sagesse unique ne saurait découvrir ce qui convient le mieux à tous les êtres animés ; elle varierait selon chacun d'eux, à moins qu'on ne veuille affirmer aussi que l'art médical est unique pour tous. Peu importe, d'ailleurs, qu'on affirme la supériorité de l'homme sur tous les êtres vivants. Car bien des choses ont une nature plus divine que lui, par exemple, les plus brillants des éléments dont se compose le monde[185]. **5.** D'après ce que nous avons dit, il est manifeste que la sagesse est à la fois science et entendement (νοῦς) de ce qui est, par nature, le plus précieux. Aussi dit-on qu'Anaxagore[186] et Thalès[187] et les gens de cette sorte sont sages et non prudents ; car on voit qu'ils ignorent leur propre intérêt ; en revanche, on accorde qu'ils possèdent des connaissances surabondantes, merveilleuses, difficiles à acquérir et divines, sans utilité immédiate, néanmoins, puisqu'ils ne recherchent pas les biens de ce monde. **6.** La prudence, par contre, a pour objet ce qui est propre à l'homme et ce sur quoi peut s'exercer la délibération. Ce qui caractérise surtout l'homme prudent, nous le redisons, c'est la délibération bien conduite. Or, nul ne délibère sur ce qui a un caractère de nécessité, non plus que sur ce qui ne relève pas de quelque fin, mais sur ce qui constitue un bien réalisable. L'homme de bon conseil, absolument parlant, est donc celui qui tend, en suivant les calculs de la raison, vers ce que l'homme peut réaliser de meilleur. **7.** Ajoutons que la prudence ne porte pas seulement sur le général ; il lui faut aussi connaître les circonstances particulières ; car elle vise à l'action et l'action porte sur les cas individuels. Il peut arriver, ici comme ailleurs, que quelques hommes, dépourvus de connaissances, montrent plus d'habileté pour l'action que ceux qui savent[188] ; ce sont les gens d'expérience. Savoir, par exemple, que les viandes légères sont faciles à cuire et digestibles ne donnera pas la santé, si l'on ignore quelles sont les viandes légères. On arrivera plutôt à un bon résultat en sachant que la volaille est une saine nourriture. La prudence a donc rapport à l'action ; aussi faut-il la posséder sous l'aspect général et particulier, et principalement sous ce dernier. Car, de ce point de vue, elle peut être, en quelque sorte, la science organisatrice[189].

CHAPITRE VIII

La science politique et la prudence dépendent d'une seule et même disposition. Toutefois, en leur essence, elles sont différentes. **2.** En ce qui concerne le gouvernement de la cité, la prudence, envisagée sous son aspect architectonique, est législatrice ; l'autre aspect a, comme les choses particulières, une appellation courante et porte le nom de politique[190]. Celle-ci est entièrement consacrée à l'action et délibérative ; le décret[191], en effet, prescrit, comme en dernier ressort. Aussi dit-on que les seuls auteurs de décrets administrent l'État ; car seuls ils mettent la main à l'ouvrage, semblables en cela aux artisans. **3.** Il semble aussi que la prudence s'intéresse particulièrement à l'individu et à lui seul. Et, quand on l'envisage de cette manière, elle porte effectivement le nom commun de prudence. Mais, sous ses autres aspects, elle s'appelle économie, législation, politique, cette dernière étant à la fois délibération et juridiction. **4.** On pourrait croire qu'une des formes de la connaissance consiste à savoir ce qui est utile à soi-même. Mais cette connaissance admet bien des différences. Aussi l'homme connaissant ce qui le concerne et y consacrant son temps passe-t-il pour prudent et ceux qui s'occupent de la conduite de l'État ont à s'occuper de multiples affaires. Aussi Euripide[192] s'exprime-t-il ainsi :

Comment aurai-je une réputation de prudence, alors
[que j'avais la possibilité
De demeurer avec la foule, en toute tranquillité,
Et de passer ma vie comme le commun des mortels ?

Ailleurs il parle des

Hommes remarquables
et qui se chargent de plus d'affaires que les autres...

En général, on recherche son propre avantage et on

pense qu'on doit se consacrer entièrement à cette occupation. Cette opinion a fait naître l'idée qu'agir de la sorte, c'est faire preuve de prudence. Néanmoins, peut-être n'est-il pas possible de rechercher son bien propre, sans se préoccuper du sort de sa famille et de la cité ? De plus, comment poursuivre son propre avantage ? Voilà une question qui demeure obscure et qu'il faut examiner de près. **5.** De ce que nous venons de dire, nous trouvons encore une confirmation dans le fait suivant : les jeunes gens peuvent devenir géomètres et mathématiciens et acquérir de l'habileté dans ces matières ; il n'en va pas de même pour la prudence. La raison en est que la prudence porte sur des cas particuliers, qui ne sont connus que par expérience, et que le jeune homme est inexpérimenté — il faut un long laps de temps pour faire naître l'expérience. **6.** On pourrait se demander pourquoi l'enfant est susceptible d'apprendre la géométrie et les mathématiques, alors qu'il est incapable de devenir un sage ou un être au courant des questions naturelles. N'est-ce pas à cause du caractère abstrait des mathématiques ? Et du caractère expérimental des principes dans le second cas ? N'est-il pas exact que dans les sciences physiques les jeunes gens ne peuvent se fier à leur expérience et se bornent à répéter ce qu'on leur a dit, tandis que le caractère des mathématiques ne leur échappe pas ? **7.** Disons[193] encore que l'erreur peut porter, dans la délibération, sur la proposition générale ou sur le cas particulier, par exemple, que toutes les eaux lourdes sont nuisibles ou que telle eau est lourde. **8.** Qu'il faille distinguer prudence et science, voilà qui est clair. La prudence ne se rapporte qu'au dernier terme, comme nous l'avons dit. Et c'est là le caractère de ce qui est d'ordre pratique. **9.** Par conséquent, la prudence s'oppose à la connaissance par l'esprit νοῦς. L'esprit s'applique aux principes premiers dont on ne peut donner de raison[194] ; la prudence, au contraire, aux termes inférieurs qui relèvent, non pas de la science, mais de la sensation. Encore cette sensation n'est-elle pas celle des objets particuliers ; elle est analogue à celle qui nous fait percevoir, en mathématiques, le triangle, par exemple, comme le dernier terme des surfaces[195]. Et là on s'arrêtera; encore s'agit-il ici de sensation plutôt que de prudence, tout en étant d'espèce différente***.

CHAPITRE IX

*** Il faut distinguer entre le fait même d'examiner et le fait de délibérer. Car délibérer, c'est rechercher quelque chose. Par conséquent, il est indispensable de comprendre en quoi consiste une sage délibération et de savoir si elle relève d'une certaine science, de l'opinion, d'un hasard heureux ou de quelque autre cause. **2.** D'un côté, elle ne s'identifie pas avec la science, puisqu'on ne fait pas de recherches sur ce qu'on connaît; d'autre part, une sage détermination est une délibération et quiconque délibère cherche et raisonne. Néanmoins, elle ne se confond pas avec un hasard heureux; celui-ci se passe de raisonnement et est, en quelque sorte, instantané, tandis qu'on délibère longtemps et l'on dit même que, s'il faut exécuter promptement les décisions, on doit délibérer lentement. **3.** Ajoutons que la sagacité se distingue de la sage détermination. La première est une sorte d'heureuse rencontre. De plus, jamais la sage détermination ne se confond avec l'opinion. Puisque celui qui a mal délibéré commet une faute, tandis que celui qui a bien délibéré décide comme il convient, évidemment une sage détermination a un caractère de rectitude qui ne relève ni de la science, ni de l'opinion, car il n'y a pas matière à redressement dans la science, non plus que de faute proprement dite; quant à la rectitude de l'opinion, c'est la Vérité[196]. Par là se trouve déjà défini tout ce qui relève de l'opinion. Néanmoins, la sage délibération ne va pas sans raison. Reste qu'elle est un acte de l'intelligence qui réfléchit, sans qu'elle soit encore affirmation ; quant à l'opinion, loin d'être une recherche, elle est une sorte d'affirmation. Et l'homme qui délibère — que sa délibération soit satisfaisante ou non — est encore à la recherche de quelque chose et calcule. **4.** Eh bien ! une sage détermination est en quelque sorte la rectitude dans la délibération. Aussi faut-il chercher la nature et l'objet de la délibération. Cette rectitude prenant bien des formes, il est évident qu'on n'atteint pas le vrai dans tous les cas. En effet, un homme intempérant et un homme pervers pourront bien atteindre par le raisonnement ce qu'ils se proposaient de découvrir ; ils paraîtront avoir délibéré droitement, tout en s'étant causé un tort grave. Pourtant le fait de bien délibérer paraît nous procurer un bien, car une semblable rectitude de la délibération aboutit à une bonne détermination, génératrice de bien. **5.** Néanmoins, il se peut qu'on obtienne un résultat heureux à l'aide d'un raisonnement faux et qu'on arrive à ce qu'il fallait faire, mais non par la voie qui convenait et enfin que le moyen terme du raisonnement soit faux, si bien que n'est pas encore une sage détermination celle où l'on obtient ce qui convient, mais par des moyens qui ne conviennent pas. **6.** En outre, il est possible d'arriver au but après une longue ou une courte délibération. Ce n'est pas encore là le caractère d'une bonne délibération ; celle-ci consiste dans l'accord exact, en ce qui concerne nos intérêts, entre le but, les moyens, les circonstances. **7.** De plus, on peut bien délibérer soit absolument, soit par rapport à quelque fin. Et la détermination absolument sage est celle qui réussit par rapport à la fin générale de la vie humaine[197] ; d'un point de vue particulier, c'est celle qui a une fin particulière. Puisque donc les gens prudents se caractérisent par leur capacité de se déterminer sagement, la sage délibération est la rectitude du jugement conformément à l'utilité et se référant à quelque but dont la prudence a permis la juste appréciation.

CHAPITRE X

La pénétration[198] et la perspicacité d'esprit sont les qualités qui nous font dire qu'un homme est intelligent et d'esprit vif. Cette pénétration ne peut absolument pas se confondre avec la science ou l'opinion — car alors tout le monde en serait doué ; elle ne se confond pas non plus avec une science particulière, comme la médecine qui a pour objet le maintien de la santé, ou la géométrie qui s'occupe de grandeurs. La perspicacité, au sens où nous l'entendons ici, ne se préoccupe pas non plus de l'éternel et de l'immuable ni de rien de ce qui devient : elle porte sur les questions où il y a doute et délibération. Elle s'occupe donc des mêmes objets que la prudence, et pourtant elle ne se confond pas avec elle. **2.** La prudence a un caractère impératif — car elle a pour fin de déterminer ce qu'on doit faire ou ne pas faire —, tandis que la perspicacité a un caractère uniquement critique, aussi se confond-elle avec la vivacité d'esprit, et dire de quelqu'un qu'il est perspicace, c'est signifier qu'il a de la vivacité d'esprit. **3.** D'autre part, la perspicacité ne réside pas dans le fait qu'on possède ou qu'on acquiert la prudence ; mais, de même qu'on emploie le mot apprendre pour comprendre, quand il s'agit d'utiliser la science qu'on possède, de même quand il s'agit d'apprécier l'opinion, la perspicacité consiste à juger sur les matières qui relèvent de la prudence les paroles d'autrui et à les juger convenablement, car les juger convenablement, c'est les juger bien. **4.** De là est venu le mot perspicacité, qui nous sert à désigner les gens vifs d'esprit (ἐυσύνετοι), possédant la forme d'intelligence qui sert dans les études. Car souvent nous confondons apprendre et comprendre.

CHAPITRE XI

Ce que nous appelons le sens nous sert à désigner ceux qui ont du bon sens (εὐγνώμονες) ou du discernement. C'est la faculté de juger droitement de l'honnête.

En voici une preuve : quand nous voulons désigner en grec un homme particulièrement doué de qualités, nous disons qu'il est homme de sens et porté à l'indulgence (συγγνώμη) et, être bon et juste, c'est dans quelques circonstances faire preuve de pardon (συγγνώμη). L'indulgence est donc un sens qui apprécie l'honnête et qui juge droitement. Ce sentiment a les mêmes caractères de droiture, quand il s'applique à la vérité. **2.** Toutes les qualités acquises tendent au même but, selon toute vraisemblance. Quand nous employons les mots bon sens, perspicacité, prudence et entendement, nous les attribuons indifféremment à ceux qui montrent du bon sens, de l'entendement, de la prudence et de la perspicacité. Toutes ces facultés, en effet, sont relatives aux principes extrêmes et aux cas particuliers, et, quand il est susceptible de jugement dans les questions qui intéressent la prudence, un homme se montre à la fois perspicace, doué de bon sens et susceptible de faire preuve d'indulgence. Car les traits communs à tous les gens de bien apparaissent dans leurs relations avec les hommes. **3.** Tout ce qui est de l'ordre de l'action relève des cas particuliers et des principes extrêmes, et c'est ce que doit connaître l'homme doué de prudence; la perspicacité et le bon sens sont de l'ordre de l'action, qui lui-même concerne les principes extrêmes[199]. **4.** Ajoutons que la pensée (νοῦς) s'exerce dans les deux sens et s'occupe à la fois des termes premiers et des derniers; tantôt, dans les démonstrations, elle se réfère à ce qui est immuable et premier; tantôt, dans l'ordre de la pratique, elle envisage le terme extrême dans l'ordre du possible et la proposition intermédiaire. Les propositions de cette sorte sont elles-mêmes des principes qui ont pour objet une fin; car c'est des faits particuliers que se dégage le général[200]. **5.** Or ces propositions particulières exigent la sensation et cette sensation, c'est ce qui alimente, à proprement parler, la pensée. Aussi semble-t-il que ces qualités dont nous venons de parler sont naturelles; et, s'il est vrai que nul n'est sage naturellement, tout le monde est capable, par nature, de bon sens, de perspicacité et de compréhension. **6.** La preuve en est, à notre avis, que ces dispositions accompagnent les différents âges de la vie et que tel âge possède l'entendement et le bon sens comme des dons gratuits de la nature. Voilà pourquoi l'entendement[201] est à la fois principe et fin, car c'est d'après les principes et relativement aux fins que se font les démonstrations. Toutefois il faut tenir compte des affirmations indémontrées et des opinions des gens d'expérience, des vieillards ou des gens réfléchis — tout aussi bien que des démonstrations. En effet, l'expérience leur a donné une vue exercée et ils voient exactement les choses.

CHAPITRE XII

Nous avons dit en quoi consistaient la prudence et la sagesse, quel était leur objet respectif et que chacune de ces vertus concernait une partie différente de l'âme. On pourrait nous demander quelle est leur utilité. D'un côté, la sagesse ne porte son attention sur rien de ce qui rendra l'homme heureux — car son rôle n'est pas de créer. La prudence, au contraire, a cette possibilité. Mais en vue de quel but est-elle nécessaire ? Puisque la prudence porte sur ce qui est juste, beau et utile pour l'homme et que c'est là précisément ce que l'honnête homme est susceptible de faire, la seule connaissance de ces avantages ne nous rend pas plus aptes à l'action, attendu que ces vertus sont des dispositions acquises. Il en va de même de ce qui favorise la santé et entretient la force physique et de tous autres moyens dont on parle, non en raison de leur capacité de créer d'autres choses, mais comme conséquences d'une certaine habitude d'agir. Car nous ne sommes pas en meilleure posture pour agir, du fait que nous connaissons la médecine et la gymnastique. **2.** Si ce n'est pas pour les motifs exposés qu'il faut être prudent, mais bien pour devenir honnête, la prudence ne saurait être utile pour ceux qui sont déjà honnêtes gens, non plus que pour ceux qui ne le sont pas. Car, peu importe qu'ils possèdent eux-mêmes la prudence ou qu'ils obéissent à ceux qui en sont doués — cette dernière condition suffirait, comme lorsqu'il s'agit de guérir[202]. En effet, lorsque nous désirons nous bien porter, nous n'allons pas pour autant apprendre la médecine. **3.** En outre, il serait absurde d'imaginer que la prudence, qui est inférieure à la sagesse, ait pouvoir sur elle, car c'est la faculté agissante qui commande dans les cas particuliers. Il nous faut donc en parler ; voilà maintenant le seul point qui nous embarrasse. 4. Et d'abord nous affirmons que la prudence et la sagesse doivent être recherchées pour elles-mêmes, attendu qu'elles sont des vertus correspondant chacune à l'une et l'autre partie de l'âme, et cela même dans le cas où ni l'une ni l'autre n'auraient de pouvoir créateur. **5.** D'ailleurs elles en ont un, sans analogue avec celui de la médecine qui donnerait la santé; mais d'une manière semblable à la santé qui provoque ce qui est avantageux à l'homme bien portant, la sagesse provoque le bonheur : étant une partie de la vertu complète, elle rend l'homme heureux parce qu'elle est en lui comme une disposition, et par son activité même. **6.** Ajoutons encore que l'œuvre de l'homme s'accomplit par l'effet de la prudence et de la vertu morale. La vertu fixe à l'être son vrai but, et la prudence les moyens d'atteindre ce but. Quant à la quatrième partie de l'âme, celle qui a rapport à la nutrition, elle ne possède aucune vertu de cette sorte, car il n'est pas en son pouvoir d'agir ou de ne pas agir. **7.** En ce qui concerne l'objection selon laquelle la prudence ne nous rendrait pas davantage susceptibles d'exécuter le bien et le juste, il nous faut remonter un peu plus haut en prenant ceci comme point de départ. Selon nous, il est des personnes qui, tout en exécutant des actes justes, ne sont pas justes pour autant; c'est le cas de ceux qui, tout en exécutant les prescriptions des lois, le font malgré eux, ou en état d'ignorance, ou pour quelque autre raison, et non en vue de ces prescriptions mêmes. Pourtant, j'en conviens, ces personnes font ce qu'on doit faire et en tout se comportent comme l'honnête homme. Il semble qu'il en va ainsi en l'occurrence. Mais il faut agir en toutes circonstances de manière à être homme de bien, je veux dire, par exemple, à la suite d'un choix délibéré et en n'ayant en vue que ce que l'on exécute. **8.** C'est donc la vertu qui rend ce choix juste ; mais faire dans son intérêt ce qui naturellement doit être inspiré par la vertu ne relève plus de cette dernière, mais d'une autre activité. Il nous faut donc nous arrêter un peu ici et donner quelques éclaircissements. **9.** Il existe une faculté à laquelle on donne le nom d'habileté[203] ; c'est elle qui nous rend capables d'exécuter ce qui tend vers le but proposé et de réussir dans cette entreprise. Si le but est honnête, cette habileté est digne d'éloges ; dans le cas contraire, elle est coquinerie. Aussi donnons-nous à ces habiles tantôt le nom de prudents, tantôt celui de coquins. **10.** La prudence, d'ailleurs, ne se confond pas avec cette faculté, mais ne saurait exister sans elle. Quant à la disposition (ἕξις), elle ne peut absolument pas naître, sous le regard perçant de l'âme, sans vertu, comme nous l'avons dit et comme il est manifeste. Voici, en effet, les raisonnements qui déterminent le principe de nos actions : puisque tel est le but à atteindre et que c'est la meilleure solution — quelle qu'elle soit — advienne que pourra, dira-t-on. Or la solution la meilleure n'apparaît qu'à l'homme de bien. Car la perversité bouleverse le jugement et nous fait tomber dans l'erreur, en ce qui concerne les principes de l'action. Ainsi est-il clair qu'on ne peut être prudent sans être vertueux.

CHAPITRE XIII

Il nous faut revenir à l'étude de la vertu. Les rapports existant entre la prudence et l'habileté — qui, sans se confondre, ont des analogies — se retrouvent, à peu de chose près, entre la vertu naturelle et la vertu proprement dite[204]. L'opinion générale est que toutes les vertus morales sont, en quelque manière, innées, car dès notre naissance nous sommes portés à devenir justes, tempérants, courageux et à développer d'autres qualités. Toutefois nous recherchons autre chose : le souverain bien et nous désirons posséder ces vertus d'une autre manière. Les enfants et les bêtes également sont doués de ces dispositions naturelles ; mais, faute d'entendement, elles paraissent nuisibles. Quoi qu'il en soit, on peut se rendre compte du fait par la comparaison suivante : un corps puissant, mais qui se meut sans être doué de la vue, peut tomber lourdement, du fait même qu'il est aveugle ; il en va ainsi pour le cas que nous étudions. **2.** En revanche, un être doué de pensée a une puissance bien supérieure pour agir et cette dernière disposition, disposition morale, tout en étant analogue à la disposition innée, sera la vertu proprement dite. De même qu'il y a deux états pour qui sait se faire une opinion : l'habileté et la prudence, de même il y a deux variétés de la faculté morale : l'une, l'aptitude innée, l'autre, la vertu proprement dite, et cette dernière ne peut exister sans la prudence. **3.** Aussi quelques-uns affirment-ils que toutes les vertus sont des formes de la prudence. Socrate lui-même poussait d'un côté ses recherches dans la bonne voie, mais d'un autre côté, il faisait fausse route ; il faisait fausse route en pensant que toutes les vertus étaient des formes de la prudence[205], mais, en proclamant qu'elles ne pouvaient exister sans prudence, il avait raison. **4.** En voici la preuve : maintenant[206] tout le monde, en définissant la vertu, proclame qu'elle est une habitude morale et l'on ne manque pas de dire à quoi elle se rapporte, à savoir à la droite raison. Or la droite raison s'accorde avec la prudence. Tous semblent donc convenir qu'une telle disposition, quand elle s'accorde avec la prudence, est la vertu. **5.** Il nous faut cependant nous placer à un autre point de vue. Non seulement la disposition morale qui s'accorde avec la droite raison est une vertu, mais celle aussi qui s'accompagne de droite raison. Par conséquent, la prudence est, dans ces questions, la droite raison. Socrate, lui, estimait que les vertus étaient des formes de la raison — puisqu'il pensait qu'elles étaient toutes des sciences ; nous, au contraire, nous sommes seulement d'avis qu'il n'y a pas de vertu qui ne soit accompagnée de raison. **6.** D'après ce que nous venons de dire, on voit clairement qu'il n'est pas possible d'être, à proprement parler, homme de bien sans prudence, non plus que d'être prudent sans vertu morale ; Bien plus, on pourrait de la même façon réfuter le raisonnement par lequel on chercherait à démontrer l'existence séparée des différentes vertus. Puisque tous les hommes ne sont pas également doués pour toutes les vertus, l'un en possède déjà une, qui manque encore d'une autre. En ce qui concerne les dispositions naturelles aux vertus, l'affirmation est plausible ; mais elle n'est plus acceptable dans l'ordre des vertus qui permettent de désigner l'homme de bien, absolument parlant. C'est qu'ici, avec la seule prudence, toutes les autres vertus lui seront données. **7.** Il est donc évident que, quand bien même elle n'aurait aucune valeur pour l'action, elle serait indispensable, parce qu'elle est une vertu relative à la partie de l'âme et qu'il n'y a pas de bon choix délibéré sans prudence et sans vertu ; cette dernière fixe la fin suprême ; la prudence, elle, nous fait employer les moyens susceptibles d'atteindre cette fin. **8.** Toutefois, elle n'est pas supérieure à la sagesse ; elle ne relève pas de la partie la plus haute de l'âme, pas plus que la médecine n'est supérieure à la santé[207]. En effet, la médecine ne dispose pas de la santé, mais veille aux moyens de l'entretenir. Ses prescriptions ont donc pour but la santé, mais ne s'adressent pas à elle. Dire que la sagesse est subordonnée à la prudence équivaudrait à dire que la politique commande aux dieux sous prétexte qu'elle ordonne impérieusement tout ce qui se passe dans la cité.

LIVRE VII

[L'intempérance et le plaisir.]

CHAPITRE PREMIER

Maintenant il faut dire en commençant un autre développement qu'en matière de mœurs trois sortes de défauts sont à éviter : la méchanceté, l'intempérance, la bestialité. On voit clairement ce qui s'oppose aux deux premiers — d'une part, suivant notre terminologie, la vertu, d'autre part la tempérance. A la bestialité il serait parfaitement juste d'opposer cette vertu plus qu'humaine, en quelque sorte héroïque et divine, comme celle dont parle Priam, dans Homère, au sujet d'Hector qui se montrait d'une vaillance extraordinaire :

> Il ne semblait pas
> Être le fils d'un mortel, mais d'un Dieu[208].

2. Aussi puisque, comme on le dit, une vertu poussée à l'excès permet aux hommes de s'élever au rang des dieux, c'est une disposition de cette sorte qui s'oppose à la bestialité. En effet, si la bête ne connaît ni vice ni vertu, il en va de même d'un dieu. Il s'agit donc, d'un côté, d'une disposition plus précieuse que la vertu et, en ce qui concerne la bestialité, d'une autre espèce du vice. **3.** Mais il est bien rare de trouver un homme ayant ce caractère divin, semblable à ceux que les Lacédémoniens appellent ordinairement de ce nom quand ils veulent traduire leur admiration — c'est, disent-ils, un homme divin[209] — ; de même la bestialité est fort rare parmi les hommes, elle existe surtout chez les barbares et les cas de sauvagerie sont parfois causés par la maladie et les aberrations de l'esprit. Aux hommes qui vont jusqu'à commettre ces excès de méchanceté, nous appliquons le nom déshonorant de sauvages. **4.** Eh bien ! sur une pareille manière d'être, il nous faudra revenir plus loin ; quant au vice, nous en avons parlé précédemment. Pour l'instant, c'est de l'impuissance à se maîtriser, de la mollesse et du luxe, comme de la maîtrise de soi et de la fermeté que nous devons traiter. Car nous ne devons pas nous figurer qu'il y a analogie avec les dispositions qui concernent la vertu et la perversité, sans que celles-là soient pour autant une variété distincte. **5.** Il faut donc, comme nous l'avons fait ailleurs, établir les faits tels qu'ils apparaissent, reprendre la discussion et exposer le plus largement possible l'opinion commune relative à ces passions, ou tout au moins ce qui en est le principal et l'essentiel[210]. Si nous dissipons les difficultés, et si nous voyons subsister l'opinion commune, notre démonstration sera suffisante. **6.** L'opinion commune juge donc que la maîtrise de soi et la fermeté sont attitudes honorables et louables, tandis que l'impuissance à se maîtriser et la mollesse sont méprisables et blâmables ; que l'homme maître de lui s'identifie avec celui qui suit exactement les prescriptions de la raison, l'homme qui n'a pas d'empire sur lui avec celui qui sort de la voie de la raison ; que celui qui ne se maîtrise pas fait par passion des choses qu'il sait mauvaises ; que l'homme qui a de l'empire sur lui, sachant les désirs mauvais, se refuse par raison à les suivre. On pense que l'homme tempérant est maître de lui et ferme ; mais les uns soutiennent qu'un homme de cette trempe montre une sage conduite en toutes circonstances, alors que d'autres le nient ; les uns confondent l'intempérant avec celui qui est dépourvu d'empire sur lui-même et réciproquement, tandis que les autres les distinguent. **7.** Parfois on prétend que la prudence est incompatible avec l'absence de maîtrise de soi ; parfois on soutient qu'on trouve des gens prudents et habiles dépourvus d'empire sur eux-mêmes. De plus on se montre intempérant dans la colère, dans la recherche des honneurs et des avantages matériels.

CHAPITRE II

Voilà ce qu'on dit d'ordinaire. Mais on peut éprouver de l'embarras sur la question de savoir comment, avec une juste conception des choses, on peut mener une vie déréglée. Aussi quelques-uns estiment-ils que c'est impossible pour un homme doué de connaissance. En effet, il serait étrange — et c'était l'opinion de Socrate[211] — qu'en un homme pourvu de science une autre face régnât en maîtresse et tirât celle-là en tous sens comme un esclave. En un mot, Socrate combattait l'idée qu'on pût sciemment se montrer intempérant, comme si le manque de maîtrise de soi n'existait pas. Il affirmait que nul, avec une conception juste, ne pouvait agir autrement que d'une façon excellente ; dans le cas contraire, ce ne pouvait être que par ignorance. **2.** Cette affirmation contredit des faits qui sautent aux yeux, alors qu'il faudrait rechercher, au sujet de cette passion si c'est vraiment l'ignorance qui la cause et de quelle sorte d'ignorance il s'agit — car il est bien évident que l'homme sans maîtrise sur lui-même, avant que la passion se manifeste, ne partage pas l'opinion générale précédemment exprimée. **3.** Quelques-uns[212] sont d'accord sur une partie de ces affirmations, en désaccord sur d'autres points. D'un côté, ils reconnaissent que rien n'a plus de pouvoir que la science. Mais sur le point que nul n'agit contrairement à ce qui lui a paru le meilleur, ils ne se trouvent plus d'accord. Aussi soutiennent-ils que l'homme sans maîtrise sur lui-même, quand il est vaincu par les plaisirs, possède, non pas la science, mais l'opinion seulement. **4.** Et pourtant, si c'est l'opinion et non la science qui le mène, si la conception qui le fait résister à la passion manque de force et est mal assurée, comme lorsqu'on est en proie à l'incertitude, on doit pardonner à qui ne demeure pas ferme contre des désirs puissants. Mais la perversité ne mérite pas de pardon, non plus que tout ce qui encourt le blâme. **5.** Est-ce donc la prudence qui oppose de la résistance ? Elle serait douée de la force la plus grande. Étrange conception ! Dans ce cas le même homme sera à la fois prudent et dépourvu de maîtrise sur lui-même. Personne d'ailleurs ne voudrait soutenir que la nature de l'homme prudent lui fait accomplir volontairement les actes les plus laids. Ajoutons que nous avons montré précédemment[213] que l'homme prudent était particulièrement apte à l'action — car il s'occupe des principes extrêmes et particuliers — et qu'il possède aussi les autres vertus. **6.** De plus, si la maîtrise de soi consiste à éprouver des désirs vifs et laids, celui à qui nous attribuons la sage conduite ne sera pas maître de lui-même, non plus que celui qui est maître de ses désirs ne se conduira sagement. Car l'excès, comme les mauvais désirs, ne peut caractériser l'homme d'une sage conduite. Et pourtant, il faut, dans cette hypothèse, qu'il en soit ainsi. Car, si l'on suppose que les désirs sont bons, la disposition qui empêchera de les suivre sera mauvaise et, en conséquence, la maîtrise de soi ne sera pas, en toutes circonstances, satisfaisante. Si, par contre, les désirs sont faibles, sans être mauvais, la victoire ne sera pas glorieuse ; s'ils sont mauvais et faibles, la victoire ne sera pas difficile à remporter. **7.** Disons encore que, si la maîtrise de soi fait qu'on tient fermement à toute opinion, la maîtrise de soi est mauvaise si, par exemple, elle nous fait nous attacher à une opinion fausse ; d'autre part, si le manque de maîtrise de nous-mêmes nous fait abandonner facilement toute opinion, il y aura des cas où ce défaut de maîtrise sera honorable. C'est le cas, par exemple, de Néoptolème dans le *Philoctète* de Sophocle. Il faut le louer de ne pas s'en tenir à la conduite que lui avait inspirée Odysseus, parce que le mensonge l'affligeait. **8.** Autre difficulté : le raisonnement des sophistes, appelé raisonnement du menteur[214]. En voulant faire admettre à l'auditeur des opinions paradoxales afin de passer pour habiles, s'ils y réussissent, ils aboutissent à un raisonnement qui crée de l'embarras. En effet, l'usage de la réflexion se trouve entravé quand, d'une part, on refuse de s'en tenir à une conclusion qui ne satisfait pas et que, d'autre part, on ne peut avancer, dans l'impossibilité où l'on est de donner une riposte au raisonnement. **9.** Or, il peut arriver que, d'après un raisonnement de cette sorte, le manque de réflexion, joint à l'impuissance à se maîtriser, soit une vertu — elle fait exécuter le contraire de ce qu'on pense, en raison de cette intempérance même. On se figure que le bien est le mal et qu'il faut s'en abstenir, de sorte que c'est le bien et non le mal qu'on fera. **10.** De plus, quiconque fait et recherche ce qui est agréable, par conviction et à la suite d'un choix délibéré, paraît de meilleure nature que celui qui n'agit pas par calcul raisonnable, mais par impuissance à se maîtriser[215]. Il sera plus facile à guérir, parce qu'on pourra le faire changer d'avis. Mais l'homme sans maîtrise sur lui-même se trouve enferré par le proverbe qu'on cite communément : « Si l'eau me suffoque, que boire encore ?... » Car, si c'est par conviction qu'il agit, on pourrait par persuasion également le faire changer de conduite ; toutefois, en réalité et tout convaincu qu'il est, il n'en agit pas moins différemment de ce qu'il faut. **11.** Encore une question : si l'absence de maîtrise et la maîtrise de soi s'appliquent à toutes choses, quel est l'homme absolument dépourvu de maîtrise de soi ? Car nul ne possède toutes les variétés de cette impuissance à se maîtriser. Pourtant, de quelques hommes nous dirons qu'ils sont absolument dépourvus de maîtrise d'eux-mêmes.

12. Telles sont donc, en quelque sorte, les difficultés qui se présentent à nous ; il importe d'en résoudre quelques-unes et d'en laisser d'autres de côté. Car la découverte consiste à résoudre les difficultés.

CHAPITRE III

Tout d'abord nous devons examiner si c'est sciemment ou non qu'on commet des fautes; si c'est sciemment, de quelle manière ? Ensuite il nous faudra établir par rapport à quoi on se montre dépourvu ou doué de maîtrise de soi, j'entends par là si c'est relativement à toute espèce de plaisir et de peine, ou bien relativement à de certains plaisirs et à de certaines peines déterminées. Enfin devons-nous confondre ou distinguer la maîtrise de soi et la fermeté de caractère ? Il faudra procéder de même pour tout ce qui s'apparente à cette étude. **2.** Nous commençons notre recherche en nous demandant si l'homme doué de maîtrise et celui qui en est dépourvu se différencient par les actes qu'ils accomplissent ou par leurs dispositions intérieures. Voici ce que je veux dire : l'homme dépourvu de maîtrise est-il caractérisé seulement par tel ou tel acte qu'il exécute, ou par telle ou telle disposition, ou par les deux choses à la fois[216] ? Demandons-nous ensuite si absence de maîtrise et maîtrise de soi peuvent, ou non, s'appliquer à toutes choses. Car l'homme absolument dépourvu de maîtrise de soi ne montre pas ce défaut dans tous les domaines, mais dans ceux-là mêmes où se révèle l'intempérance. Même l'homme sans maîtrise de soi ne l'est pas absolument à ce point de vue — car il se confondrait avec l'intempérant —, mais il est caractérisé par une manière d'être particulière. L'intempérant est poussé par ses désirs, auxquels il obéit par libre choix, car il estime qu'il faut toujours poursuivre le plaisir du moment; l'autre, au contraire, tout en n'ayant pas cette manière de voir, poursuit néanmoins son plaisir. **3.** Quant au fait que c'est l'opinion juste, et non la science, qu'on offense en montrant de l'impuissance à se maîtriser, peu importe pour notre raisonnement. Car quelques-uns de ceux qui sont conduits par l'opinion ne montrent pas la moindre hésitation, puisqu'ils ont le sentiment de savoir exactement et de science certaine. **4.** Si donc, du fait qu'ils accordent leur confiance à la légère, les gens menés par l'opinion agissent contre leurs propres manières de voir plus facilement que ceux qui savent, la science ne différera en rien de l'opinion, car il y a des gens qui se fient tout autant à leurs opinions que d'autres à leur savoir, ce qui est bien clair chez Héraclite[217]. **5.** Mais nous disons qu'il y a deux manières de savoir : il y a celui qui possède la science, sans toutefois l'utiliser, et c'est celui qui l'utilise qui sait vraiment, ainsi qu'on dit. Il y aura donc une différence selon qu'on fait ce qu'on ne doit pas faire : en ayant la science, mais sans réfléchir sur l'acte et en ayant à la fois la science et la connaissance réfléchie. Alors la faute paraît grave, mais pas autant si l'on n'a pas réfléchi. **6.** Ajoutons encore que, du moment qu'il y a deux sortes de prémisses, rien n'empêche l'homme qui les connaît toutes deux d'agir contrairement à la science. Si, par exemple, il utilise la proposition générale et non la proposition particulière[218]. Ce qui relève de l'action, ce sont toujours les cas particulièrs. Mais même le général peut présenter des différences. Dans certains cas, il existe en fonction de l'individu ; dans d'autres cas, il existe en fonction de la chose. Soit, par exemple, la proposition générale que : tout ce qui est sec est utile à tout homme ; et les propositions particulières que : cet être est un homme ou que : cette substance est sèche ; mais ou bien on ignore si une chose a ce caractère de sécheresse, ou bien on n'en tient pas compte. Il est difficile de constater la différence entre ces deux manières de raisonner, aussi n'y a-t-il rien d'étonnant qu'on se trompe en ayant une connaissance de cette dernière sorte, tandis qu'avec l'autre, il serait bien étonnant qu'on se trompât. **7.** Disons encore qu'il est possible de posséder la science d'une manière différente de celles que nous venons d'indiquer. Car nous voyons que la disposition est loin d'être identique quand on a le savoir et qu'on ne sait pas l'utiliser ; on peut le posséder, sans le posséder à proprement parler et ressembler à un dormeur, à un fou ou à un homme ivre. C'est bien dans cet état que se trouvent ceux-là du moins qui sont livrés aux passions. Car la colère, les désirs amoureux, et quelques autres affections de ce genre produisent aussi, manifestement, un changement dans le corps et provoquent même chez quelques-uns un véritable égarement. Sans aucun doute, il faut dire que ceux qui n'ont aucune maîtrise sur eux-mêmes sont dans le même état. **8.** Quant au fait que, dans ce cas, on peut exprimer des propos qui découlent de la science, il n'y faut rien voir de probant. Même les gens qui sont emportés par les passions peuvent débiter des démonstrations et des vers d'Empédocle. Certains aussi, au début de leurs études, récitent d'une haleine les raisonnements qu'ils ont appris, mais ils n'en ont pas une connaissance exacte : il faut que l'aptitude à connaître se développe en même temps qu'eux, ce qui exige du temps. Aussi devons-nous supposer que ceux qui ne sont pas maîtres d'eux-mêmes parlent à la manière des histrions. **9.** Voici comment on pourrait observer la raison naturelle de ce fait : la pensée porte tantôt sur les propositions générales, tantôt sur les cas particuliers, qui sont dès lors soumis à l'appréciation souveraine de la sensation. D'où la nécessité pour l'esprit, quand de deux opinions il en résulte une autre, que l'âme affirme la conclusion qui en découle et, quand il s'agit de l'action, d'agir immédiatement. Soit cette proposition générale : il faut goûter à tout ce qui est doux ; or cette chose est douce (proposition particulière) ; force est donc à celui qui le peut et que rien n'empêche, dès l'affirmation formulée, d'exécuter l'acte. **10.** Ainsi, quand il existe une pensée générale, celle-ci par exemple : qu'il ne faut pas goûter au plaisir ; quand il y en a une autre, également générale : que tout ce qui est doux est agréable à goûter et que la proposition particulière est celle-ci : telle chose est douce, c'est cette dernière qui provoque l'action. Quand le désir existe précisément dans l'âme, d'un côté la première pensée nous recommande d'éviter la chose, mais le désir, qui meut chacune des parties de l'âme, nous pousse à la rechercher. Ainsi il peut se faire qu'on se montre dépourvu de maîtrise de soi par l'effet, en un certain sens, du jugement, non pas qu'en soi le jugement s'oppose à la droite raison, mais par accident. **11.** Car c'est le désir, et non le jugement, qui s'y oppose. Cette constatation explique que les bêtes ne manquent pas de maîtrise sur elles-mêmes, parce qu'il leur est impossible de concevoir le général et qu'elles possèdent seulement la faculté de se représenter les cas particuliers et d'en garder le souvenir. **12.** Comment, d'autre part, l'ignorance se dissipe-t-elle et comment l'homme dépourvu de maîtrise de soi rentre-t-il en possession de la science ? La même explication vaut ici qui s'applique à l'homme qui dort et à celui qui est en état d'ivresse ; elle ne concerne pas uniquement ce trouble de l'esprit et c'est aux philosophes qui s'occupent de la nature qu'il faut la demander[219]. **13.** Puisque la dernière proposition est un jugement, qui est du domaine du sensible, et qui détermine souverainement nos actes, l'homme en état de passion ou ne la possède pas ou la possède de telle manière qu'on ne peut appeler cela « savoir » au sens exact du terme. C'est parler machinalement, comme l'homme qui, sous l'empire de la boisson, récite les vers d'Empédocle. Le fait s'explique aussi parce que le dernier terme ne paraît pas avoir une portée aussi générale et aussi scientifique que le terme universel. Et il semble bien que se produit ce que Socrate cherchait à expliquer[220]. **14.** En effet, la passion ne se montre pas quand existe ce qui paraît être la science, au sens exact du terme ; cette science n'est pas tiraillée en tous sens par la passion, laquelle remporte la victoire uniquement sur la connaissance relevant de la sensibilité.

CHAPITRE IV

En voilà assez sur la question de savoir si le manque de maîtrise de soi caractérise celui qui sait ou non, et sur la manière dont celui qui sait peut être privé de contrôle de soi. Il faut poursuivre en nous demandant si on peut être absolument dépourvu de maîtrise de soi ou si tous ne le sont que partiellement, et enfin, dans le premier cas, sur quoi porte ce défaut de maîtrise de soi-même. Il est bien évident que c'est relativement aux plaisirs et aux peines que l'on montre de la maîtrise de soi et de la fermeté de caractère, ainsi que le manque d'empire sur soi et la mollesse. **2.** Parmi ce qui cause du plaisir, certaines choses sont nécessaires ; d'autres, souhaitables par elles-mêmes, sont susceptibles d'être recherchées avec excès ; les choses nécessaires sont celles qui intéressent le corps, j'entends ce qui concerne la nourriture et les besoins sexuels et en général tout ce qui concerne la vie du corps et au sujet de quoi il y a intempérance ou sage utilisation. Les autres choses, sans être nécessaires, sont souhaitables par elles-mêmes ; j'entends par là, par exemple, la victoire, les honneurs, la richesse et ce qui, dans ce genre, est bon et agréable. Ceux qui, sur ce dernier point, vont au-delà de la droite raison pour chacun d'eux, nous ne les appelons pas simplement des gens dépourvus de la maîtrise d'eux-mêmes ; nous précisons, en disant qu'ils ne savent pas exercer d'empire sur eux-mêmes au point de vue des biens matériels, des avantages pécuniaires, des honneurs et de la colère ; en somme nous ne les appelons pas simplement intempérants, comme d'autres, et nous ne parlons du manque d'empire sur eux-mêmes que par une certaine analogie. Prenons comme exemple Homme[221] qui a remporté la victoire aux jeux Olympiques ; c'est ainsi que nous le caractérisons d'une manière peu différente, distincte néanmoins, de l'homme en général. La preuve en est que, si l'absence de maîtrise de soi, totale ou partielle, encourt le blâme parce qu'on y voit plus qu'une faute : une mauvaise nature, aucun des hommes que nous avons indiqués ne mérite ce reproche. **3.** Regardons maintenant les plaisirs des sens, par rapport auxquels nous prononçons les mots de tempérance et d'intempérance. L'homme qui, sans choix délibéré, recherche l'excès dans les plaisirs et fuit avec exagération les impressions pénibles de faim, de soif, de chaleur, de froid et tout ce qui intéresse le tact et le goût[222], à condition qu'il agisse contre son choix délibéré et contre son intention, nous l'appelons, sans adjonction d'aucun terme, un homme dépourvu de maîtrise de soi et nous employons tout uniment cette expression d'homme sans maîtrise sur lui-même. **4.** La preuve en est que, dans les satisfactions corporelles, nous parlons de mollesse et jamais dans le cas envisagé plus haut. La même raison nous fait admettre que le manque de maîtrise de soi et l'intempérance — de même que la maîtrise de soi et la tempérance — se constatent dans le même domaine, ce qu'on ne saurait dire pour aucune des personnes que nous avons indiquées plus haut. Ces qualités et ces défauts se rapportent en quelque sorte aux mêmes plaisirs et aux mêmes peines ; ceux qui les possèdent se montrent dans les mêmes circonstances, mais non de la même façon : les intempérants obéissent en agissant à un choix délibéré, les gens dépourvus de maîtrise d'eux-mêmes ne choisissent pas délibérément leur genre de vie. Aussi sommes-nous tentés d'appeler intempérants ceux qui, sans désirs ou avec de faibles désirs, recherchent l'excès de ces plaisirs et fuient les peines même légères plutôt que ceux qui agissent de la sorte poussés par de violents désirs. Que ne seraient-ils capables de faire s'ils ressentaient en plus tout l'emportement de la jeunesse et éprouvaient une peine violente en se voyant privés du nécessaire ? **5.** Admettons donc que, parmi les désirs et les plaisirs, les uns appartiennent à la catégorie des choses belles et souhaitables : parmi les plaisirs en effet, les uns sont naturellement désirables, d'autres ont le caractère opposé, d'autres sont intermédiaires, selon la distinction faite précédemment, par exemple les biens matériels, les avantages pécuniaires, la victoire et les honneurs ; en ce qui les concerne, ainsi que les plaisirs de ce genre et ceux qui sont intermédiaires, on blâme l'homme non pas d'y être sensible, de les désirer et de les aimer, mais de les aimer d'une certaine façon et de montrer de l'excès dans leur recherche. Ce blâme, on l'adresse à tous ceux qui, déraisonnablement, se laissent vaincre par ces plaisirs ou poursuivent exagérément quelqu'un de ces avantages et de ces biens naturels ; par exemple les gens qui manifestent pour les honneurs ou pour leurs enfants et leurs parents un attachement excessif. Certes, on ne disconvient pas que ce sont là des sentiments honorables et l'on a raison de louer ceux qui les éprouvent vraiment ; néanmoins, là encore, il peut y avoir excès, si par exemple, à la manière de Niobé[223], on se trouvait en conflit avec les dieux eux-mêmes ou si, comme ce Satyros[224], surnommé Philopator, on montrait à son père une affection tenant de la folie comme était, semble-t-il, la sienne. Pour la raison que nous avons dite, il n'y a aucune perversité dans ces sentiments, puisque la nature nous engage à souhaiter chacun de ces biens pour lui-même ; toutefois l'excès ici est condamnable et doit être évité. **6.** On n'y distingue pas non plus d'absence de maîtrise de soi, comportement qu'il faut non seulement éviter mais blâmer ; cependant, en raison de l'analogie de ce comportement avec la passion, on précise en chaque cas cette absence de maîtrise de soi par l'objet sur lequel elle porte ; de même on dit un mauvais médecin et un mauvais acteur d'un individu qu'on ne voudrait pas appeler mauvais en soi et sans préciser. Ainsi donc, dans ces derniers cas, la manière d'être n'est pas vicieuse absolument parlant ; elle n'a qu'une certaine analogie et ressemblance avec le vice. De même il est évident qu'on ne peut concevoir l'absence de maîtrise et la maîtrise de soi que relativement aux objets par rapport auxquels on fait preuve de tempérance et d'intempérance — si nous employons le mot pour la colère, ce n'est que par analogie. Aussi prenons-nous soin d'ajouter que cette absence de maîtrise de soi se rapporte à la colère, comme aux honneurs et aux avantages pécuniaires.

CHAPITRE V

Certaines choses sont naturellement agréables; les unes le sont absolument; d'autres, par rapport aux différentes races d'animaux et d'hommes; d'autres encore ne sont pas agréables naturellement; elles le deviennent tantôt par suite d'aberrations, tantôt par l'habitude, tantôt par suite de certaines perversions de la nature. Il est donc possible aussi, dans chacun des cas envisagés en dernier lieu, de distinguer des dispositions morales à peu près semblables. **2.** Je veux parler des dispositions empreintes de sauvagerie, comme celle de cette femme qui, dit-on, ouvrait le ventre des femmes enceintes et dévorait les enfants qu'elles portaient[225]. Songeons aussi à quelques-unes de ces tribus sauvages des bords du Pont-Euxin qui, d'après ce qu'on rapporte, prennent plaisir à manger les unes de la viande crue, les autres de la chair humaine; à ces êtres qui se donnent les uns aux autres leurs enfants pour s'en rassasier; ou encore à ce que la tradition nous rapporte de Phalaris[226]. **3.** Voilà pour ce qui concerne ces habitudes sauvages. D'autres sont causées, chez quelques individus, par la maladie et par la folie; témoin cet homme qui offrit sa mère en sacrifice et la dévora ensuite; ou cet autre qui mangea le foie de son compagnon d'esclavage. D'autres habitudes sont maladives ou proviennent de la coutume : celle par exemple qui consiste à s'arracher les cheveux, à se ronger les ongles, à grignoter des morceaux de charbon et de la terre. Ajoutons les habitudes homosexuelles. Les uns se livrent à ces pratiques dépravées sous l'impulsion de la nature, d'autres par l'effet de l'habitude, comme c'est le cas pour ceux qui sont l'objet de violences dès leur enfance. **4.** Tous ceux en qui la nature est responsable de ces habitudes ne sauraient être accusés de manquer d'empire sur eux-mêmes, pas plus qu'on ne pourrait blâmer les femmes qui dans l'amour sont plus passives qu'actives. Il en va de même pour ceux qui par habitude ont contracté un vice qu'on peut comparer à une maladie. **5.** Chacune de ces habitudes nous place hors des limites du vice, tout comme la bestialité. Si l'homme qui les possède leur résiste victorieusement ou se laisse vaincre par elles, on ne saurait parler purement et simplement de maîtrise ou de manque de maîtrise de soi-même ; ce n'est que par analogie qu'on emploie ces mots. De même, l'on ne doit pas dire purement et simplement d'un homme qui montre la même sorte de passion en ce qui concerne les mouvements de la colère, qu'il est dépourvu de maîtrise de soi. Car tout excès dans l'irréflexion, la lâcheté, l'intempérance et la difficulté de caractère présente des traits soit de bestialité, soit de maladie. **6.** L'homme que son naturel porte à tout redouter, même le bruit d'une souris, fait preuve d'une lâcheté qui le ravale au niveau de la bête ; tel autre, qui a la phobie des chats, montre qu'il est malade. Parmi les hommes dépourvus de sens commun, les uns naturellement stupides et ne vivant que par les sens manifestent de la bestialité comme certaines tribus de barbares éloignés ; d'autres sont atteints de maladies, comme le haut mal, ou de folies qui les apparentent à des malades. **7.** Dans des cas de ce genre, il arrive que parfois on éprouve seulement ces désirs, sans se laisser vaincre par eux. Phalaris eût pu désirer manger de la chair de jeune enfant ou en amour rechercher d'abominables plaisirs, et néanmoins se maîtriser. **8.** Parfois aussi ces désirs sont en nous et, de plus, nous y succombons. De même donc qu'une seule forme de perversité : celle qui est selon l'essence de l'homme, prend ce nom purement et simplement, et qu'une forme différente n'est pas désignée ainsi, mais qu'on lui ajoute les adjectifs : bestiale et maladive ; ainsi il est manifeste que le manque de maîtrise de soi présente un caractère tantôt bestial, tantôt maladif. La seule forme qui prenne purement et simplement ce nom est celle qui a rapport à l'intempérance habituelle à l'homme. **9.** Ainsi absence de maîtrise et maîtrise de soi portent uniquement sur les mêmes objets que l'intempérance et la modération ; pour le reste, il est une autre forme de l'absence de maîtrise de soi, que l'on désigne par métaphore, et non purement et simplement. Voilà ce qui paraît évident.

CHAPITRE VI

Maintenant réfléchissons encore sur le fait que le manque de maîtrise de soi est moins honteux relativement à la colère que relativement aux autres désirs. La colère semble, en effet, prêter l'oreille en quelque mesure à la raison, encore qu'elle n'entende que confusément ses suggestions ; elle est semblable à ces serviteurs empressés qui, sans avoir entendu tout ce qu'on a à leur dire, se mettent à courir, puis exécutent l'ordre de travers ; tels aussi les chiens qui, sans regarder s'il s'agit ou non d'un ami, se mettent à aboyer, dès qu'on frappe à la porte. De même la colère, en raison de la chaleur et de l'impétuosité naturelles, sans être entièrement sourde, est sourde cependant aux prescriptions de la raison et se précipite pour la vengeance. La raison, en effet, ou l'imagination, lui a montré qu'il y avait outrage ou dédain et la colère, comme si elle avait conclu à la suite d'un raisonnement qu'il faut partir en guerre contre l'adversaire, s'emporte immédiatement. Par contre, le désir, sitôt que la raison ou les sens lui ont montré un objet agréable, s'élance vers la jouissance. Ainsi la colère en quelque mesure suit la raison, ce qui n'est pas vrai du désir ; ce dernier est donc plus honteux, car quiconque ne sait pas maîtriser sa colère est, en quelque façon, défait par la raison ; dans l'autre cas, on est défait par le désir, non par la raison. **2.** Ajoutons encore qu'on pardonne plus à ceux qui suivent les aspirations naturelles, attendu qu'on a plus d'indulgence pour les désirs qui sont communs à tous et justement en tant qu'ils sont communs. Or la colère et la difficulté de caractère sont plus naturelles que les désirs excessifs, non imposés par la nécessité. Donnons comme exemple celui qui se défendait ainsi de frapper son père : « Mais lui aussi, disait-il, a frappé le sien ; et le père de mon père en a fait autant. » Et montrant son jeune enfant : « Celui-ci me frappera quand il sera devenu homme. C'est une habitude de famille. » Cet autre, traîné par son fils, lui demandait de s'arrêter près de la porte, car il n'avait traîné son père que jusque-là. **3.** De plus, on est d'autant plus injuste qu'on recourt davantage à la ruse. Mais l'homme irascible ne l'emploie pas, non plus que la colère qui se montre dans tout son jour. Le désir, au contraire, cherche à tromper, comme on le dit d'Aphrodite : « La déesse de Chypre qui ourdit ses ruses[227]. »

Et Homère, parlant de la ceinture dorée :

C'était un talisman, mais qui abusait habilement [l'esprit,
Quelque sensé que l'on fût[228].

Étant plus injuste, cette forme de l'impuissance à se gouverner est plus honteuse que celle qui se manifeste dans la colère : elle est pure incapacité à se maîtriser et, en quelque sorte, pure méchanceté. **4.** Disons encore que nul ne souffre à outrager autrui ; mais tout homme qui agit sous l'impulsion de la colère, ressent de la peine ; celui qui outrage éprouve du plaisir à outrager. Si donc notre colère est d'autant plus justifiée que ce qui en est la cause est plus coupable, le manque de maîtrise de soi provoqué par le désir est tout particulièrement coupable. Car, dans le mouvement de colère, il n'y a pas volonté d'outrager. **5.** Ainsi l'absence de maîtrise de soi en ce qui concerne les désirs est plus honteuse que celle qui a rapport à la colère — c'est bien évident ; et, si maîtrise et absence de maîtrise de soi concernent les désirs et les plaisirs du corps, **6.** il faut cependant saisir les différences existant entre eux. Car, nous l'avons dit en commençant, les uns appartiennent en propre à l'homme et sont naturels, aussi bien par leur espèce que par leur intensité, d'autres sont de caractère bestial ou sauvage, d'autres proviennent d'aberration et de maladies. La tempérance et l'intempérance ne se manifestent qu'à l'occasion des premiers; aussi ne disons-nous pas que les bêtes sont tempérantes ou intempérantes, sinon par métaphore, et dans le cas où une espèce d'êtres vivants diffère totalement d'une autre par la violence, la gloutonnerie et une totale voracité. Car les bêtes ne peuvent faire un choix délibéré, sont privées de la faculté de raisonner et s'écartent de la nature, comme les hommes quand ils sont atteints de folie. **7.** La bestialité est un mal moindre que la méchanceté, mais effraie davantage. Car chez les bêtes la partie supérieure n'est pas corrompue comme chez l'homme, attendu qu'elle n'existe pas. Ce serait donc comme si l'on comparait ce qui est privé d'âme à ce qui en est doué et que l'on se demandât lequel des deux états est le pire. C'est toujours la perversion de qui n'a pas en lui son principe d'action qui est la moins coupable; or le principe, c'est la pensée. Ce serait donc à peu près comme si l'on comparait l'injustice avec l'homme injuste, puisqu'il est possible que, selon les cas, il y ait plus de méchanceté d'un côté comme de l'autre[229]. En effet, un homme méchant peut causer mille fois plus de mal qu'une bête féroce.

CHAPITRE VII

En ce qui concerne les plaisirs et les douleurs, les attraits et les répulsions causés par les sens du tact et du goût — domaine propre, délimité par nous naguère de l'absence de maîtrise de soi et de la tempérance[230] — il peut arriver qu'on soit défait par ce qui fournit à la plupart des gens une occasion de victoire et qu'on soit victorieux là où les autres succombent. De celui qui se laisse vaincre par les plaisirs, on dit qu'il manque de maîtrise de soi; de celui qui triomphe d'eux, qu'il est maître de lui-même; tel autre, vaincu par les peines, est mou; tel autre victorieux d'elles est ferme. Entre ces deux extrêmes il existe une disposition intermédiaire, qui est celle de la plupart des gens, encore qu'ils penchent davantage du mauvais côté. **2.** Quelques plaisirs sont nécessaires, d'autres non ; les premiers le sont jusqu'à un certain point, mais ni l'excès ni le défaut ne sont nécessaires ; il en va de même des désirs et des peines. Quand on recherche l'excès des plaisirs, qu'on le fait d'une manière excessive ou par choix délibéré ; quand on les recherche pour eux-mêmes, sans avoir en vue quelque autre résultat, on est vraiment intempérant. Conséquence inévitable : dans ce cas, on est incapable d'éprouver du regret, en sorte qu'on est incurable ; le propre de l'homme réfractaire au regret, c'est d'être inguérissable. Aux gens de cette sorte s'opposent ceux qui pèchent par défaut ; l'homme qui tient le juste milieu porte le nom de tempérant. Est de même intempérant celui qui fuit les douleurs physiques, non par crainte d'être vaincu, mais par choix délibéré. **3.** Parmi ceux qui n'obéissent pas ici à une volonté réfléchie, les uns sont menés par le plaisir, les autres fuient la peine, résultat du désir non satisfait. Aussi faut-il les distinguer les uns des autres. Tout le monde juge plus mauvaise la conduite de ceux qui, dépourvus de désirs ou n'en éprouvant que de faibles, commettent une action honteuse, que celle des gens obéissant à des désirs violents. De même si l'on frappe quelqu'un sans être en colère, on est plus blâmable que si l'on est poussé par la colère. Car alors, que ne ferait-on pas sous l'empire de la passion ? Aussi l'intempérant est-il pire que l'homme sans maîtrise sur lui-même. Parmi les comportements que nous venons d'envisager, l'un relève davantage de la mollesse, l'autre de l'intempérance. **4.** Ainsi à l'homme dépourvu de maîtrise de lui-même s'oppose l'homme maître de lui ; à celui qui fait preuve de mollesse, celui qui montre de la fermeté. La fermeté se montre dans la résistance, la maîtrise de soi dans la victoire ; car il faut distinguer entre résister et vaincre, de même qu'entre ne pas être vaincu et remporter la victoire. Par conséquent la maîtrise de soi est préférable à la fermeté.

5. Quant à celui qui se montre insuffisant dans les circonstances où la plupart des gens résistent et peuvent résister, on l'appelle un homme mou et efféminé, car la délicatesse excessive est une forme de la mollesse ; c'est, par exemple, celui qui laisse traîner son manteau, pour s'éviter la fatigue de le soulever et qui, tout en imitant l'homme accablé de fatigue et sans penser d'ailleurs qu'il est digne de pitié, se donne toutefois l'allure d'un homme pitoyable. **6.** Il en va ainsi en ce qui concerne la maîtrise et l'absence de maîtrise de soi : il n'y a pas lieu de s'étonner qu'on soit défait par des plaisirs et des peines violents et excessifs ; bien plus, on mérite le pardon, si l'on est vaincu, tout en ayant résisté : témoin le Philoctète, de Théodecte[231], piqué par une vipère, ou encore Kerkyôn dans l'Alopè de Karkinos [232] ; citons encore ceux qui, malgré leurs efforts pour réprimer leur rire, finissent par éclater, mésaventure qui arriva à Xénophantos[233]. C'est bien différent quand on se laisse vaincre par les désirs auxquels la plupart résistent et qu'on est incapable de se raidir contre eux, à moins qu'on ne puisse invoquer un tempérament particulier ou la maladie, comme c'est le cas chez les rois des Scythes chez qui la mollesse est héréditaire, comme c'est le cas encore chez les êtres vivants où la femelle diffère du mâle. **7.** Quiconque aime le jeu avec passion semble aussi intempérant ; toutefois c'est agir plutôt par mollesse ; car le jeu est une détente, puisqu'il est un repos. Or celui qui aime trop le jeu appartient à la catégorie des amateurs exagérés du repos. **8.** Le manque de maîtrise de soi est ici tantôt précipitation, tantôt faiblesse. Les uns, après délibération, parce qu'ils sont poussés par la passion, ne se tiennent pas à ce qu'ils ont décidé ; les autres, pour n'avoir pas préalablement réfléchi, sont poussés par la passion. Quelques-uns ressemblent à ceux qui se chatouillent eux-mêmes et ne sont pas chatouillés par d'autres ; ainsi, prévenus et prévoyants, ayant pu se réveiller eux-mêmes ainsi que leur faculté de raisonner, ils ne se laissent pas vaincre par la passion, que l'objet proposé par celle-ci soit agréable ou pénible. Ce sont surtout les gens emportés et d'humeur sombre qui manifestent cette absence de maîtrise de soi si fougueuse. Les premiers, par suite de leur impétuosité, les seconds, par suite de la force de leurs impressions, n'attendent pas la raison, parce qu'ils obéissent aux suggestions de leur imagination.

CHAPITRE VIII

L'intempérant, comme nous l'avons dit, n'est pas susceptible d'éprouver du regret, car il demeure ferme dans son choix délibéré; par contre, tout homme qui manque de maîtrise de soi peut en éprouver. Aussi ne nous trouvons-nous plus dans le même embarras que plus haut. Le premier est incurable, le second guérissable. Tandis que la perversité ressemble à des maladies comme l'hydropisie et la phtisie, l'absence de maîtrise de soi ressemble à l'épilepsie; la première est un état durable, l'autre une perversité momentanée. En un mot, l'absence de maîtrise de soi et la méchanceté sont différentes de nature, car la méchanceté proprement dite se dissimule, ce que ne fait pas l'incapacité à se dominer. **2.** Parmi ces gens-là, ceux qui explosent valent mieux que ceux qui, tout en ayant la faculté de raisonner, ne lui obéissent pas. Ces derniers sont défaits par une passion plus faible et sans être irréfléchis comme les premiers. L'homme dépourvu de maîtrise de soi ressemble à ces individus qui s'enivrent rapidement avec une faible quantité de vin et moindre qu'il n'en faut à d'autres pour être ivres. **3.** Quant au fait que l'incapacité de se dominer n'est pas identique à la méchanceté, à moins que ce ne soit par quelque détour, la chose est claire. En effet, tantôt elle s'oppose à notre détermination volontaire, tantôt elle s'accorde avec elle. Néanmoins, à envisager les actes, il y a identité. Comme Démodokos le dit des Milésiens[234] :

Les Milésiens ne sont pas dénués d'intelligence : ils agissent comme s'ils en manquaient, les gens sans maîtrise sur eux-mêmes ne sont pas précisément injustes, ils commettent cependant des actes injustes. **4.** Or, étant donné que ces derniers recherchent les plaisirs physiques avec excès et contre les prescriptions de la droite raison, mais sans se donner des excuses d'agir ainsi; étant donné que les intempérants se donnent comme raison de leur conduite que leur nature les porte à rechercher ces plaisirs, les premiers sont susceptibles d'obéir sans difficulté à une conviction différente, les autres non. La vertu en effet sauvegarde le principe que la perversité corrompt; or, dans les actes, le principe est ce en raison de quoi l'action se fait, de même qu'en mathématiques ce sont les postulats. Dans un cas comme dans l'autre, le seul raisonnement ne peut enseigner les principes. C'est la vertu, soit naturelle, soit acquise par l'habitude qui apprend à penser sainement sur le principe de nos actes. Tel est donc le tempérant auquel s'oppose l'intempérant. **5.** Concluons donc : il y a des gens que la passion fait sortir des voies de la droite raison ; la passion les domine au point de les empêcher d'agir selon la raison ; toutefois elle n'a pas le pouvoir de les convaincre qu'il faut rechercher sans retenue les plaisirs de cette sorte. Tel est l'homme sans maîtrise sur lui-même, préférable à l'intempérant, et qui n'est pas absolument mauvais[235]. Car en lui le meilleur est sauvegardé : le principe. A lui s'oppose celui qui persiste dans sa manière de voir et dont la passion du moins ne peut le détacher. Ce que nous venons de dire montre clairement que l'une de ces dispositions est bonne, l'autre vicieuse.

CHAPITRE IX

L'homme maître de lui-même est-il celui qui se tient fermement à toute espèce de raison et de détermination volontaire ou bien à celles-là seules qui sont justes?

D'autre part, l'homme incapable de se dominer est-il celui qui ne montre pas de fermeté dans des raisons et des déterminations de quelque nature qu'elles soient ? ou seulement dans les raisons exactes et les déterminations justes, selon la difficulté que nous avons rencontrée précédemment ? Ou bien encore l'homme maître de lui-même est-il celui qui se montre ferme, à l'occasion, dans des résolutions quelconques, mais qui par essence suit la véritable raison et la droite délibération, tandis que l'homme sans maîtrise sur lui-même fait preuve d'inconstance ? Si l'on souhaite ou recherche une chose en vue d'une autre, ce qu'on souhaite et recherche en soi, c'est la dernière chose, la première n'étant voulue que par accident. Or nous voulons parler de la chose au sens absolu du terme. Il est donc possible qu'on se tienne fermement ou non à une opinion quelle qu'elle soit ; absolument, il s'agit de la raison vraie. **2.** Parmi ceux qui se tiennent solidement à leur opinion, il en est dont on dit qu'ils sont attachés à leurs idées, entendant par là qu'ils sont difficiles à convaincre et peu disposés à changer d'avis. Ils ne sont pas sans analogie avec les êtres maîtres d'eux-mêmes, comme le prodigue ressemble au généreux et la témérité à la hardiesse. Pourtant ils sont différents sur bien des points. L'un, l'homme maître de lui, ne changera pas d'avis sous l'empire de la passion et du désir, puisque c'est seulement quand il trouvera de bonnes raisons qu'il se laissera persuader. Si l'entêté change d'avis, ce n'est pas par raison, car les gens de cette sorte sont accueillants aux désirs et beaucoup d'entre eux sont menés par les plaisirs. **3.** Montrent encore de l'entêtement ceux qui abondent dans leur sens propre, les ignorants, les rustres. Ceux qui abondent dans leur sens propre le font sous l'empire du plaisir et de la peine ; on éprouve de la satisfaction à vaincre, si on réussit à ne rien abandonner de ses convictions ; on ressent de la peine quand, comme il arrive pour les décrets, on voit ses avis rejetés. Si bien que les entêtés ressemblent davantage à ceux qui sont dépourvus de maîtrise de soi qu'à ceux qui en sont doués. **4.** En revanche, il est d'autres personnes qui se persistent pas dans leurs opinions — non cependant qu'elles manquent de maîtrise sur elles-mêmes ; c'est le cas de Néoptolème dans le *Philoctète* de Sophocle[236]. Pourtant n'est-ce pas par plaisir qu'il a renoncé à sa première manière de faire ? Oui, mais par l'effet d'un plaisir louable, car il jugeait beau de dire la vérité et Odysseus l'avait engagé à mentir. Donc tous ceux qui agissent par plaisir ne sont pas pour autant intempérants, malhonnêtes, dépourvus d'empire sur eux-mêmes, mais ceux-là seuls lé sont qui obéissent à des plaisirs honteux. **5.** Puisqu'il y a une autre catégorie de personnes, dont le propre est de ressentir moins de joie qu'il ne faut aux plaisirs du corps, et que ces personnes non plus ne restent pas fermement attachées à la raison, l'homme maître de lui tient le juste milieu entre ces gens-là et ceux qui sont incapables de se dominer. Ceux-ci ne demeurent pas dans les limites de la raison par excès, ceux-là par défaut. L'homme maître de lui y demeure et la seule raison peut le faire changer d'avis. Du moment que la maîtrise de soi est bonne, il faut que les deux dispositions opposées soient mauvaises, comme d'ailleurs cela paraît établi. Toutefois, du fait que la répugnance aux plaisirs du corps n'apparaît qu'en peu de gens et rarement, comme la tempérance seule semble s'opposer à l'intempérance, il en va de même également en ce qui concerne la maîtrise de soi par rapport au manque de domination sur soi-même. **6.** Mais, comme bien des expressions sont employées par analogie, quand on parle de la maîtrise de soi du sage, on ne fait que s'exprimer par assimilation.

Évidemment l'homme maître de lui-même, comme l'homme plein de mesure, n'agit pas contre la raison et sous l'impulsion des désirs physiques. Mais voici la différence : l'un ressent, l'autre ne ressent pas de mauvais désirs. Il est dans la nature de l'un de ne pas éprouver de plaisirs en dehors des limites de la raison ; dans la nature de l'autre, d'en éprouver sans toutefois se laisser entraîner par eux. **7.** De même, il y a similitude entre l'homme incapable de se dominer et l'intempérant, bien qu'à proprement parler ils soient différents : tous deux recherchent les plaisirs du corps, avec cette différence que l'un pense qu'il faut le faire, l'autre non.

CHAPITRE X

Il est impossible d'être à la fois prudent et impuissant à se dominer. Nous avons, en effet, montré[237] qu'être prudent, c'est être aussi honnête homme. **2.** Ajoutons que la prudence se montre non seulement par le savoir, mais aussi par la capacité d'agir. Or n'avoir pas de maîtrise de soi, c'est ne pas être propre à l'action. Rien ne s'oppose cependant à ce que l'homme habile soit incapable de se dominer. Aussi arrive-t-il parfois que certaines personnes paraissent prudentes, mais qu'elles soient en réalité dépourvues d'empire sur elles-mêmes, du fait que l'habileté diffère de la prudence de la manière indiquée par nous dans les livres précédents[238]. Dans l'ordre du raisonnement, ces deux manières d'être sont peu éloignées l'une de l'autre, mais elles sont distinctes, en ce qui concerne le choix réfléchi. **3.** Être dépourvu de maîtrise de soi, c'est ressembler, non pas aux gens qui ont le savoir et qui appliquent leur connaissance, mais à ceux qui dorment ou qui se trouvent en état d'ivresse. On agit volontairement, car on sait, de quelque manière, ce qu'on fait et pourquoi on le fait ; toutefois, on ne fait pas preuve de méchanceté, puisque la détermination obéit à de bons motifs. On n'est donc qu'à moitié méchant. On n'est pas non plus injuste, du moment qu'on n'emploie pas la ruse. Généralement, l'incapacité à se dominer empêche qu'on se tienne aux résolutions prises et les gens d'humeur sombre sont même absolument inaptes à la réflexion, si bien que l'homme dépourvu de maîtrise de soi ressemble à un État qui, en toutes circonstances, prend les décisions qu'il faut et possède de bonnes lois, mais qui ne les applique pas. Selon l'expression moqueuse d'Anaxandridès[239] :

L'État avait ses volontés, mais aucun souci
[d'appliquer les lois.

L'homme vicieux ressemble à un État qui applique les lois, mais de mauvaises lois. **4.** L'incapacité à se dominer et la maîtrise de soi ont rapport aux actes qui dépassent les dispositions de la plupart des gens. Dans le premier cas, on montre plus, dans le second on montre moins de fermeté que ne sont susceptibles d'en manifester la plupart des hommes.

L'absence de maîtrise de soi est plus facile à guérir chez ceux qui sont atteints d'humeur sombre que chez les individus qui, tout en délibérant, ne respectent pas leurs décisions ; de même celui qui ne se domine pas par l'effet de l'habitude est plus aisément guérissable que celui qui est ainsi par nature. Car il y a moins de difficulté à changer l'habitude que la nature. Toutefois, il n'est pas commode non plus d'introduire du changement dans l'habitude, du fait qu'elle ressemble à la nature, comme le dit Evénos[240] :

Je dis qu'il existe une pratique longuement
[poursuivie, mon amie,
Et que, finalement, elle crée chez les hommes une
[véritable nature,

5. Nous avons dit en quoi consistaient la maîtrise de soi et l'incapacité à se dominer, la fermeté et la mollesse et quels rapports entretenaient entre elles les dispositions correspondantes.

CHAPITRE XI

L'étude scientifique du plaisir et de la douleur incombe à celui qui étudie en philosophe la politique puisque c'est lui qui, tel un architecte, fixe le but sur lequel nous jetons les yeux pour proclamer, d'une façon absolue, qu'une chose est mauvaise ou bonne[241]. **2.** Ajoutons qu'il est nécessaire d'examiner à fond la question. Nous avons en effet établi[242] que toutes les dispositions morales, vertueuses ou vicieuses, se rapportaient à la douleur et au plaisir ; et la plupart des gens disent que le bonheur est uni au plaisir ; aussi a-t-on donné à l'homme heureux le nom de μακάριος, dérivant du verbe χαίρειν (éprouver du plaisir)[243]. **3.** Les uns professent l'opinion qu'aucun plaisir n'est un bien ni en soi, ni par accident, car le bien ne se confond pas avec le plaisir[244] ; pour d'autres, quelques plaisirs constituent des biens, mais la plupart sont mauvais ; enfin, une troisième catégorie de gens soutiennent que, même si tous les plaisirs sont un bien, le bien suprême ne saurait être le plaisir[245]. **4.** Pour soutenir qu'aucun plaisir n'est un bien, on déclare que tout plaisir est une génération perçue par les sens, dans la direction de la nature, et qu'aucune génération n'est identique à ses fins, de même que la construction de la maison ne se confond jamais avec la maison elle-même. On ajoute que l'homme tempérant fuit les plaisirs ; que le prudent cherche l'absence de douleur, non pas le plaisir ; que les plaisirs s'opposent à l'exercice de la pensée, et d'autant plus que la jouissance est plus vive, par exemple dans les plaisirs de l'amour, car nul ne pourrait penser au moment où il les éprouve ; qu'au surplus, il n'y a pas d'art du plaisir, alors que toute œuvre bonne est l'effet de l'art ; enfin, que les jeunes enfants et les bêtes sauvages recherchent les plaisirs[246]. **5.** Pour prouver que tous ceux-ci ne sont pas bons, on dit qu'il en est de honteux et de blâmables, qu'il en est aussi de nuisibles, car certains sont nocifs. Pour soutenir que le plaisir n'est pas le souverain bien, on dit qu'il est, non une fin, mais une simple génération.

CHAPITRE XII

Voilà, à peu près, ce que l'on dit à ce sujet. Ce qui suit montrera clairement que ces raisons ne sont pas suffisantes pour prouver que le plaisir n'est ni un bien, ni le souverain bien. Tout d'abord, on désigne le bien de deux façons : en soi et relativement à une personne; les diverses natures et dispositions se conformeront à cette disposition et, par conséquent, aussi les mouvements et les générations. Parmi les plaisirs qui paraissent mauvais, les uns le sont absolument, les autres relativement à une personne. A un individu en particulier ils pourront ne pas paraître mauvais et même, pour tel autre, sembler souhaitables; quelques-uns, sans le paraître à tel ou tel, peuvent être souhaitables à un moment déterminé pour un certain temps, et non pour toujours : ceux qui s'accompagnent de souffrance et qui se proposent la guérison, comme c'est le cas pour les malades. **2.** Disons encore ceci : le bien consiste en partie dans l'activité, en partie dans la disposition; les plaisirs qui nous mettent dans les dispositions naturelles sont agréables. L'activité, de son côté, consiste dans les désirs qui complètent la disposition et la nature. Toutefois, il y a des plaisirs qui ne comportent ni chagrins ni désirs, qui sont analogues à l'activité que nous déployons dans la contemplation et dont la nature n'a pas un besoin impérieux. La preuve qu'il y a des plaisirs bons en soi, d'autres bons par accident, nous la voyons dans le fait que les hommes ne se complaisent pas aux mêmes plaisirs quand la nature est comblée et quand elle est dans son assiette; dans ce dernier cas, nous tirons notre plaisir des choses agréables absolument; quand la nature est comblée, nous le tirons même de ce qui est opposé. En effet, on se complaît à ce qui est âcre et amer, alors que rien de cette sorte n'est agréable ni naturellement ni absolument, si bien que ces impressions ne constituent même pas de véritables plaisirs, puisque le rapport qu'entretiennent les uns avec les autres les objets agréables se retrouve aussi dans les plaisirs qui en découlent. **3.** Il n'y a pas non plus nécessité que le souverain bien se distingue du plaisir, comme certains l'affirment en distinguant le but de la génération. Car les plaisirs ne sont pas une génération et tous ne sont pas liés à une génération. Ils sont plutôt activités et fin; ils ne se produisent pas en liaison avec une génération, mais en liaison avec l'usage que nous faisons des choses. Il n'est pas exact non plus que la fin soit distincte des plaisirs, mais de ceux-là seulement qui conduisent à la perfection de la nature. Aussi ne s'exprime-t-on pas comme il faut quand on dit que le plaisir est une génération[247] susceptible d'être perçue par le sens; il vaut mieux dire que c'est l'activité d'une disposition conforme à la nature et, au lieu d'employer l'expression : perçue par les sens, il est préférable de dire : qui ne rencontre pas d'obstacle. Quelques-uns s'imaginent que c'est une sorte de génération, parce que c'est un bien à proprement parler et qu'ils pensent que l'activité se confond avec la génération. Mais, effectivement, c'est quelque chose de différent. **4.** Voyons maintenant l'affirmation que les plaisirs sont mauvais parce que quelques-uns sont nuisibles à la santé. C'est la même chose que si on prétendait que certains d'entre eux sont favorables à la santé, parce qu'ils sont impropres à nous faire gagner de l'argent. De la sorte, les uns comme les autres seront mauvais, mais ce n'est pas pour cette raison qu'ils le seront effectivement. Car la contemplation même nuit parfois à la santé. **5.** D'autre part, le plaisir qui provient de chaque disposition ne peut gêner ni la prudence, ni aucune manière d'être; ceux qui les gênent sont ceux qui leur sont étrangers. En effet, les plaisirs qui naissent de la contemplation et de l'étude nous pousseront à contempler et à étudier davantage. **6.** En ce qui concerne l'affirmation qu'aucun plaisir n'est l'œuvre de l'art, c'est là bien raisonner. Car l'art n'est l'œuvre d'aucune activité, mais plutôt de la faculté en puissance, encore que la parfumerie et la cuisine semblent être les arts du plaisir. **7.** L'argument selon lequel le tempérant fuit les plaisirs et le prudent recherche une vie sans souffrances, l'affirmation enfin que les jeunes enfants et les bêtes sauvages poursuivent les plaisirs, toutes ces objections peuvent se réduire de même façon. Nous avons dit plus haut comment il se fait que certains plaisirs sont des plaisirs absolument parlant et que tous les plaisirs ne sont pas bons; ce sont ces derniers que poursuivent les bêtes sauvages et les jeunes enfants; ce sont eux que l'homme prudent cherche à éviter, je veux dire ceux qui s'accompagnent de désir et de douleur, bref ceux qui ont rapport au corps, puisque telle est bien leur nature; l'homme prudent fuit de même leurs excès qui font donner son nom à l'intempérant. Aussi l'homme tempérant ne fuit-il que les plaisirs de cette nature, puisqu'il y a des plaisirs qui lui sont propres[248].

CHAPITRE XIII

Néanmoins on s'accorde à dire que la douleur est un mal et qu'il faut la fuir. C'est qu'en effet elle est un mal tantôt absolument, tantôt relativement, parce qu'elle nous gêne en quelque façon. Or le contraire de ce qu'il faut fuir — dans la mesure même où une chose doit être évitée et se trouve être mauvaise — est un bien. Il est donc de toute nécessité que le plaisir soit un certain bien. Cependant la solution à cette question que donnait Speusippe[249] n'est pas satisfaisante. Elle consistait à dire que le plus grand s'oppose au plus petit et à l'égal et que le plaisir a deux contraires : la douleur et le juste milieu. Car il n'aurait pas dit que le plaisir est une sorte de mal. **2.** Or rien n'empêche, même si les plaisirs sont parfois mauvais, qu'un plaisir soit le souverain bien ; de même, rien ne s'oppose à ce qu'une science soit excellente, quand bien même d'autres seraient mauvaises. Que dis-je ? C'est peut-être là une conséquence nécessaire, du moment qu'il y a pour chaque disposition des activités non entravées, que l'activité de toutes ces dispositions ou de l'une d'entre elles soit le bonheur. Il est nécessaire, dis-je, que cette activité, si elle est libre, soit la plus souhaitable. D'ailleurs, c'est cela même qui est le plaisir. Ainsi un plaisir pourrait s'identifier avec le plus grand bien, même en admettant que la plupart des plaisirs se trouvent être absolument mauvais. Pour cette raison, tout le monde estime que la vie heureuse est agréable, attendu qu'on unit la notion de plaisir à celle de bonheur, et l'on a parfaitement raison. Aucune activité, en effet, n'est complète quand elle est contrariée, et le bonheur présente le caractère d'être complet. Aussi l'homme heureux a-t-il besoin que les biens corporels, les biens extérieurs et ceux de la fortune se trouvent réalisés pour lui sans difficulté. **3.** Prétendre que l'homme soumis au supplice de la roue, ou accablé de grandes infortunes, est heureux à condition d'être vertueux, c'est parler en l'air, volontairement ou involontairement[250]. **4.** Par ailleurs, le fait que le bonheur a besoin du secours de la fortune fait croire à quelques-uns que le succès se confond avec le bonheur, alors qu'il n'en est rien ; la réussite même, quand elle est excessive, constitue une gêne pour le bonheur. Peut-être aussi a-t-on tort d'employer ce mot de réussite (εὐτυχία), puisque sa définition ne peut être donnée qu'en rapport avec le bonheur. **5.** Le fait que tous les animaux et tous les hommes poursuivent le plaisir peut être interprété comme une preuve qu'en quelque mesure le plaisir est le souverain bien :

> Ce propos ne saurait être absolument vain,
> Ce propos que beaucoup de gens[251]...

6. Puisque ni la nature, ni l'habitude ne sont, dans leur forme la meilleure, identiques pour tous ni en réalité, ni en apparence, tous ne poursuivent pas le même plaisir, mais tous du moins poursuivent le plaisir. Peut-être même ne poursuit-on pas exactement celui qu'on croit rechercher, ni celui qu'on consentirait à avouer, mais c'est bien tout de même le plaisir. En effet, tout dans l'homme a, du fait de la nature, un je ne sais quoi de divin, mais ce sont les plaisirs du corps qui gardent ce nom, par droit d'héritage en quelque sorte, du fait que l'on s'y adonne très souvent et que tous les hommes y prennent part. Comme ce sont les seuls connus, on s'imagine qu'ils existent seuls. **7.** Ce qui précède s'éclaire aussi par le fait que, si le plaisir et l'activité ne sont pas un bien, il sera impossible à l'homme heureux de vivre agréablement. Pour quelle raison aurait-il besoin du plaisir, si le plaisir n'était pas un bien et si l'on pouvait vivre même dans la douleur? La douleur ne sera ni un mal ni un bien, si le plaisir lui-même n'est pas un bien. S'il en est ainsi, pourquoi fuir la douleur? La vie de l'honnête homme ne sera pas plus agréable qu'une autre, à moins qu'on ne concède que ses différentes activités sont aussi plus agréables.

CHAPITRE XIV

En ce qui concerne les plaisirs du corps, il faut prêter attention aux gens qui disent qu'il en est de hautement souhaitables; bien entendu, s'il s'agit de plaisirs honnêtes, qui ne sont ni ceux du corps ni ceux auxquels se complaît l'intempérant. **2.** Comment pourrait-il se faire que les douleurs contraires à ces plaisirs fussent mauvaises, puisque ce qui s'oppose au mal, c'est le bien? Ou bien les plaisirs nécessaires sont-ils bons dans la mesure où est bon ce qui n'est pas complètement mauvais? Ou bien faut-il dire que ces plaisirs sont bons jusqu'à un certain point? Dans toutes les dispositions morales et tous les mouvements qui ne peuvent présenter un excès de bien, il ne peut y avoir excès de plaisir; dans le cas contraire, le plaisir peut être excessif. Il y a donc excès dans les plaisirs du corps et l'homme pervers se caractérise parce qu'il poursuit avec excès les plaisirs, et non pas seulement ceux qui sont nécessaires. Tout le monde, dans quelque mesure, tire du plaisir de la table, du vin, de l'amour; mais tous ne le font pas comme il convient. En ce qui concerne la douleur, c'est le contraire qui se produit : on ne fuit pas l'excès, mais la douleur absolument. Car la douleur n'est pas le contraire de l'excès du plaisir, à moins qu'on n'apporte ici la même recherche de l'excès. **3.** Il faut non seulement exposer la vérité, mais découvrir aussi la cause de l'erreur commune; cette manière de faire contribue à affermir la confiance : quand on établit rationnellement le motif qui fait paraître vrai ce qui ne l'est pas, on renforce les raisons de croire à la vérité. Il nous faut donc dire pourquoi les plaisirs du corps paraissent particulièrement souhaitables. **4.** Tout d'abord, ils suppriment la douleur et, en raison de l'excès de douleur, comme s'il y avait dans cette voie un moyen de guérir, on poursuit l'excès du plaisir, et tout simplement les plaisirs du corps. Or tous ces traitements sont violents et l'on y a recours parce qu'ils semblent de nature à combattre l'état contraire de maladie. Mais par ailleurs le plaisir du corps ne semble pas bon pour les deux raisons que nous avons dites : d'une part, les actes émanent d'une nature mauvaise, qu'ils proviennent de la naissance, comme chez la bête, ou de l'habitude, comme chez les hommes vicieux; d'autre part, les remèdes ont pour objet de combler un manque, et il vaut mieux posséder qu'acquérir. **5.** Or, comme ces plaisirs sont ressentis quand la nature retrouve sa perfection, ils sont bons par accident. Ajoutons encore que les plaisirs du corps, en raison de leur violence, sont recherchés par ceux qui ne peuvent se complaire à d'autres plaisirs; ces gens-là se donnent, en quelque sorte, une soif inextinguible. Si l'on ne saurait dire que pareille conduite est blâmable, quand ces plaisirs ne risquent de causer aucun dommage, elle est mauvaise dans le cas contraire. En fait, ces gens-là ne connaissent pas d'autres plaisirs capables de les satisfaire et, pour la plupart des individus, ce qui est dépourvu de douleur ou de plaisir devient naturellement pénible. L'être vivant, en effet, se fatigue sans cesse, comme le témoignent les livres consacrés à la nature qui affirment que le simple fait de voir et d'entendre ne tarde pas à causer de la couleur; mais nous nous y accoutumons, comme on dit. **6.** De même, dans la jeunesse et en raison de la croissance, les hommes sont dans un état analogue à l'ivresse. Pourtant la jeunesse ne manque pas d'agrément. Quant à ceux dont le caractère est naturellement sombre, ils ont sans cesse besoin d'un traitement. Leur corps est perpétuellement en proie à mille morsures, du fait de leur tempérament, et ils se trouvent toujours en état de tension violente. Or le plaisir chasse la peine, qu'il s'oppose directement à celle-ci ou qu'il soit tel ou tel, peu importe, à condition qu'il soit violent. Voilà ce qui rend les hommes intempérants et vicieux[252]. **7.** Mais les plaisirs qui ne comportent pas de douleur ne peuvent présenter d'excès. Ce sont ceux qui dérivent de ce qui est agréable naturellement, et non par accident; j'emploie l'expression « agréable par accident » pour signifier ceux des plaisirs qui servent de remèdes; par exemple, il peut arriver qu'on guérisse avec la collaboration de la partie demeurée saine dans le corps, ce qui fait paraître agréable la médication. Par « agréable naturellement », j'entends ce qui produit en nous l'effet d'une nature intacte. **8.** Le fait que la même chose ne nous cause pas toujours le même agrément vient de ce que notre nature n'est pas simple; il y a en elle un autre élément, différent en raison de son caractère corruptible; si bien que, si cette partie agit, c'est contre la nature de l'autre partie. Quand la balance est établie entre elles, ce qui se fait ne semble ni pénible, ni agréable. De fait, si la nature était simple, la même action serait toujours pour elle la plus agréable. Raison qui explique que Dieu éprouve toujours un plaisir simple et unique, l'acte ne consistant pas seulement dans le mouvement, mais aussi dans l'absence de mouvement et le plaisir se trouvant plutôt dans le repos que dans le mouvement. Enfin, à en croire le poète[253], si le changement est souverainement agréable, c'est en raison d'une certaine perversité de notre nature; l'homme le plus prompt à changer est le méchant, de même la nature qui a besoin de changement est mauvaise; elle n'est ni simple, ni satisfaisante. **9.** Voilà ce que nous avions à dire sur la maîtrise et l'absence de maîtrise de soi, sur le plaisir et la douleur, sur chacun de ces états, sur ce qu'ils comportent de bien et de mal[254]. Il nous reste à parler de l'amitié.

LIVRE VIII

[L'amitié.]

CHAPITRE PREMIER

Ceci fait, il nous reste à traiter de l'amitié[255]. L'amitié est une vertu, ou tout au moins, elle s'accompagne de vertu. De plus, elle est absolument indispensable à la vie : sans amis, nul ne voudrait vivre, même en étant comblé de tous les autres biens. Les riches eux-mêmes, ceux qui possèdent les charges et le pouvoir suprême, ont, semble-t-il, tout particulièrement besoin d'amis. A quoi leur servirait d'être ainsi comblés de biens, si on les privait de la faculté de faire le bien qui s'exerce à l'égard des amis, et qui est alors particulièrement louable ? Comment aussi, sans amis, surveiller et garder tant de biens ? Plus ils sont nombreux, plus leur possession est incertaine. **2.** Dans la pauvreté et les autres infortunes, on pense généralement que les amis constituent le seul refuge. Aux jeunes gens l'amitié prête son concours pour leur éviter des fautes ; aux vieillards elle vient en aide pour les soins que demande leur état et elle supplée à l'incapacité d'agir à laquelle les condamne leur faiblesse ; quant aux hommes dans la force de l'âge, elle les stimule aux belles actions. Le poète[256] parle de « deux êtres qui marchent unis ». Et effectivement on est ainsi plus fort pour penser et pour agir. **3.** L'amitié est, semble-t-il, un sentiment inné dans le cœur du créateur à l'égard de sa créature et dans celui de la créature à l'égard du créateur. Il existe, non seulement chez les hommes, mais encore chez les oiseaux et chez la plupart des êtres vivants, dans les individus d'une même espèce les uns à l'égard des autres, et principalement entre les hommes. De là les éloges que nous décernons à ceux qu'on appelle des « philanthropes ». On peut constater, même au cours de voyages, quelle familiarité et quelle amitié l'homme nourrit à l'égard de l'homme. **4.** L'amitié semble encore être le lien des cités et attirer le soin des législateurs, plus même que la justice. La concorde, qui ressemble en quelque mesure à l'amitié, paraît être l'objet de leur principale sollicitude, tandis qu'ils cherchent à bannir tout particulièrement la discorde, ennemie de l'amitié. D'ailleurs, si les citoyens pratiquaient entre eux l'amitié, ils n'auraient nullement besoin de la justice ; mais, même en les supposant justes, ils auraient encore besoin de l'amitié ; et la justice, à son point de perfection, paraît tenir de la nature de l'amitié. **5.** L'amitié est nécessaire. Que dis-je ? Elle est admirable ; nous ne ménageons pas nos éloges à ceux qui en ont le culte et le grand nombre d'amis constitue un des avantages les plus honorables — quelques-uns même sont d'avis que c'est tout un d'être honnête homme et ami sûr. **6.** Les discussions que suscite l'amitié sont nombreuses : les uns la fondent sur une sorte de ressemblance et disent que se ressembler, c'est s'aimer. De là les proverbes : le semblable est attiré par le semblable ; le geai avec le geai, et autres manières de dire. D'autres, par contre, déclarent que tous ceux qui ont quelque ressemblance se comportent les uns avec les autres en véritables potiers[257]. Et, à ce sujet, ils remontent plus haut et cherchent une explication tirée de la nature extérieure. Euripide[258] avance que : « La terre desséchée désire la pluie et le ciel majestueux, rempli de pluie, est possédé du désir de se répandre sur la terre. » Pour Héraclite[259], l'utile naît du contraire, la plus belle harmonie naît du contraire, et tout provient de la Discorde. En opposition avec les précédents, d'autres, et particulièrement Empédocle[260], affirment que le semblable tend à s'unir au semblable. **7.** Parmi ces difficultés, laissons de côté celles qui ont trait à la nature extérieure ; ce n'est pas l'objet de notre présente étude. Examinons celles qui se rapportent à la nature de l'homme et qui concernent les mœurs et les passions. Demandons-nous, par exemple, si l'amitié existe chez tous les hommes ? S'il est impossible que des gens pervers éprouvent de l'amitié ? Si l'amitié existe sous une forme ou sous plusieurs ? Ceux qui n'admettent qu'une seule espèce d'amitié, sous prétexte qu'elle est susceptible de degrés, ont recours à un indice peu probant : il existe des choses spécifiquement différentes, comme nous l'avons dit plus haut, qui présentent des degrés différents.

CHAPITRE II

La question serait bientôt élucidée, si l'on connaissait ce qui est aimable. Nous n'aimons pas, semble-t-il, toutes choses indistinctement, mais cela seul qui est aimable, à savoir le bon ou l'agréable ou l'utile. L'utile paraît être ce qui nous procure un bien ou un plaisir de sorte que le bien et l'agréable, en tant que fins, seraient dignes d'amour. **2.** Aimons-nous donc ce qui est bon en soi ou ce qui est bon relativement à nous-mêmes ? Les deux caractères du bien ne s'accordent pas toujours. Il n'en va pas autrement en ce qui concerne l'agréable. Il semble que tout homme aime ce qui est bon pour lui et que si, absolument parlant, ce qui est bon est aimable, chacun trouve aimable ce qui est bon pour lui. D'autre part, chacun juge aimable, non pas exactement ce qui est bon pour lui, mais ce qui lui paraît bon. Peu importera, d'ailleurs. Nous définissons, en effet, l'aimable : ce qui paraît bon. **3.** Étant donné qu'il y a trois raisons qui nous font aimer, nous n'employons pas le mot d'amitié pour désigner l'attachement que nous avons pour les objets — car ils ne peuvent nous payer en retour d'amitié et nous ne pouvons leur vouloir du bien. Ne se rendrait-on pas ridicule en disant qu'on veut du bien au vin, à moins de faire entendre par là qu'on désire sa conservation, afin de pouvoir l'utiliser ? En revanche on dit couramment qu'on veut le bien d'un ami, non pour soi, mais pour lui. Les gens animés de ce désir, nous les appelons des personnes bienveillantes[261], même si leurs sentiments ne sont pas payés de retour. Car la bienveillance, quand elle se montre réciproque, devient de l'amitié. Ne faut-il pas ajouter également que l'amitié ne doit pas demeurer secrète ? **4.** En effet il arrive souvent qu'on éprouve de la sympathie pour des gens qu'on n'a jamais vus, mais que l'on suppose honnêtes ou capables de se rendre utiles ; et peut-être quelqu'une de ces personnes est-elle animée à notre endroit des mêmes sentiments. Il apparaît donc que ces gens sont bien disposés les uns pour les autres. Mais qui consentirait à donner le nom d'amis à ceux qui ne sont pas renseignés sur leurs sentiments mutuels ? L'amitié exige donc, non seulement ces bonnes dispositions réciproques, mais aussi qu'on veuille le bien de l'ami, que les sentiments soient manifestes — et cela pour une des raisons que nous avons indiquées.

CHAPITRE III

Du moment qu'il y a là des différences d'espèce, nos attachements et nos amitiés diffèrent également. Ainsi, il y a trois sortes d'amitiés comme il y a trois sortes de qualités aimables. Dans chacune, on trouve réciprocité de sentiments, et réciprocité manifeste. Or ceux qui éprouvent ces sentiments d'amitié réciproque désirent le bien les uns des autres, dans le sens même de leurs sentiments. Ainsi ceux qui se témoignent mutuellement de l'amitié, en se fondant sur l'utilité qu'ils peuvent retirer, ne s'aiment pas pour eux-mêmes, mais dans l'espoir d'obtenir l'un de l'autre quelque avantage. Il en va de même de ceux dont l'amitié est inspirée par le plaisir ; ce n'est pas pour leur nature profonde qu'ils ont du goût pour les gens d'esprit, mais uniquement pour l'agrément qu'ils trouvent en eux. **2.** Ainsi donc aimer à cause de l'utilité, c'est s'attacher en autrui à ce qui est personnellement avantageux ; aimer à cause du plaisir, c'est s'attacher en autrui à ce qui est personnellement agréable ; bref on n'aime pas son ami, parce qu'il est lui, on l'aime dans la mesure où il est utile ou agréable. Ce n'est donc que de circonstances accidentelles que naissent de pareilles amitiés ; ce n'est donc pas pour ce qu'il est vraiment que l'on aime son ami, mais en tant qu'il est susceptible de procurer ici quelques avantages, là quelque plaisir. **3.** Il en résulte que des amitiés de cette sorte sont fragiles, ceux qui les éprouvent changeant eux aussi ; le jour où les amis ne sont plus ni utiles, ni agréables, nous cessons de les aimer. Du reste, l'utile lui-même est susceptible de changer selon les circonstances. La cause de l'amitié disparaissant, l'amitié aussi disparaît, puisqu'elle n'avait que ce seul fondement. **4.** C'est surtout chez les vieillards[262] qu'on trouve, semble-t-il, cette forme de l'amitié : à leur âge, on recherche moins l'agréable que l'utile ; elle est particulière aussi à ceux des hommes faits et des jeunes gens qui ne poursuivent que leurs avantages. Des gens de cette complexion ne cherchent pas précisément à vivre en commun ; parfois ils n'éprouvent aucun agrément à se fréquenter ; ils ne ressentent pas le besoin d'être en relations les uns avec les autres, sauf s'ils y trouvent leur avantage. L'agrément de leur commerce ne se mesure qu'à l'espoir du bien personnel qu'ils retireront. Dans ce genre d'amitié, on peut ranger aussi celle qui nous unit à des hôtes étrangers. **5.** L'amitié entre jeunes gens semble avoir sa source dans le plaisir ; c'est que la passion domine leur vie et qu'ils poursuivent tout particulièrement leur propre plaisir, et le plaisir du moment ; de là vient qu'avec la même rapidité, les amitiés entre eux naissent et meurent. En même temps que leurs goûts, leur amitié change d'objet et des plaisirs comme les leurs sont exposés à de fréquents changements. Ajoutons qu'ils sont enclins à l'amour.

Or la disposition amoureuse est, en général, soumise à la passion et commandée par le plaisir. De là leur promptitude à s'aimer et à cesser de s'aimer qui souvent, dans le cours d'une même journée, les précipite d'un sentiment à l'autre. Ce qui ne les empêche pas de désirer vivre le jour entier, la vie entière avec ceux qu'ils aiment — disposition conforme au genre d'amitié qu'ils ressentent. **6.** L'amitié parfaite est celle des bons et de ceux qui se ressemblent par la vertu. C'est dans le même sens qu'ils se veulent mutuellement du bien, puisque c'est en tant qu'ils sont bons eux-mêmes ; or leur bonté leur est essentielle. Mais vouloir le bien de ses amis pour leur propre personne, c'est atteindre au sommet de l'amitié ; de tels sentiments traduisent le fond même de l'être et non un état accidentel. Une amitié de cette sorte subsiste tant que ceux qui la ressentent sont bons, or le propre de la vertu est d'être durable. En outre chacun des deux amis est bon à la fois d'une manière absolue et à l'égard de son ami ; le caractère des bons consiste à être bons absolument parlant et utiles pour leurs amis. Il en va de même pour le plaisir. Les bons se montrent dignes de plaire, d'une manière absolue, et dignes de se plaire entre eux. Comme chacun trouve son plaisir dans les actes qui traduisent sa manière d'être personnelle, ou les actes semblables, ce sont précisément les bons qui se donnent entre eux le spectacle d'une conduite de ce genre, ou identique ou peu différente. **7.** Par conséquent une telle amitié ne peut manquer d'être durable, et cela s'explique facilement. Elle contient en elle-même toutes les conditions de l'amitié, toute amitié se fondant sur l'utilité ou sur le plaisir, soit absolument, soit relativement à la personne aimée, et dérivant d'une certaine ressemblance. Toutes ces conditions existent dans l'amitié telle que nous venons de la voir et elles proviennent de la nature même des amis, semblables sur ce point comme sur les autres. Ajoutons aussi ce fait important que ce qui est bon absolument est aussi agréable absolument. Voilà donc ce qui sollicite le mieux nos sentiments d'amitié, l'attachement et l'amitié entre gens de cette sorte atteignant leur perfection et leur excellence. **8.** Il est tout naturel que de pareilles amitiés soient rares, car les hommes qui remplissent ces conditions sont peu nombreux. Il leur faut en outre la consécration du temps et de la vie en commun ; le proverbe dit justement qu'on ne peut se connaître les uns les autres avant d'avoir consommé ensemble bien des boisseaux de sel[263]. Par conséquent, il ne faut accepter quelqu'un comme ami et ne se lier avec lui qu'après avoir constaté des deux côtés qu'on est digne d'amitié et de confiance. **9.** Ceux qui se donnent, avec beaucoup d'empressement, des marques d'amitié veulent bien être amis, mais ne le sont pas effectivement, à moins qu'en outre, ils ne possèdent ce qu'il faut pour être aimés et qu'ils ne le sachent. Ce désir de l'amitié naît promptement, mais non pas l'amitié. Celle-ci a donc besoin, pour être parfaite, de la durée et des autres conditions ; elle naît des qualités identiques et semblables qui existent chez les deux amis.

CHAPITRE IV

L'amitié fondée sur l'agrément présente de la ressemblance avec la précédente — les gens vertueux éprouvant de l'agrément les uns pour les autres — ; il en est de même de celle qui se fonde sur l'utilité — les gens vertueux ne manquant pas de se rendre utiles les uns aux autres. Mais la condition essentielle, ici encore, pour que les amitiés subsistent, c'est que l'on trouve, dans ces relations d'amitié, le même avantage, le plaisir par exemple ; encore n'est-ce pas suffisant : il faut qu'il soit de même nature, comme on le voit entre gens d'esprit, au contraire de ce qu'on distingue entre l'amant et l'être aimé[264]. Ceux-ci ne tirent pas leur plaisir de la même source ; l'amant le tire de la vue de l'être aimé ; celui-ci l'éprouve à recevoir les prévenances de l'amant. Mais quand s'évanouit la fleur de l'âge, il arrive aussi que l'amour s'évanouisse ; la vue de l'être aimé ne charme plus l'amant, les prévenances ne s'adressent plus à l'être aimé. Par contre souvent la liaison subsiste, quand un long commerce a rendu cher à chacun le caractère de l'autre, grâce à la conformité qu'il a produite. **2.** Se proposer, quand on aime, l'utilité personnelle au lieu de l'agrément réciproque, c'est s'exposer à ressentir une amitié moins solide et moins durable. L'amitié basée uniquement sur l'utilité disparaît en même temps que cette utilité ; car alors on ne s'aime pas exactement les uns les autres, on n'aime que son propre avantage. Il en résulte que le plaisir et l'utilité peuvent fonder une sorte d'amitié même entre gens de peu de valeur morale, comme entre gens honnêtes et gens de médiocre moralité, comme enfin entre gens qui ne sont ni honnêtes ni malhonnêtes et des gens sans caractère bien déterminé. Mais il est clair que les seuls honnêtes gens s'aiment pour leur valeur propre, car les méchants n'ont aucun plaisir à se fréquenter, à moins que quelque intérêt ne les pousse. **3.** Seule aussi l'amitié entre honnêtes gens est à l'abri de la calomnie : il est bien difficile à qui que ce soit d'en conter à un ami sur une personne qu'il a mise à l'épreuve depuis longtemps. C'est surtout chez les bons qu'on trouve la mutuelle confiance et l'assurance que l'ami ne commettra jamais de tort et enfin toutes les autres conditions requises par la véritable amitié. Dans les autres formes d'amitié, rien ne garantit les amis de ces atteintes. **4.** Du moment qu'on donne généralement le nom d'amis aussi bien à ceux qui sont unis par l'intérêt, comme on le fait pour les cités dont les alliances, semble-t-il, n'ont d'autre raison que l'utilité réciproque, qu'à ceux dont l'affection est fondée sur le plaisir mutuel, comme c'est le cas pour les enfants, peut-être devons-nous, nous aussi, consentir à cette appellation, mais en distinguant plusieurs espèces d'amitié. Mais nous mettrons en premier lieu et au premier rang l'amitié des gens de bien, en tant que gens de bien, les autres n'existant que par analogie avec celles-là. Car on ne peut être ami que dans la mesure où l'on a en vue quelque bien ou quelque chose qui ressemble au bien. Et le plaisir, pour ceux qui l'aiment, n'est-il pas un bien ? **5.** Toutefois ces amitiés n'ont pas généralement de lien entre elles et les mêmes personnes ne s'unissent pas par intérêt et par plaisir ; il est rare en effet que ces caractères fortuits se trouvent joints. **6.** De la distinction que nous venons d'établir entre les différentes formes de l'amitié, il résultera que les gens sans élévation morale contracteront amitié par plaisir ou par intérêt, puisqu'ils se ressemblent à ce point de vue ; mais les gens de bien seront unis par un lien vraiment personnel, en tant que gens de bien, car ils se ressemblent. Ce sont donc les bons qui sont amis dans le sens rigoureux du terme, les autres ne le sont que par accident et par analogie avec les premiers.

CHAPITRE V

En ce qui concerne les vertus, on répartit les hommes vertueux d'après la disposition[265] et l'activité[266]. Il en va de même en ce qui concerne l'amitié. Les uns, non contents de vivre en intimité, se rendent aussi de bons offices ; les autres, semblables à des dormeurs, ou séparés par la distance, ne montrent pas une amitié agissante, mais sont disposés à agir en vrais amis. L'éloignement, en effet, sans interrompre absolument l'amitié, en suspend les manifestations. Et l'absence, en se prolongeant, semble aussi plonger l'amitié dans l'oubli. De là ce dicton[267] :

Le silence vient rompre bien souvent l'amitié.

2. Ni les vieillards ni les gens moroses ne paraissent susceptibles d'éprouver l'amitié. La part qu'ils accordent au plaisir est restreinte ; d'ailleurs nul ne peut vivre à longueur de journée avec une personne de caractère chagrin et dépourvue d'agrément. C'est que la nature semble fuir au plus haut point ce qui est cause d'affliction et rechercher ce qui est cause d'agrément. **3.** Quant à ceux qui se font bon accueil les uns aux autres, sans toutefois vivre en intimité, ils montrent plutôt, semble-t-il, de la bienveillance que de l'amitié — rien ne caractérisant mieux l'amitié que la vie en intimité réciproque. Si ceux qui se trouvent dans le besoin désirent trouver de l'aide, même les gens comblés de biens désirent vivre ensemble. D'ailleurs les hommes dépourvus d'agrément et qui n'ont pas les mêmes goûts sont incapables de vivre côte à côte, comme le prouve bien la camaraderie[268]. **4.** L'amitié la plus parfaite est donc celle qui existe entre gens de bien, comme nous l'avons dit souvent ; car ce qui semble souhaitable et aimable, c'est le bien absolument parlant, ou l'agréable et pour chacun ce qui est tel par rapport à lui ; pour ces deux raisons l'homme de bien paraît aimable à l'homme de bien. **5.** Par ailleurs, ce qu'on appelle de l'attachement ressemble plutôt à un sentiment, l'amitié à une disposition. L'attachement se porte tout autant sur les objets ; or, en amitié, on paie de retour par un choix délibéré, lequel dépend de la disposition. Disons encore que c'est pour eux-mêmes que l'on veut rendre de bons offices à ceux qu'on aime, non par sentiment, mais par disposition. Du reste aimer son ami, c'est encore aimer son propre bien à soi, car un homme vertueux en devenant un ami devient un véritable bien pour celui dont il est l'ami ; de sorte que, des deux côtés, on aime son bien propre et l'on se rend la pareille et en bonne volonté et en agrément ; car amitié, ainsi qu'on le dit, c'est égalité. C'est principalement dans l'amitié des gens de bien qu'on trouve ces caractères.

CHAPITRE VI

On trouve d'autant moins l'amitié chez les gens d'humeur morose et chez les vieillards qu'ils sont plus difficiles de caractère et moins portés à trouver de l'agrément dans les relations, lesquelles, semble-t-il, sont particulièrement propices à entretenir et à faire naître ce sentiment[269]. Pour la même raison, les jeunes gens, à l'inverse des vieilles gens, sont prompts à contracter des amitiés ; ces derniers ne se lient pas avec des personnes qui ne leur causent aucun plaisir ; les gens d'humeur morose sont dans le même cas. Toutefois les hommes de ce caractère peuvent être bienveillants les uns pour les autres — ils se veulent réciproquement du bien et ils sont prêts à se rendre service —, mais pour ce qui est d'être amis, ils ne le sont pas précisément, ne vivant pas ensemble et n'éprouvant aucun plaisir à se fréquenter, toutes conditions essentielles de l'amitié. **2.** De même, on ne peut montrer cette parfaite amitié à beaucoup de gens, comme on ne peut s'éprendre de beaucoup de personnes à la fois. L'amitié parfaite a une apparence d'excès et de tels sentiments ne peuvent naturellement s'adresser qu'à un être unique. Par ailleurs, il est difficile que beaucoup de gens plaisent fortement et simultanément à la même personne ; peut-être l'est-il aussi que beaucoup soient vertueux. **3.** Aussi faut-il mettre ses sentiments à l'épreuve et vivre dans l'intimité les uns des autres, chose difficile entre toutes. Par contre, on peut plaire à beaucoup sous le rapport de l'utilité et de l'agrément ; les gens de cette sorte sont nombreux et les services réciproques ne se font pas attendre longtemps. **4.** De ces deux espèces d'amitié, celle qui ressemble le plus à l'amitié véritable est celle qui est fondée sur l'agrément, quand les deux amis se traitent de façon identique, se plaisent l'un à l'autre ou ont les mêmes goûts ; les amitiés des jeunes gens répondent à ces conditions. L'amitié fondée sur l'utilité est propre aux petites gens. Les gens comblés de biens, eux, ne demandent pas dans leurs amis l'utilité, mais l'agrément. Ils désirent vivre en intimité avec quelques personnes et, quand bien même ils supporteraient un certain temps ce qui est pénible, aucun d'eux ne voudrait se condamner à le faire d'une manière continue ; et c'est vrai aussi pour le bien, s'il devenait pénible. Aussi cherchent-ils des amis agréables. Peut-être conviendrait-il que ceux-ci fussent également gens de bien, absolument parlant et pour leurs amis fortunés. Ainsi se trouveraient réunies toutes les qualités que nous exigeons des amis. **5.** On voit aux gens au pouvoir deux sortes d'amis bien distincts ; les uns leur rendent des services, les autres leur procurent de l'agrément ; rarement ces deux avantages se trouvent réunis dans les mêmes personnes. Aussi les grands ne cherchent-ils pas des amis qui joignent la vertu à l'agrément et, dans ceux qui leur sont utiles, ils ne se demandent pas s'ils sont susceptibles de les aider dans de grandes entreprises. Comme ils poursuivent leur propre plaisir, ils cherchent des gens spirituels et, pour exécuter leurs ordres, des gens habiles — qualités qui se trouvent rarement réunies dans le même individu. Or, comme nous l'avons dit, c'est l'homme vertueux qui unit l'agréable à l'utile ; un tel homme ne peut devenir l'ami d'un homme supérieur par la position que s'il lui reconnaît aussi la supériorité de la vertu. Sinon, l'homme qui subit cette supériorité matérielle ne peut rétablir la proportion qui doit exister entre eux. Aussi est-il rare de trouver chez les grands des hommes de cette sorte[270]. **6.** Les différentes amitiés que nous venons d'indiquer reposent sur l'égalité ; les amis se traitent l'un l'autre de la même manière ; ce qu'ils désirent les uns pour les autres est identique. Il se peut aussi qu'ils reçoivent un avantage au lieu d'un autre, par exemple du plaisir en échange de services utiles. Nous avons dit également que ces sortes d'amitiés étaient moins pures et moins durables. Selon leur ressemblance avec l'amitié véritable conforme à la vertu, ces sentiments ont l'apparence de l'amitié, l'une ayant pour objet l'agrément, l'autre l'utilité, tandis que l'amitié véritable réunit également ces deux avantages ; mais cette dernière est au-dessus de la calomnie et inébranlable ; les autres formes, par leurs transformations rapides et les différences nombreuses qui les caractérisent perdent les apparences de l'amitié, de laquelle elles se distinguent.

CHAPITRE VII

Il y a une autre espèce d'amitié : celle qui comporte un élément de supériorité, par exemple les sentiments d'un père à l'égard de son fils, ceux qui unissent généralement une personne plus âgée à une personne plus jeune, un mari à sa femme, et tout homme revêtu d'autorité à qui est soumis à cette autorité. En effet, l'amitié des parents pour leurs enfants n'est pas identique à celle des chefs pour leurs subordonnés. De plus, il faut distinguer l'affection du père pour son fils et celle du fils pour son père, de même qu'entre celle du mari pour sa femme et de la femme pour son mari. A chacune correspond une vertu propre ; toutes se manifestent différemment et obéissent à des raisons différentes. Il en résulte que nos attachements, comme nos amitiés, sont distincts. **2.** On n'a donc pas des deux côtés les mêmes devoirs et on ne doit pas les chercher. Néanmoins, lorsque les enfants accordent à leurs parents ce qui leur revient de droit, et que les parents en font autant pour leurs enfants, l'amitié entre eux sera durable et raisonnable. Mais, dans toutes les amitiés où intervient un élément de supériorité, c'est selon la loi de proportion qu'il faut aimer ; par exemple, il faut que le meilleur soit aimé plus qu'il n'aime ; qu'il en aille de même pour celui qui rend le plus de services et dans tous les cas semblables. Car, lorsqu'on aime d'une manière proportionnée au mérite, il s'établit une sorte d'égalité, caractère propre, semble-t-il, de l'amitié.

3. Notons cependant que l'égalité ne présente pas dans l'amitié les mêmes traits que dans la justice[271]. Ici, ce qui vient en premier lieu, c'est la proportion fondée sur le mérite et, en second lieu, la proportion fondée sur la quantité ; par contre, dans l'amitié, ce qui est au premier plan, c'est la proportion basée sur la quantité[272] et, au second rang, celle qui est fondée sur le mérite. **4.** La chose est claire quand il existe une grande différence sous le rapport de la vertu et du vice, des richesses ou à quelque autre point de vue : il n'y a plus d'amis et l'on ne prétend même pas être amis. On s'en convaincra parfaitement en ce qui concerne les dieux ; l'abondance des biens de toute sorte les met fort au-dessus des mortels. On peut s'en assurer aussi en ce qui concerne les rois[273] ; les personnes qui leur sont très inférieures ne jugent pas possible d'être leurs amis ; de même les gens sans aucune valeur ne le sont pas de ceux qui possèdent les dons éminents de l'esprit ou de la sagesse. **5.** Sans doute il est difficile de préciser jusqu'où l'amitié entre personnes inégales peut s'étendre. Bien des conditions peuvent disparaître, elle n'en subsiste pas moins. Pourtant, avec un être à part des autres mortels, comme un dieu, elle est impossible. **6.** De là une question embarrassante : les amis peuvent-ils vouloir pour leurs amis les plus grands des biens, par exemple, qu'ils deviennent des dieux ? Mais alors l'amitié disparaîtra et, partant, les biens qu'elle comporte, car les amis sont des biens véritables. Si donc on a eu raison de dire que l'ami veut le bien de son ami pour son ami même, ne faudra-t-il pas que celui-ci demeure ce qu'il est ? Et c'est en tant qu'il le considère comme un homme que l'ami voudra pour son ami les plus grands biens. Et encore pas tous peut-être ; car c'est surtout pour soi-même que chacun désire les biens.

CHAPITRE VIII

Beaucoup de gens par ambition désirent, semble-t-il, plus vivement être aimés qu'aimer eux-mêmes ; de là vient qu'on aime souvent les flatteurs, le flatteur étant un ami inférieur ou qui affecte d'être tel et de préférer aimer à être aimé. Or l'amitié qu'on inspire ressemble d'assez près à la considération qu'on obtient, à quoi aspirent la plupart des gens. **2.** Toutefois cette prédilection pour les honneurs ne semble pas nous les faire rechercher pour eux-mêmes; elle est souvent accidentelle. La foule, en effet, prend plaisir à se voir considérée par les gens revêtus de l'autorité : elle espère obtenir d'eux, le cas échéant, ce qui lui manque; cette considération qui l'enchante est donc l'indice qu'elle recevra d'eux des faveurs. Pour ceux qui aspirent à la considération des honnêtes gens et des doctes, ils désirent voir confirmée l'idée qu'ils ont d'eux-mêmes. Ils éprouvent de la satisfaction à l'idée d'être vertueux et se fient au jugement de ceux qui le disent; ils ont aussi du plaisir à se sentir aimés pour cela même. Cette satisfaction semble supérieure à celle qu'on obtient de la considération et l'amitié paraît désirable pour elle-même. **3.** D'ailleurs elle consiste, semble-t-il, à aimer plutôt qu'à être aimé. Les mères le prouvent bien[274] qui prennent leur plaisir à l'amour qu'elles donnent; quelques-unes ont beau mettre leurs enfants en nourrice : elles les aiment avec pleine conscience de leur amour, sans chercher à être payées de retour, tant qu'ils ne peuvent le faire. Il semble qu'il leur suffise de voir leurs enfants heureux et leur tendresse n'est pas amoindrie du fait que leurs petits, dans leur état d'ignorance, ne peuvent leur rendre les sentiments qu'une mère est en droit d'attendre d'eux. **4.** Du moment que l'amitié consiste surtout dans les sentiments affectueux que l'on témoigne, du moment qu'on loue ceux qui ont le culte de l'amitié, la vertu des amis consiste à aimer et il s'ensuit que ceux qui proportionnent ce sentiment au mérite sont des amis sûrs et que leur amitié est inébranlable. **5.** C'est surtout cette considération qui doit rendre possible l'amitié entre personnes inégales; car, par là, l'égalité peut s'établir entre eux. Or l'égalité et la ressemblance déterminent l'amitié, principalement la ressemblance du point de vue de la vertu. Les gens de cette sorte sont fermes en eux-mêmes et à l'égard des autres; ils se gardent du mal, prennent soin de ne pas le commettre, ni rien qui lui ressemble et, pour ainsi dire, empêchent les autres de s'y porter; la vertu, en effet, consiste à éviter les fautes soi-même et à ne pas permettre à ses amis d'en faire. Les gens vicieux, au contraire, n'ont en eux rien de stable, attendu qu'ils ne restent même pas constants avec eux-mêmes. En peu de temps, ils deviennent amis, parce qu'ils se complaisent à la perversité les uns des autres. **6.** Ceux qui se rendent mutuellement des services et éprouvent de l'agrément à se fréquenter demeurent liés d'amitié pendant plus longtemps — tout le temps, du moins, qu'ils sont en état de se causer du plaisir ou de se rendre des services. C'est surtout de l'opposition que, semble-t-il, naît l'amitié fondée sur l'utilité, celle par exemple qui unit un pauvre à un riche, un ignorant à un savant. Car, si l'on se trouve démuni à un certain point de vue, on cherche à obtenir ce qui manque en donnant autre chose en retour. On pourrait être tenté de ranger dans cette catégorie l'amant et l'aimé, le beau et le laid. La même raison fait parfois paraître ridicules les amants : ils ont la prétention d'être aimés comme ils aiment, ce qui se justifie peut-être quand ils sont aimables, mais devient risible quand ils ne possèdent aucune des qualités propres à se faire aimer. **7.** Peut-être est-il exact que les contraires ne s'attirent pas précisément en eux-mêmes, mais uniquement par accident; la tendance du reste se propose de trouver l'état intermédiaire et c'est là qu'effectivement est le bien. Par exemple le bien pour le sec ne consiste pas à devenir humide, mais à atteindre un état moyen; ainsi du chaud et de tout le reste. Mais laissons de côté ces considérations qui nous éloignent de notre sujet[275].

CHAPITRE IX

Il semble, comme nous l'avons dit au début[276], qu'amitié et justice se rapportent aux mêmes objets et ont des caractères communs. Dans toute association on trouve, semble-t-il, de la justice et par conséquent de l'amitié. Du moins décerne-t-on le nom d'amis à ceux qui sont compagnons de bord et d'armes, comme à ceux qui se trouvent réunis en groupe dans d'autres circonstances. La mesure de l'association est celle de l'amitié et aussi du droit et du juste. Aussi le proverbe est-il bien exact qui dit qu'« entre amis, tout est commun[277] », car c'est dans la communauté que se manifeste l'amitié. **2.** Entre frères et compagnons tout est commun; dans les autres rapports, chacun garde par-devers soi tantôt plus, tantôt moins, les amitiés comportant des degrés, selon les cas. Les droits et les devoirs diffèrent également : ceux des parents à l'égard de leurs enfants sont différents de ceux des frères entre eux; ceux des compagnons sont distincts de ceux des citoyens. Il en va ainsi des autres sortes d'amitié. **3.** Les injustices qu'on peut commettre envers les êtres appartenant à chacun de ces groupes varient également; elles s'aggravent du fait que la relation entre l'offenseur et l'offensé est plus étroite; par exemple, le cas est plus grave quand on fait subir une perte d'argent à un camarade qu'à un concitoyen, quand on refuse son aide à un frère qu'à un étranger, quand on frappe son père que le premier venu. La nature veut, en effet, que l'obligation d'être juste croisse avec l'amitié, puisque justice et amitié ont des caractères communs et une égale extension. **4.** Toutes les sociétés paraissent être des fractions de la société civile; les hommes, en effet, se réunissent pour satisfaire à quelque intérêt et pour se procurer ce qui est essentiel à la vie. La communauté politique, semble-t-il, se fonde dès le début sur ce besoin utilitaire et subsiste par lui; tel est, d'ailleurs, le but que se proposent les législateurs qui identifient le juste avec ce qui est utile à la communauté[278]. **5.** Les autres associations, chacune pour sa part, visent également ce qui est utile : par exemple les gens de mer cherchent, par le moyen de la navigation, leur intérêt qui consiste à amasser des richesses ou à se procurer quelque avantage de ce genre; les compagnons d'armes poursuivent le leur par la guerre, qu'ils visent à s'enrichir, à obtenir la victoire, ou à s'emparer d'une ville. Il n'en va pas autrement des gens d'une même tribu ou d'un même dème[279]. Quelques associations semblent motivées par la recherche du plaisir; qu'on songe aux membres d'un thiase[280] ou à ceux des sociétés de banquets où chacun apporte son écot : ces groupements se proposent de faire un sacrifice et un repas en commun. **6.** Or toutes ces associations semblent être sous la dépendance de la société politique, car cette dernière ne se propose pas l'intérêt du moment, mais celui de la vie entière. Et que fait-on d'autre en organisant des sacrifices et, à leur occasion, des réunions, en rendant aux dieux des marques d'honneur, et en instituant pour les citoyens d'agréables loisirs ? Les sacrifices et les réunions d'autrefois paraissent avoir pris naissance après la récolte de fruits et avoir constitué, en quelque sorte, une offrande. N'était-ce pas alors qu'on jouissait surtout de moments de liberté ? **7.** Aussi toutes ces associations paraissent-elles être des fractions de la société politique. Tels seront les groupements, telles seront les relations d'amitié qui en découleront.

CHAPITRE X

Il y a trois espèces de gouvernement ; il y a donc aussi trois façons de s'en écarter qui en sont comme les formes corrompues. Ces trois espèces sont : la royauté et l'aristocratie, la troisième étant celle où les magistrats sont nommés d'après le cens ; il semble qu'on soit assez autorisé de l'appeler une timocratie, bien que la plupart des gens lui donnent le nom de gouvernement républicain[281]. **2.** La meilleure est la royauté ; la plus mauvaise, la timocratie. La corruption de la royauté, c'est la tyrannie. Toutes deux sont des gouvernements monarchiques, mais qui diffèrent profondément. Car le tyran n'envisage que son intérêt personnel, tandis que le roi a égard à celui de ses sujets. Le roi est, par définition, un être complètement indépendant et qui surpasse les autres hommes en toutes sortes de biens. Un homme ainsi comblé n'a besoin de rien d'autre ; il ne saurait donc s'intéresser à ce qui lui est utile personnellement, mais seulement à ce qui peut servir à ses sujets. Faute de quoi, il ne serait qu'un roi désigné par le sort. Il en va tout autrement de la tyrannie; le tyran ne recherche que son propre bien. Il est donc hors de doute que la tyrannie est le pire des gouvernements, le plus mauvais étant le contraire du meilleur. **3.** De la royauté, on glisse à la tyrannie, corruption de la monarchie, et un mauvais roi devient un tyran. De l'aristocratie, on tombe dans l'oligarchie par l'effet des vices des gouvernants qui partagent la fortune publique sans tenir compte du mérite et qui se réservent tous les biens ou la plupart d'entre eux; ce sont toujours les mêmes qui occupent les magistratures, car s'enrichir constitue la préoccupation essentielle. Le pouvoir se trouve donc aux mains d'un petit nombre et les coquins tiennent la place que devraient occuper les gens les plus qualifiés. De la timocratie, on passe à la démocratie, ces deux formes de gouvernement étant voisines. La timocratie entend être elle aussi le gouvernement de la foule et, de fait, tous ceux qui ont un certain cens y sont égaux. Toutefois la démocratie est la moins mauvaise, parce qu'elle ne s'écarte que très peu de la forme du gouvernement par les citoyens eux-mêmes. Telles sont donc, ou à peu près, les transformations que subissent les formes de gouvernement, le glissement de l'une à l'autre étant souvent minime et très facile à opérer. **4.** On pourrait leur trouver des analogies et, pour ainsi dire, des modèles même dans la vie privée; les rapports d'un père avec ses enfants fournissent l'image d'une royauté : le père s'occupe de ses enfants et c'est sous le nom de père qu'Homère désigne Zeus; de fait, la royauté entend être un gouvernement paternel. Cependant, chez les Perses, la puissance paternelle est tyrannique; ils se comportent envers leurs fils comme envers des esclaves. Tyrannique également, la puissance d'un maître sur ses esclaves; il n'y recherche que son propre intérêt. Toutefois ce pouvoir apparaît comme conforme à la raison, tandis que l'autorité paternelle chez les Perses n'atteint pas son but, puisqu'il faut que l'autorité soit différente si elle s'exerce sur des personnes différentes. **5.** Le pouvoir du mari sur la femme paraît être de caractère aristocratique ; c'est proportionnellement à son mérite que le mari exerce l'autorité, et dans les domaines où il convient que l'homme commande ; les questions qui sont de la compétence de la femme, le mari les lui abandonne. Dans le cas où l'homme exerce sur toutes choses un pouvoir absolu, son autorité se transforme et devient oligarchique ; ce faisant, il agit sans tenir compte du mérite et ne se montre pas supérieur. Il arrive parfois que l'autorité passe aux mains des femmes épiclères[282] ; par conséquent, le pouvoir ne découle pas de la vertu ; mais de la richesse et de la puissance, comme dans les oligarchies. Les rapports entre frères ressemblent au gouvernement timocratique ; ils sont égaux, sauf dans la mesure où ils se trouvent être d'âge différent ; s'il y a entre eux une trop grande différence d'âge, l'amitié fraternelle disparaît. **6.** La démocratie apparaît surtout dans les familles qui sont privées de chefs — tous s'y trouvant sur un pied d'égalité — et dans celles où l'autorité est faible et où chacun peut agir à son gré.

CHAPITRE XI

Dans chacune de ces formes de gouvernement, l'amitié apparaît en même proportion que la justice. Celle qui unit le roi à ses sujets montre un degré éminent de bienfaisance : il leur fait du bien ; s'il est vertueux, il se préoccupe de leur bonheur, comme fait le berger pour ses brebis. De là vient qu'Homère appelle Agamemnon : « pasteur des peuples ». **2.** Telle est aussi l'affection paternelle, mais elle se distingue par l'importance des bienfaits, car le père donne l'existence, le plus important des biens, semble-t-il ; il se préoccupe également de l'entretien et de l'éducation de ses enfants. D'ailleurs, on rend aux aïeux un hommage identique. Le père dispose d'une autorité fondée sur la nature à l'égard de ses enfants, les ancêtres à l'égard de leurs descendants, le roi à l'égard de ses sujets. **3.** Les sentiments affectueux de cette nature comportent un élément de supériorité ; de là les marques de respect qu'on accorde aux parents. Dans les personnes que nous venons de dire, les règles de la justice ne sont pas identiques ; elles sont proportionnées au mérite ; il en va de même pour l'amitié. **4.** L'affection du mari pour la femme est celle qu'on trouve dans le gouvernement aristocratique. Elle se proportionne à la vertu ; le meilleur a la supériorité des avantages et, d'ailleurs, chacun y obtient ce qui lui convient. Tel est aussi le caractère de la justice. **5.** L'amitié entre frères ressemble à celle qui unit les compagnons ; on se trouve sur un pied d'égalité, on y est à peu près du même âge, ce qui inspire généralement des sentiments et un caractère identiques. A cette forme d'amitié ressemble celle qu'on trouve dans le gouvernement timocratique ; les citoyens entendent y être égaux et en même temps s'y faire distinguer par leurs qualités[283] ; ils y commandent à tour de rôle et sur un pied d'égalité. L'amitié qui se crée entre eux a donc elle aussi les mêmes caractères. **6.** Dans les formes dérivées de ce gouvernement, la justice existant peu, l'amitié, elle aussi, n'a qu'une place restreinte ; la plus mauvaise espèce est celle qui en présente le moins. Dans la tyrannie, l'amitié n'apparaît pas ou n'apparaît que faiblement ; quand il n'existe rien de commun entre celui qui commande et celui qui obéit, on ne trouve pas d'amitié, du moment qu'on ne trouve pas de justice. Les rapports qui existent sont, à peu près, ceux de l'ouvrier à son outil, de l'âme au corps, du maître et de l'esclave[284] ; sans doute, on ne manque pas d'accorder un certain soin à ce qu'on utilise de la sorte ; toutefois, l'amitié non plus que la justice ne peuvent s'adresser à des objets inanimés, non plus qu'à un cheval, un bœuf ou un esclave, en tant qu'esclave. Rien n'est commun entre le maître et l'esclave ; ce dernier n'est qu'un instrument vivant et l'instrument est un esclave inanimé. **7.** En tant qu'esclave, il ne peut obtenir le bénéfice de l'amitié, mais il peut l'obtenir en tant qu'homme. Car, semble-t-il, quelque justice intervient entre tout homme et tout être susceptible de participer à une loi ou à une convention ; par conséquent l'amitié a sa place ici, eu égard à ce caractère d'homme. **8.** Dans les tyrannies, l'amitié et la justice n'ont qu'une faible place ; dans les démocraties, elles ont une place considérable ; car les citoyens y sont égaux et ont entre eux bien des rapports communs.

CHAPITRE XII

Toute espèce d'amitié suppose donc une association, comme nous l'avons dit. Mais peut-être est-il possible de distinguer les sentiments affectueux fondés sur la parenté de l'amitié qui naît de la camaraderie. Les relations amicales qui existent entre concitoyens, membres d'une même tribu, compagnons de bord et les autres rapports du même genre ressemblent davantage à de simples associations, car elles paraissent reposer sur un contrat. A celles que nous venons d'énumérer, on pourrait ajouter les relations entre hôtes. **2.** L'affection entre gens d'une même famille, tout en revêtant bien des formes, dérive tout entière, semble-t-il, du rapport existant entre père et enfants. Les parents chérissent leurs enfants comme une partie d'eux-mêmes ; ceux-ci chérissent leurs parents, en tant qu'ils tiennent d'eux ce qu'ils sont. Or les parents savent que les enfants viennent d'eux, mieux que les enfants ne savent qu'ils doivent la vie à leurs parents ; la liaison est plus étroite entre celui qui a donné la vie et celui qui l'a reçue qu'entre celui qui l'a reçue et l'auteur de ses jours. Ce qui procède de nous tient de très près à notre substance, comme les dents, les cheveux et en général tout ce que nous possédons ; mais l'être dont procèdent ces choses ne leur est de rien, ou tout au moins leur appartient dans une moindre mesure. Il faut tenir compte aussi de la durée de l'affection ; nous aimons dès l'instant ce qui est né de nous, tandis qu'il est nécessaire que les enfants, pour aimer leurs parents, aient atteint un certain âge et acquis de l'intelligence et de la sensibilité. On voit par là clairement pourquoi l'amour des mères pour leurs enfants est plus vif que celui des enfants pour leurs mères. **3.** Les parents aiment donc leurs enfants comme eux-mêmes ; du fait que ceux-ci se sont détachés d'eux, ils sont comme des incarnations de la personne des parents ; mais les enfants n'aiment leurs parents que parce qu'ils tiennent d'eux l'existence et les sentiments réciproques des frères s'expliquent par cette communauté d'origine. C'est précisément cette origine commune qui leur inspire entre eux les mêmes sentiments. D'où l'expression courante qu'ils sont le même sang, qu'ils proviennent de la même souche, et d'autres analogues. Ils sont donc, en quelque sorte, une seule et même substance, bien que dans des corps distincts[285].

4. Par ailleurs, l'éducation commune et le peu de différence d'âge contribuent puissamment à faire naître l'amitié. On est attiré par ceux de son âge, dit-on, et des habitudes communes créent la camaraderie. Aussi compare-t-on l'amitié des frères à celle des camarades. Les relations étroites qui unissent les cousins germains et les autres parents, à quelque degré que ce soit, procèdent encore de la même cause ; car ils descendent tous des mêmes parents. Leur intimité ou leur éloignement les uns par rapport aux autres dépend de leur parenté, plus ou moins proche, avec le chef de la famille. **5.** Au reste, les sentiments affectueux des enfants à l'égard de leurs parents — comme ceux des hommes à l'égard des dieux — reposent, pour ainsi dire, sur la reconnaissance de la bonté et de la supériorité[286] ; c'est d'eux que l'on tient les plus grands bienfaits ; à eux que l'on doit la naissance, l'entretien et, un peu plus tard, l'éducation. **6.** De tels sentiments comportent, plus que ceux qui nous unissent à des étrangers, un agrément et une utilité d'autant plus grands que l'intimité de la vie est plus étroite. Ajoutons que les caractères que l'on distingue dans la camaraderie se retrouvent dans l'amitié entre frères ; ils existent davantage entre individus honnêtes et qui se ressemblent en général; ils sont proportionnés au degré d'intimité et d'affection réciproque que les frères se portent depuis la naissance et à la ressemblance qu'ont entre eux des êtres issus des mêmes parents, nourris et élevés de la même manière; enfin l'épreuve du temps est ici la plus décisive et la plus sûre. **7.** Aux autres degrés de parenté, on retrouve des caractères analogues de l'amitié. Entre l'homme et la femme l'affection mutuelle semble être un effet de la nature : l'homme naturellement est plus porté à vivre par couple qu'en société politique[287], d'autant plus que la famille est antérieure à la cité et plus nécessaire que cette dernière, et que la reproduction est commune à tous les êtres vivants. Toutefois pour les autres êtres l'union ne va pas plus loin, tandis que l'homme ne s'unit pas seulement à la femme pour la procréation, mais encore pour la recherche de ce qui est indispensable à l'existence; aussitôt, en effet, les travaux se trouvent répartis, les uns revenant à l'homme, les autres à la femme. Tous deux se prêtent aide mutuellement et mettent en commun les avantages propres à chacun, raison qui fait que, dans cette sorte d'affection, l'utile se trouve, semble-t-il, joint à l'agréable. Cette union pourra même être fondée sur la vertu, à la condition que les deux membres soient honnêtes; chacun a son mérite propre et pourra tirer de ce fait du plaisir. Il semble également que les enfants constituent un lien pour l'un et l'autre; pour cette raison, les unions stériles se trouvent plus rapidement dénouées, puisque les enfants sont le bien commun des parents et que tout ce qui est commun maintient l'accord entre eux. **8.** Chercher quelle doit être la conduite du mari à l'égard de la femme et généralement celle de l'ami à l'égard de l'ami, c'est manifestement chercher comment seront respectées les règles de la justice. Car il apparaît bien qu'elles sont différentes selon qu'il s'agit d'un ami par rapport à un ami, un étranger, un camarade, ou un condisciple.

CHAPITRE XIII

Puisqu'il y a trois sortes d'amitié, comme nous l'avons dit en commençant[288], et que dans chacune d'elles il y a tantôt égalité entre les amis, tantôt supériorité de l'un par rapport à l'autre – car, s'ils sont bons, les amis peuvent être égaux en vertu ou l'un peut être supérieur à l'autre ; de même ils peuvent être égaux ou inégaux au point de vue de l'agrément ainsi qu'au point de vue des services qu'ils se rendent, dans l'ordre des intérêts et des services obtenus –, il faut donc que ceux qui se trouvent sur un pied d'égalité observent cette égalité dans leurs sentiments d'amitié et dans toutes les autres circonstances ; ceux qui ne se trouvent pas sur le même pied d'égalité doivent devenir égaux en accordant à ceux qui leur sont supérieurs une compensation proportionnée. **2.** Or c'est uniquement dans les amitiés fondées sur l'utilité qu'on voit se produire griefs et reproches : tout au moins c'est dans cette sorte d'amitié qu'ils sont le plus fréquents, ce qui s'explique facilement. Les gens dont l'amitié se fonde sur la vertu mettent de l'empressement à s'obliger les uns les autres, selon le caractère propre de la vertu et de l'amitié ; faisant assaut de bons offices, ils ne voient naître entre eux ni griefs ni querelles, puisque nul ne se montre mécontent de qui l'aime et lui fait du bien. Si l'on a soi-même quelque délicatesse d'âme, on s'efforce de payer son ami de retour et même si l'un dépasse l'autre en fait de services, du moment qu'il atteint le but visé, il ne saurait adresser de reproches à son ami, attendu que chacun d'eux aspire au bien. **3.** Les amitiés fondées sur le plaisir ne présentent pas non plus d'ordinaire cet inconvénient. Des deux côtés, on trouve ce qu'on désire, si l'on éprouve de la satisfaction à vivre ensemble et l'on serait bien ridicule de faire des reproches à qui ne vous cause pas de plaisir, puisqu'on peut éviter de passer son temps en sa compagnie. **4.** Par contre, l'amitié qui a sa source dans l'utilité fournit matière à griefs, comme on ne se fréquente qu'en raison des services qu'on attend les uns des autres, on demande toujours plus qu'on ne reçoit; on s'imagine recevoir moins qu'il ne convient et on trouve à redire parce que l'on n'obtient jamais tout ce qu'on souhaitait et que l'on croyait mériter. Le bienfaiteur n'est pas en mesure de satisfaire à toutes les demandes que l'obligé se croit en droit de formuler. **5.** De même que la justice se montre sous un double aspect : l'un non écrit, l'autre codifié par la loi, de même l'amitié fondée sur l'utilité est, semble-t-il, de deux sortes : l'une morale, l'autre légale[289]. Les griefs réciproques apparaissent surtout quand on ne s'acquitte pas des engagements dans l'esprit qui nous animait au moment où nous nous sommes engagés. **6.** Or l'amitié légale résulte de conditions expresses; tantôt elle est tout à fait mercantile et, pour ainsi dire, de la main à la main; tantôt elle a un caractère plus libéral et est à terme, mais avec engagement au profit du bienfaiteur d'obtenir une chose en échange d'une autre; dans cette dernière, la dette n'est pas en question, mais le fait qu'on en diffère le paiement l'apparente à l'amitié. Aussi quelques-uns ne voient-ils pas là matière à procès et ils pensent qu'il leur faut chérir ceux qui se sont engagés, puisque le contrat a été fait en toute confiance. **7.** Par contre l'amitié morale ne se base pas sur des engagements écrits; mais qu'il s'agisse d'un don ou de toute autre chose, c'est pour ainsi dire avec un ami que l'on traite. Néanmoins, le bienfaiteur juge qu'il doit lui revenir autant et plus, comme s'il avait fait, non un don, mais un prêt. **8.** Si l'on n'est plus, au moment de l'exécution du contrat, dans les mêmes dispositions qu'au moment de sa conclusion, on ne manquera pas de faire entendre des plaintes. Pareille mésaventure provient du fait que si la plupart des hommes, sinon tous, désirent faire ce qui est beau, en fait, ils préfèrent exécuter ce qui est utile. Or, s'il est beau de rendre des services sans espoir de retour, il est avantageux pour nous d'en recevoir. **9.** Donc, quand on le peut, il faut rendre la pleine valeur de ce qu'on a reçu, et cela de bon gré ; car il ne faut pas se faire d'une personne une amie contre son gré ; il faut donc agir comme si l'on eût fait une erreur dès le début et que l'on eût reçu un bienfait d'une personne qui n'aurait pas dû vous en rendre. En fait, ce n'était pas d'un ami qu'il vous venait, ni d'une personne qui vous obligeait par amitié pure. Aussi doit-on se libérer comme s'il y avait eu écrit en règle. On se serait alors engagé à rendre selon son pouvoir ce qu'on a reçu ; en cas d'impossibilité, le donateur ne se fût pas moins abstenu d'exiger la restitution du service rendu ; aussi, si l'on est en état de le faire, faut-il s'acquitter de l'obligation qu'on a contractée. Par conséquent, dès le début, il faut se renseigner exactement sur la personne qui vous oblige, sur les conditions auxquelles on s'engage, afin de savoir si on peut ou non les respecter. **10.** On peut aussi discuter le point suivant : faut-il mesurer l'obligation à l'avantage qu'y a trouvé le bénéficiaire et y proportionner la restitution à opérer ? Ou au contraire faut-il considérer la généreuse intention du bienfaiteur ? L'obligé dit, en général, que l'aide qu'il a reçue était de peu d'importance et que d'autres eussent pu en faire autant ; il minimisera ainsi le service qui lui a été rendu. Le bienfaiteur, de son côté, déclare que le service rendu par lui était considérable, que l'obligé n'eût pu en obtenir d'ailleurs un semblable, dans les périls et les circonstances difficiles où il se débattait. **11.** Qu'est-ce à dire ? Dans une amitié ainsi fondée sur l'utilité, tout doit-il se mesurer sur le service rendu à l'obligé ? Effectivement, c'est lui qui se trouve dans le besoin et le bienfaiteur lui vient en aide avec la pensée d'obtenir de lui un service égal. L'assistance prêtée se mesure donc bien à l'avantage reçu. Dès lors, il faut rendre autant qu'on a obtenu et même davantage, ce qui est plus beau. Mais dans les amitiés basées sur la vertu, des griefs de cette sorte n'existent pas ; c'est le choix délibéré[290] du bienfaiteur qui sert de mesure pour le bienfait. Car l'essentiel, quand il s'agit de vertu et de mœurs, réside dans la volonté réfléchie.

CHAPITRE XIV

Toutefois, même dans les amitiés fondées sur la supériorité, des différends peuvent se produire. Chacun des amis prétend obtenir plus qu'il ne reçoit et dans ce cas l'amitié disparaît. Celui qui a plus de mérite estime qu'il lui revient davantage — suivant l'usage qui accorde plus à l'homme vertueux ; celui qui se trouve en état de rendre plus de services ne pense pas autrement. Ne prétend-on pas que, si l'on est inutile, on ne doit pas avoir autant ? Autrement, il ne serait plus question d'amitié, mais d'une charge imposée comme une liturgie[291], si les avantages qui découlent de l'amitié n'étaient pas en proportion avec les œuvres. Aussi pense-t-on communément qu'il doit en être de l'amitié comme d'une société financière où ceux qui ont fourni les plus gros capitaux retirent les plus gros bénéfices. Mais celui des amis qui est dans le besoin et qui a moins de mérite pense différemment. Pour lui, un bon ami doit secourir ceux qui sont dans la gêne. Ou alors à quoi bon être l'ami d'un homme de mérite ou d'un homme puissant, si l'on ne retire de son amitié aucun avantage ? **2.** Chacun d'eux semble avoir raison en prétendant qu'il faut tirer plus d'avantages de l'amitié ; toutefois ces avantages ne sont pas du même ordre : celui dont la valeur est supérieure doit obtenir plus d'honneur ; celui qui est dans le besoin plus d'avantages matériels. Car l'honneur constitue la récompense de la vertu et de la bienfaisance, tandis que les avantages matériels sont le bénéfice du besoin. 3. Il semble bien qu'il en aille de la sorte dans le gouvernement des États. On n'honore pas l'homme qui n'apporte aucun avantage à la communauté. On n'accorde ce qui appartient à tous qu'à celui qui rend service à tous et les honneurs sont effectivement le bien de tous. Voici l'explication du fait : il est impossible de retirer tout à la fois des affaires publiques argent et honneurs. N'oublions pas que personne n'admet de demeurer toujours dans une situation inférieure; aussi accorde-t-on des honneurs à ceux qui au point de vue de l'argent ont moins, et de l'argent à ceux qui s'y montrent sensibles. Tenir compte du mérite, c'est mettre les amis sur un pied d'égalité et sauvegarder l'amitié, comme nous l'avons dit. Voilà donc ce qui doit régler les rapports entre personnes inégales : celui qui obtient un avantage soit pécuniaire, soit moral, doit payer en considération, tout au moins autant que les circonstances le permettent, puisque l'amitié demande à être payée selon ce qui est possible et non pas exactement selon le mérite. **4.** D'ailleurs, il est impossible de s'acquitter entièrement dans toutes les circonstances, comme c'est le cas pour les honneurs que nous rendons aux dieux et aux parents. Sans aucun doute, nul n'est capable de leur attribuer les honneurs qu'ils méritent; mais quiconque les honore selon ses moyens passe pour un homme vertueux. Pour la même raison, semble-t-il, un fils ne peut renier son père, alors qu'un père peut renier son fils. Car il est juste que l'obligé rende les services qu'il a reçus, et le fils, quoi qu'il fasse, ne s'acquittera jamais des bienfaits dont l'a comblé son père et sa dette subsistera toujours. Ceux envers qui on a des obligations, le père, par exemple, peuvent toujours vous en dégager. Ajoutons aussi qu'il n'est peut-être aucun père qui veuille se détacher de son fils, à moins que ce dernier ne soit d'une extrême perversité; car en dehors même des sentiments affectueux inspirés par la nature, il est dans le cœur de l'homme de ne pas repousser une aide possible. Mais un mauvais fils peut éviter d'aider son père ou ne montrer que peu d'empressement à l'assister. La plupart des gens entendent être bien traités, tout en se gardant de bien traiter les autres, car ils ne voient là aucun avantage personnel.

LIVRE IX

[Suite de l'amitié.]

CHAPITRE PREMIER

Mais en voilà assez sur ce sujet. Dans toutes les amitiés entre gens qui ne sont pas sur un pied d'égalité, la loi des proportions égalise et sauvegarde le sentiment, comme nous l'avons dit. De même dans la société civile, le cordonnier trouve à échanger, comme il se doit, ses chaussures; il en va ainsi du tisserand et des autres artisans. **2.** Pour cette opération, on a institué une mesure commune, la monnaie[292]. C'est à elle qu'on se réfère en toutes circonstances; c'est elle qui sert de mesure. Dans l'amitié amoureuse, il arrive parfois que l'amant se plaigne que ses sentiments passionnés ne soient pas payés de retour, bien qu'il puisse se trouver qu'il n'ait en lui rien d'aimable. Souvent aussi la personne aimée se plaint qu'après avoir reçu des promesses de toute sorte elle n'obtienne désormais plus rien. **3.** C'est un accident courant quand l'amant n'a en vue dans l'amour que le plaisir et quand la personne aimée n'est inspirée à l'égard de l'amant que par l'intérêt. De là ce désaccord réciproque. L'amitié, en effet, disparaît quand ne subsistent plus les conditions qui l'avaient inspirée. Les amis ne se chérissaient pas pour eux-mêmes, ils aimaient seulement les avantages existant en chacun d'eux, avantages instables. Aussi leur amitié n'avait-elle, elle non plus, aucune stabilité. Mais l'amitié morale, contractée pour elle-même, est stable, ainsi que nous l'avons dit. **4.** Les différends naissent entre les amis quand ils obtiennent autre chose que ce à quoi ils aspiraient ; c'est effectivement une cause de déception que ne pas recevoir ce qu'on désirait. Qu'on songe, par exemple, à l'homme qui, dit-on, avait promis à un joueur de cithare de lui faire un cadeau d'autant plus considérable que la musique serait plus belle ; au matin, l'autre réclama l'exécution de la promesse ; à quoi il lui fut répondu qu'on l'avait payé d'un plaisir par un autre plaisir[293]. Si, des deux côtés, on n'eût recherché que le plaisir, c'eût été suffisant. Mais si l'un voulait son agrément, et l'autre un profit ; si l'un obtient ce qu'il souhaite et l'autre non, les résultats exigés réciproquement ne sont pas obtenus. Car l'homme qui se trouve dans le besoin est tout entier à la pensée de ce qui lui fait défaut et, dans l'intention de l'obtenir, il donnerait tout ce qu'il a. **5.** Mais à qui revient le soin de fixer le juste prix de ces services ? A celui qui a donné le premier ou à celui qui a déjà reçu ? Celui qui donne le premier semble faire confiance à l'autre. Protagoras[294], dit-on, agissait de la sorte. Quand il enseignait, il demandait à son disciple d'évaluer le prix des connaissances acquises et il s'en contentait. **6.** A ce sujet, quelques-uns se contentent d'appliquer la formule :

Fixe toi-même la juste rétribution[295].

Mais ceux qui, après avoir fixé une rétribution en argent, ne font rien de ce qu'ils s'étaient engagés à faire, en raison de l'exagération de leurs promesses, s'exposent tout naturellement à des reproches mérités. Ils se dérobent quand il s'agit d'exécuter leurs engagements. **7.** C'est à quoi, sans doute, se voient contraints les sophistes[296], du fait que nul ne voudrait donner de l'argent pour apprendre ce qu'ils savent ; aussi les reproches qu'on leur adresse sont-ils fondés, puisqu'ils ne font pas ce pour quoi on les a rétribués. Par contre, quand on n'est pas convenu d'une rétribution pour les services rendus, ceux qui les premiers obligent autrui sont, nous l'avons dit, à l'abri des reproches ; et c'est bien là la caractéristique de l'amitié fondée sur la vertu. Ici la réciprocité doit s'exercer conformément à une volonté réfléchie, puisque tel est le propre de l'amitié et de la vertu. Il semble bien que la même règle existe pour ceux qui ont étudié ensemble la philosophie; l'argent ne peut servir à mesurer la valeur de cet enseignement; nulle considération ne saurait équivaloir à ce service; aussi est-il, peut-être, suffisant de donner en retour ce qu'on peut comme nous faisons à l'égard des dieux et des parents. **8.** Quand le service n'est pas inspiré par ces sentiments, mais par une pensée intéressée, le mieux est peut-être de fixer la compensation qui paraît équitable aux deux parties; si l'on n'y arrive pas, il paraît non seulement nécessaire, mais juste, que celui qui est le premier à recevoir fixe la rétribution qu'il entend donner. Si l'autre reçoit à son tour le prix de l'aide fournie ou la valeur du plaisir donné, la rétribution sera équitable. C'est ce que nous constatons aussi dans les relations commerciales. **9.** En certains endroits, les lois n'autorisent pas les procès pour les contrats volontaires[297], pour la raison qu'il faut que la personne qui s'est fiée à une autre s'arrange avec celle-ci de la même manière qu'elle avait conclu l'arrangement. On pense qu'il est plus juste que ce soit la personne à qui on s'est confié que celle qui a donné cette marque de confiance qui fixe la rétribution. Car il arrive bien souvent que le possesseur d'une chose et celui qui veut l'obtenir n'en fassent pas la même estimation : chacun aime et apprécie hautement ce qui lui appartient et ce qu'il donne. Aussi l'échange doit se faire selon l'estimation de celui qui reçoit. Toutefois il faut que cette évaluation se proportionne au prix auquel le possesseur jugeait la chose avant de l'obtenir et non à celui qu'il lui attribue, une fois qu'il l'a en sa possession.

CHAPITRE II

Des questions comme celles-ci sont également embarrassantes : un fils doit-il tout concéder à son père et lui obéir en toutes circonstances? Ou bien, faut-il, étant malade, obéir plutôt aux prescriptions du médecin ? Faut-il élire comme stratège l'homme particulièrement qualifié pour la guerre ? De même, doit-on se dévouer à un ami plutôt qu'à un homme vertueux ? Et montrer de la reconnaissance à un bienfaiteur plutôt que faire un don à un ami, s'il n'est pas possible de satisfaire à ces deux obligations[298]. **2.** N'est-il pas vrai qu'il est difficile de donner une réponse précise à toutes les questions de ce genre ? Elles comportent les différences de toute sorte ; elles sont d'importance plus ou moins grande, au point de vue de l'honnêteté et de la nécessité. **3.** Qu'il ne faille pas tout accorder à une seule et même personne, c'est l'évidence même. Il faut aussi, en général, rendre les bienfaits reçus avant de faire plaisir aux camarades. **4.** Peut-être, cependant, n'est-ce pas là une règle générale ; par exemple, si l'on a été racheté moyennant rançon versée à des brigands, devez-vous, à votre tour, racheter la personne qui vous a délivré quelle qu'elle soit ? Ou faut-il acquitter la somme versée, même si la personne qui vous a délivré n'est pas prisonnière, dans le cas où elle réclame son dû ? Ou vaut-il mieux délivrer son père en premier lieu ? Car il semble qu'on doit donner le pas à son père, même sur soi-même. **5.** Comme nous l'avons dit, d'une façon générale, il faut reconnaître les services rendus ; mais si le don doit s'adresser à une personne vertueuse ou dans le besoin, c'est de ce côté qu'il faut pencher. Parfois, il peut ne pas être conforme à l'équité de payer de retour le service qu'on a rendu en premier lieu. C'est le cas lorsqu'une personne fait du bien à une autre, sachant pertinemment que l'obligé est un homme de bien, tandis que l'obligé paierait de retour un individu qu'il connaît comme malhonnête. Il y a des circonstances également où il ne faut pas faire de prêt à qui vous en a fait un ; l'un a prêté à un homme honnête, en pensant qu'il rentrerait dans ses fonds ; l'autre ne peut compter être remboursé par un coquin. S'il en est ainsi vraiment, le principe de l'action n'est pas équitable. Si ce n'est là qu'un jugement qui ne correspond pas à la réalité, il peut sembler qu'on n'agit pas d'une manière absurde. **6.** Comme nous l'avons dit souvent, toute espèce de raisonnement sur les passions et sur les actes a pour limites les cas d'espèce. Qu'il ne faille pas accorder à tout le monde indistinctement le même traitement, qu'il ne faille même pas tout concéder à son propre père, de même qu'on n'immole pas à Zeus toutes les victimes, c'est l'évidence même. **7.** Suivant qu'il s'agit de parents, de frères, de compagnons, de bienfaiteurs, la conduite doit être différente ; à chacune de ces catégories de personnes, il faut accorder ce qui lui convient en propre et ce qui est en conformité avec son rôle. N'est-ce pas d'ailleurs ce qu'on paraît faire habituellement ? Aux mariages, on invite les gens de la famille ; de même que la famille est commune, les actes qui l'intéressent sont communs à tous ses membres. De même encore, on est d'avis que les gens de la parenté doivent particulièrement, pour cette raison, assister aux funérailles de l'un d'eux. **8.** On s'accorde d'ailleurs communément sur le devoir des enfants d'assurer avant tout la subsistance de leurs parents, étant donné qu'ils sont leurs débiteurs et que c'est se conduire plus honorablement d'assurer des moyens de vivre aux auteurs de ses jours qu'à soi-même. Ajoutons encore que les parents, comme les dieux, doivent recevoir des marques d'honneur – non pas toutes, cependant ; par exemple, on ne témoigne pas son respect de la même façon à un père et à une mère[299] ; on ne les honore pas non plus comme un sage ou un chef d'armée ; on accorde à un père et à une mère la vénération convenant à leur personne. **9.** Toutes les personnes âgées reçoivent des marques de respect en rapport avec leur âge : on se lève quand elles arrivent ; on leur cède à table la place la meilleure, et ainsi de suite. A l'égard de compagnons et de frères, on doit faire preuve de franchise et tout mettre en commun. Enfin aux gens de notre famille, de notre tribu, à nos concitoyens et à toutes autres personnes, nous devons toujours nous efforcer de rendre les honneurs qui leur reviennent eu égard à leur degré de parenté, leur vertu, leurs relations avec nous. **10.** Cette appréciation est plus facile à l'endroit de ceux de notre parenté ; elle est plus délicate avec les autres. Néanmoins cette considération ne doit pas nous faire perdre de vue notre devoir et, dans la mesure du possible, il faut mettre en pratique ces distinctions.

CHAPITRE III

Une autre question embarrassante également est celle de savoir s'il faut rompre, ou non, nos amitiés avec ceux qui viennent à se montrer différents de ce qu'ils étaient. Peut-être n'y a-t-il rien d'extraordinaire à rompre avec des amis dont nous ont rapprochés uniquement l'utilité et l'agrément, quand ils cessent d'être utiles ou agréables ? L'amitié ne reposait que sur ces avantages ; une fois disparus, il serait logique que l'amitié s'évanouît. Mais on pourrait critiquer avec raison celui qui, ne recherchant dans l'amitié que l'utile ou l'agréable, feindrait d'être mû par un sentiment moral. Ainsi que nous l'avons dit en commençant, la plupart des désaccords entre les amis proviennent de la constatation que ceux-ci ne répondent pas en réalité à ce qu'on attendait d'eux. **2.** Quand un ami s'est trompé et a cru être aimé pour son caractère vertueux, que d'ailleurs l'autre ne fait rien qui réponde à son attente, le premier n'a qu'à s'en prendre à lui-même[300]. Par contre, si l'on s'est trouvé induit en erreur par l'hypocrisie de l'autre, on est justifié à incriminer le simulateur. L'attitude de ce dernier est pire que celle du faussaire, puisqu'ici l'objet qu'on veut acquérir frauduleusement est plus précieux. **3.** Mais si, après avoir donné sa confiance à une personne qu'on croyait honnête, on s'aperçoit ou on croit s'apercevoir de sa perversité, doit-on continuer de l'aimer ? ou est-ce impossible ? Puisque notre amitié ne doit pas se porter sur toutes choses indistinctement, mais uniquement sur ce qui est bon, on ne voulait pas aimer ce qui est mauvais et on ne devait pas l'aimer. Il ne faut pas, en effet, aimer ce qui est mal et on doit éviter de ressembler aux gens méprisables. Or, nous avons dit que le semblable aime le semblable. Faut-il donc rompre sur-le-champ ? ou bien doit-on se borner à quitter les seuls amis dont la perversité est incurable ? Pour ceux qui sont susceptibles d'être redressés, ne devons-nous pas leur accorder notre aide, au point de vue moral plutôt qu'au point de vue matériel, attitude bien préférable et plus conforme à l'amitié ? Cependant la conduite de l'ami qui prend l'initiative de la rupture peut ne pas paraître extraordinaire : il s'était mépris sur la nature de son ami ; celui qu'il aimait ayant changé, comme il se voit dans l'impossibilité de le retrouver tel que naguère cet ami était, il s'en sépare. **4.** Il peut arriver aussi[301] que l'un demeure ce qu'il était, tandis que l'autre se perfectionne et dépasse de loin le premier en vertu. L'amitié doit-elle subsister ? Ou est-ce impossible ? Plus la distance est grande entre les amis, plus le cas est clair, par exemple dans les amitiés contractées dès l'enfance ; que l'un des amis en demeure au stade de l'enfance sous le rapport de la réflexion et que l'autre devienne homme dans la plus haute acception du terme, comment l'amitié entre eux pourrait-elle subsister, du moment qu'ils ne ressentent pas les mêmes inclinations et n'éprouvent ni les mêmes joies ni les mêmes peines ? Ils n'auront pas non plus les mêmes sentiments l'un à l'égard de l'autre, et ce désaccord empêchera, comme nous l'avons dit, leur amitié ; la vie côte à côte leur est impossible. Mais nous nous sommes déjà expliqué à ce sujet. **5.** Dans un pareil cas, doit-on envers l'autre montrer les mêmes dispositions que si l'on n'avait jamais eu d'amitié pour lui ? Ou bien faut-il conserver le souvenir de l'intimité d'autrefois et, de même que nous pensons devoir faire plaisir à nos amis plutôt qu'aux étrangers, faut-il accorder quelque préférence à nos amis de naguère, en raison de cette ancienne amitié, tout au moins dans les cas où une perversité excessive n'a pas été le mobile de la rupture ?

CHAPITRE IV

Les sentiments d'affection entre amis et les caractères distinctifs de l'amitié procèdent, semble-t-il, de l'amour qu'on a pour soi-même. On admet que l'amitié consiste à désirer et à faire, pour son ami même, le bien ou tout au moins ce qui paraît tel. C'est désirer encore que l'ami existe et vive pour lui-même, sentiments qui sont ceux des mères pour leurs enfants et des amis quand ils n'ont que de légers différends. D'autres prétendent que l'amitié consiste à vivre ensemble, à avoir les mêmes goûts, à partager avec l'ami les peines et les joies, tous caractères qui sont encore visibles au plus haut point chez les mères. C'est par quelques-uns de ces traits qu'on définit l'amitié. **2.** Aussi chacun de ces sentiments se trouve-t-il chez l'homme honnête à l'égard de lui-même et chez les autres personnes dans la mesure où elles se regardent comme telles. Car il semble bien, comme nous l'avons dit[302], que la vertu et l'homme vertueux sont la mesure de toutes choses. **3.** Ce dernier vit d'accord avec lui-même et souhaite toujours les mêmes choses — cela de toute son âme. Il désire donc, pour lui-même, ce qui est bien et ce qui lui paraît tel ; il agit en conséquence — son caractère propre consistant à dépenser tous ces efforts pour atteindre le bien — et dans son propre intérêt, nous voulons dire dans l'intérêt de la partie pensante de son être, qui, semble-t-il, constitue chacun de nous. En outre, il veut vivre et se conserver et surtout conserver sa faculté de penser, car pour l'homme vertueux le fait même d'exister est un bien[303]. **4.** Chacun, d'ailleurs, souhaite pour lui-même ce qui est bien et nul ne désire, à supposer en lui un changement, posséder sous cette forme nouvelle tout ce qu'il possédait auparavant. Or l'être qui dès maintenant possède le bien, c'est Dieu, attendu que ce qui le caractérise, c'est d'être immuable. Aussi chacun de nous est-il constitué essentiellement, ou au moins tout particulièrement, par sa faculté de penser. **5.** L'homme que nous venons de définir désire vivre en intimité avec lui-même, puisqu'il y trouve une réelle satisfaction. N'a-t-il pas plaisir, en effet, à se rappeler ses actes passés et l'espérance, en ce qui concerne ses actes à venir, n'est-elle pas conforme au bien, attendu que de pareils sentiments sont pleins d'agrément ? Sa réflexion porte sur mille sujets de contemplation et d'étude et c'est surtout en intimité avec lui-même qu'il éprouve de la douleur et de la joie. Mais ce qui l'afflige ou lui procure du plaisir est toujours identique, loin de changer avec les circonstances diverses. La raison en est que, pour ainsi dire, il est incapable d'éprouver des regrets. Comme tels sont les sentiments dont l'honnête homme est animé envers lui-même ; comme, d'autre part, il est à l'égard de son ami dans les mêmes dispositions qu'à l'égard de sa propre personne — un ami étant un autre nous-même —, l'amitié semble bien posséder quelqu'un de ces caractères et les amis paraissent être ceux en qui on les trouve[304]. **6.** Quant à la question de savoir si l'on peut, ou non, éprouver de l'amitié envers soi-même, laissons-la de côté pour l'instant. Du moins, semble-t-il, chacun peut ressentir de l'amitié à condition que deux ou plusieurs des caractères indiqués plus haut se trouvent réunis ; ajoutons aussi qu'une amitié portée à l'excès est souvent comparée à celle qu'on éprouve envers soi-même. **7.** Les traits que nous venons de souligner paraissent exister en bien des gens, même s'ils ont une nature vicieuse. Est-ce dans la mesure où ils se complaisent en eux-mêmes et s'imaginent être honnêtes qu'ils manifestent quelques-uns de ces traits ? Toujours est-il que ceux qui sont complètement vicieux et scélérats n'en présentent aucun et qu'ils ne peuvent même pas nous faire illusion. **8.** Il en va à peu près ainsi pour tout être vicieux ; les gens de cet acabit sont en désaccord constant avec eux-mêmes ; les impulsions de leurs sens les entraînent d'un côté, leur volonté d'un autre, comme ceux qui manquent d'empire sur eux-mêmes. Au lieu de ce qui leur paraît être le bien, ils poursuivent l'agréable, qui leur est nuisible par surcroît. D'autres, par lâcheté et par paresse, s'abstiennent d'exécuter les actions qu'il jugent les meilleures; d'autres encore, après avoir commis bien des crimes et finissant même par se prendre en horreur pour leur perversité, fuient la vie et se suppriment de leur propre main. **9.** Il arrive également que ces êtres pervers recherchent des personnes avec qui passer leurs jours, mais avant tout ils se fuient : leur mémoire est chargée de trop d'actes abominables et, face à face avec eux-mêmes, ils n'envisagent qu'un avenir semblable, tandis qu'en compagnie d'autres gens ils oublient tout. Comme rien en eux n'est susceptible d'être aimé, ils n'éprouvent pour leur propre personne aucun amour. De pareilles gens, par conséquent, ne peuvent éprouver ni joie ni douleur en union intime avec eux-mêmes : leur âme en effet est un lieu de dissensions; il arrive qu'une partie de leur être souffre par suite de leur perversité, quand elle subit certaines privations, tandis que l'autre éprouve de l'agrément; ils sont entraînés tantôt ici, tantôt là, et pour ainsi dire tiraillés en tous sens. **10.** Comme il est impossible d'éprouver à la fois de la peine et du plaisir, pour eux l'affection suit de si près le plaisir et en découle qu'ils voudraient bien ne pas l'avoir éprouvé. Les méchants ne sont-ils pas accablés de remords? Aussi le méchant paraît-il, même à l'endroit de sa propre personne, n'éprouver aucune sympathie, puisqu'il n'a rien en lui qui soit aimable. Comme un pareil état est le comble du malheur, nous devons de toutes nos forces fuir la perversité et tendre à l'honnêteté. Dans ces conditions l'homme pourra être animé de sentiments amicaux à son propre endroit et devenir un ami pour autrui.

CHAPITRE V

La bienveillance, tout en présentant des analogies avec l'amitié, s'en distingue néanmoins. La première peut s'adresser même à des inconnus et demeurer cachée, au contraire de l'amitié. Sur ce point, nous nous sommes déjà exprimé[305]. Elle n'est pas non plus l'affection, car elle n'implique ni effort, ni élan, tous caractères qui accompagnent l'affection. **2.** Disons encore que cette dernière suppose des relations habituelles, tandis que la bienveillance peut naître même subitement, comme on le voit en ce qui concerne les athlètes. On éprouve pour eux de la bienveillance ; notre volonté s'associe à la leur, sans toutefois nous faire participer à leurs actes, car, ainsi que nous l'avons dit, la bienveillance naît subitement et ne nous fait aimer les êtres que superficiellement. **3.** Aussi semble-t-elle être à l'origine de l'amitié, comme à l'origine de l'amour se trouve le plaisir qui naît de la vue. Nul ne ressent l'amour, en effet, sans avoir été agréablement séduit par la forme extérieure ; toutefois celui qui tire son agrément de la beauté n'est pas pour autant en état d'aimer, il lui faut en outre éprouver le regret de l'absence et le désir de la présence. De même, il s'avère impossible que l'amitié prenne naissance, si elle n'a pas été précédée de la bienveillance ; toutefois les gens bienveillants ne ressentent pas l'amitié pour autant. Ils désirent seulement le bien de ceux à qui s'adresse leur bienveillance, mais ils ne voudraient pas les aider effectivement ni se donner de la peine à leur sujet. Aussi est-ce uniquement par métaphore qu'on peut appeler la bienveillance une amitié inactive ; mais si elle se prolonge dans le temps et si des relations familières s'établissent, elle peut devenir une amitié distincte de celle qui se fonde sur l'utilité ou l'agrément. Ce n'est pas de ces motifs que procède la bienveillance : l'homme qui a reçu un bienfait et qui répond par de la bienveillance aux bons offices, ne fait que se conformer à son devoir ; quant à celui qui désire le bonheur d'autrui dans l'espoir d'en retirer pour son propre compte de nombreux avantages, sa bienveillance porte, semble-t-il, sur sa propre personne bien plus que sur celle d'autrui. De même, on ne doit pas donner le nom d'ami à quiconque, en prodiguant ses attentions, n'a en vue que l'utilité. **4.** En un mot, la bienveillance provient de quelque vertu et de quelque honnêteté ; elle apparaît quand une personne nous semble honnête, ou courageuse, ou douée de qualités de cette sorte, comme il arrive couramment pour les athlètes, ainsi que nous l'avons dit.

CHAPITRE VI

La concorde, elle aussi, paraît être un des aspects de l'amitié ; toutefois il importe de la distinguer de l'identité d'opinion, cette dernière pouvant exister entre personnes qui ne se connaissent pas les unes les autres. Nous ne disons pas non plus que la concorde règne entre gens qui pensent de même sur n'importe quelle question, par exemple sur les phénomènes célestes, car il n'y a rien qui se rapporte à l'amitié dans une pareille identité de pensée. En revanche, on dit que des États présentent des exemples de concorde, quand on y constate une seule et même manière de voir sur les intérêts généraux, quand on y prend les mêmes décisions et qu'on y exécute ce que l'on a jugé bon d'un commun accord. **2.** Ainsi cette identité de sentiments s'exerce dans le domaine de l'action. Encore faut-il noter que les actes à réaliser doivent être importants, susceptibles d'intéresser les deux partis ou la totalité des individus. Par exemple la concorde existe dans les États, quand tous sont d'accord pour accepter les magistratures électives, l'alliance avec les Lacédémoniens ou l'autorité de Pittakos[306], si celui-ci y consentait. Mais quand chacun veut être pour son compte à la tête de l'État, comme il arrive dans les Phéniciennes[307], on voit se produire des dissensions. On ne peut appeler concorde la compétition pour un même objet, quel qu'il soit d'ailleurs, au profit des deux partis ; il faut encore que le sentiment soit identique dans le même moment, par exemple si le peuple et les honnêtes gens sont d'accord pour confier à l'aristocratie le gouvernement de l'État. De la sorte, tous obtiennent ce qu'ils désirent.

La concorde paraît donc être une amitié politique et c'est dans ce sens qu'on emploie le mot. Elle s'exerce dans le domaine des intérêts communs et de la vie en société. **3.** Un accord de cette sorte ne peut exister qu'entre honnêtes gens : ils se trouvent en harmonie non seulement avec eux-mêmes, mais entre eux, puisque, pour ainsi dire, l'objet de leur activité est identique. Les gens de cette sorte sont fermes dans leurs volontés, qui ne sont pas soumises à un mouvement de flux et de reflux, comme les eaux de l'Euripe[308] ; ils veulent le juste et l'utile et c'est à quoi ils tendent et d'un commun accord. **4.** En revanche, cette concorde ne peut exister entre gens malhonnêtes, à tout le moins ne peut-elle être que très réduite. Ne leur est-il pas difficile d'être unis d'amitié ? Pour ce qui est de leurs propres avantages, ils cherchent à l'emporter sur les autres ; mais, en ce qui concerne les tâches difficiles et les charges publiques[309], ils se laissent volontiers distancer. Et quand chacun poursuit son intérêt personnel, on en arrive à exercer sur le voisin une véritable inquisition et à lui barrer la route. Comme on ne veille pas aux intérêts de l'État, celui-ci dépérit. Il en résulte des conflits entre citoyens, car on veut user de contrainte les uns à l'égard des autres, tout en se refusant personnellement à exécuter ce qui est juste.

CHAPITRE VII

Les bienfaiteurs aiment plus vivement, semble-t-il, leurs obligés, que ceux-ci n'aiment ceux qui leur ont fait du bien. Il y a là comme une offense à la raison qui mérite l'examen. La plupart des gens paraissent tirer l'explication du fait que les uns ont une dette à acquitter, les autres une dette à recouvrer ; il en irait donc comme dans les prêts à intérêt, où les débiteurs souhaitent la mort de leurs créditeurs, les créanciers de leur côté se préoccupant avec soin du salut de leurs débiteurs. Ainsi les bienfaiteurs désireraient de même que vécussent leurs obligés, dans l'espoir de recouvrer un jour la récompense de leurs bienfaits ; les obligés au contraire ne se soucieraient pas de payer les autres de retour. Peut-être Epicharme[310] soutiendrait-il que s'exprimer de la sorte, c'est voir l'homme sous un mauvais angle. Toutefois il n'y a rien là qui contredise à l'humaine nature, la plupart des gens oubliant volontiers les bienfaits et aimant mieux en recevoir qu'en rendre. **2.** Mais la cause de ce fait peut bien paraître plus naturelle et différer de l'explication qu'on donne pour ceux qui ont prêté de l'argent à intérêt. Ceux-ci n'ont pas d'affection pour leurs débiteurs et ne veulent leur salut qu'en vue de recouvrer leur argent. Par contre les bienfaiteurs aiment leurs obligés et s'attachent à eux, même si dans le présent ces derniers ne leur sont d'aucune utilité et ne doivent pas l'être dans l'avenir. **3.** Ces sentiments ne sont pas inconnus aux artistes : tous aiment leur œuvre plus qu'ils ne seraient aimés d'elle si, d'inanimée qu'elle est, elle prenait vie. Les poètes, tout particulièrement, sont animés des mêmes sentiments ; ils aiment à l'excès leurs poèmes et les chérissent comme de véritables enfants. **4.** L'attitude des bienfaiteurs n'est pas sans analogie avec la leur. L'objet de leurs bienfaits est leur œuvre propre ; ils l'aiment plus que la création n'aime le créateur. En voici la raison : tous trouvent désirable et aimable le fait même d'exister ; or notre existence ne se manifeste que par la force en acte, c'est-à-dire par la vie et l'action. Par la force en acte, celui qui crée quelque chose existe de quelque manière. Il aime donc son œuvre puisqu'il aime l'existence même, conséquence bien naturelle, puisque ce qui est en puissance se révèle dans l'acte par la force qui se déploie. **5.** En même temps, le bienfaiteur trouve beau ce qui lui permet d'agir ainsi ; il se complaît à ce qui lui en donne l'occasion. Par contre, l'obligé ne trouve rien de beau dans l'acte du bienfaiteur, mais seulement de l'utile — ce qui provoque moins d'agrément et de sympathie. **6.** Or nous tirons de l'agrément de la force qui se déploie dans le présent, de l'espérance qui envisage l'avenir, du souvenir qui porte sur le passé. Toutefois notre agrément le plus vif provient de la force en acte[311] ; il y a là quelque chose qui nous plaît tout particulièrement. Pour le bienfaiteur son œuvre subsiste, car ce qui est bien est durable, tandis que pour l'obligé l'utilité disparaît rapidement. Ajoutons encore que le souvenir de nos belles actions est agréable, alors que le souvenir des actions utiles ne l'est pas du tout, ou l'est beaucoup moins ; il en va tout autrement, semble-t-il, en ce qui concerne l'attente. Disons encore que l'affection qu'on accorde ressemble à un état de création, l'affection qui nous est témoignée à un état passif. Aussi les gens qui montrent leur supériorité dans l'ordre de l'action manifestent-ils tout naturellement de l'amitié et les traits qui caractérisent celle-ci. **7.** Il faut ajouter aussi que tout le monde aime davantage ce qui a coûté beaucoup de peine ; par exemple ceux qui ont fait eux-mêmes leur fortune y tiennent plus que ceux qui l'ont reçue par héritage. Par conséquent recevoir un bienfait ne semble comporter aucune difficulté, alors qu'obliger implique de l'effort. Raison pour laquelle les mères aiment leurs enfants plus que les pères ; elles ont souffert davantage pour leur donner la vie et elles ont une conscience plus nette qu'ils leur appartiennent, sentiment qui semble également caractériser proprement les bienfaiteurs.

CHAPITRE VIII

Encore une question embarrassante : doit-on, dans l'ordre de l'affection, se mettre au premier plan ou y mettre une autre personne ? On blâme les gens qui ont pour eux-mêmes une dilection toute particulière et on les appelle généralement égoïstes, en manière de blâme. Le méchant paraît être celui qui, en toutes circonstances, agit dans son propre intérêt, et cela d'autant plus que sa nature est plus vicieuse. On lui reproche donc, par exemple, de n'avoir en vue que lui-même. L'honnête homme au contraire n'agit que pour le bien ; plus sa perfection est grande, plus ce mobile est impérieux ; il agit également dans l'intérêt de son ami, négligeant le sien propre. **2.** Toutefois, les faits contredisent cette assertion – et à juste titre. Car ne dit-on pas qu'il faut montrer la plus vive amitié à celui qui est votre meilleur ami ? Or celui qui mérite ce nom est celui qui désire, pour son ami même, les biens qu'il lui souhaite, dût personne n'en rien savoir. Ces caractères, il les a en lui-même, par rapport à lui-même, ainsi que tous les traits qui définissent l'amitié. N'avons-nous pas déjà dit[312] que toutes les marques de l'amitié procèdent de l'homme lui-même et se répandent sur les autres hommes ? Ce que confirment tous les proverbes, témoin celui-ci : « Les amis n'ont qu'une seule âme », et cet autre : « Entre amis, tout est commun », enfin : « Amitié, c'est égalité », et encore : « Le genou est plus près que la jambe[313]. » Toutes ces façons de parler s'appliquent à l'individu par rapport à lui-même, car chacun est particulièrement ami de sa propre personne. Il en résulte que chacun semble devoir s'aimer particulièrement lui-même. On se trouve tout naturellement dans l'embarras sur l'opinion à adopter, attendu que chacune de celles que nous venons d'exprimer comporte un certain degré de vraisemblance. **3.** Aussi convient-il peut-être de distinguer et de préciser dans quelle mesure et comment ces paroles expriment la vérité. Si nous saisissons la manière dont, des deux côtés, on entend l'égoïsme, la question s'éclaircira rapidement. **4.** Les uns, avec une nuance de réprobation, appellent égoïstes ceux qui s'attribuent toujours, tant au point de vue de l'argent que des honneurs et des plaisirs du corps, la part la plus grande. N'est-ce pas à quoi tendent la plupart des hommes, qui recherchent avec avidité ces biens, qu'ils jugent les meilleurs ? De fait, on combat avec acharnement pour se les procurer. Ceux-là donc qui s'en montrent particulièrement avides ont une vive complaisance pour leurs désirs, pour leurs passions en général et pour la partie de leur âme qui est privée de raison. Comme ils composent la majorité de l'humanité, et du fait que cette humanité est vicieuse, on a employé dans un sens défavorable ce mot d'égoïsme. Effectivement, on a raison de blâmer cette forme d'égoïsme. **5.** Que communément on appelle égoïstes ceux qui d'ordinaire s'attribuent les biens indiqués plus haut, il n'y a rien que de naturel ; personne, en effet, ne voudrait qualifier d'égoïsme ni blâmer l'homme qui, par-dessus tout, fait effort pour pratiquer la justice ou la tempérance, ou pour se conformer en tout aux différentes vertus, bref celui qui toujours s'empresse pour lui-même de se conformer au bien. **6.** Pourtant un homme de cette trempe peut sembler particulièrement égoïste. Ne s'attribue-t-il pas la plus belle part, les biens les plus élevés ? Ne se complaît-il pas dans la partie la plus haute de lui-même et ne lui obéit-il pas en toutes circonstances ? Or un État et toute espèce de système organisé semblent essentiellement constitués par la partie maîtresse d'eux-mêmes ; il en va de même pour l'homme. Par conséquent, l'homme le plus égoïste est celui qui aime cette partie élevée de lui-même et ne cherche qu'à s'y complaire. De fait, on dit qu'un homme possède ou non de la maîtrise de soi-même, selon qu'il laisse régner ou non en lui la pensée, comme si chacun de nous s'identifiait essentiellement avec sa pensée. Il semble également que notre action est d'autant plus personnelle et volontaire qu'elle s'accorde mieux avec la raison. Le fait que chacun de nous s'identifie essentiellement, ou au suprême degré, avec sa pensée n'est pas discutable ; il est aussi évident que tout honnête homme la chérit particulièrement. Aussi l'être qui serait le plus exactement désigné par ce mot d'égoïste est-il fort dissemblable de celui qui, nous l'avons vu, encourt le blâme ; il en diffère tout autant qu'une vie conforme à la raison diffère d'une vie soumise à la passion[314], ou, pour employer une autre comparaison, que la poursuite du bien est différente de la poursuite de ce qui a simplement l'apparence de l'utilité. **7.** Aussi ces gens, qui mettent tous leurs efforts à réaliser de belles actions, obtiennent-ils des approbations et des éloges unanimes. Si tous rivalisaient en vue du bien et étaient toujours tendus pour le réaliser parfaitement, la communauté ne pourrait manquer d'en retirer les avantages convenables et chacun en particulier bénéficierait des plus grands biens, du moment que c'est là le propre effet de la vertu. Aussi faut-il que l'homme de bien aime sa propre personne : en agissant bien, il tirera profit pour lui-même de sa conduite et rendra service aux autres. Par contre, il ne faut pas que le méchant aime sa propre personne ; ce faisant, il se nuirait à lui-même, ainsi qu'aux autres, en suivant ses passions vicieuses. **8.** Chez le méchant, il y a donc désaccord entre ce qu'il lui faudrait faire et ce qu'il fait. Par contre, l'homme vertueux ne peut manquer de faire ce qu'il faut. Toute pensée, en effet, choisit le parti le meilleur pour elle-même et l'homme vertueux n'obéit-il pas à la pensée ? **9.** Il est rigoureusement vrai aussi de dire qu'il agit en maintes circonstances dans l'intérêt de ses amis et de sa patrie et que, s'il le faut, il leur sacrifie sa vie. Il ne manquera pas non plus de renoncer aux richesses, aux honneurs, et en un mot à tous ces biens si vivement convoités, en se procurant par ce sacrifice le mérite de bien faire. Il aime mieux, en effet, éprouver un court et violent plaisir qu'un plaisir durable, mais faible[315] ; il aime mieux vivre glorieusement une année que bien des années sans éclat ; une belle action noble et grande lui paraît préférable à une foule d'actions insignifiantes. Sans aucun doute, c'est là ce qui arrive à ceux qui font le sacrifice de leur vie : ils choisissent pour eux la part la plus belle. Ajoutons que l'homme vertueux est capable d'abandonner à ses amis les richesses, afin qu'ils en reçoivent la plus grande part ; à eux l'argent, à lui l'honneur. **10.** Il n'agit pas différemment en ce qui concerne les honneurs et les charges ; il les abandonnera entièrement à ses amis ; ce geste même est, à ses propres yeux, beau et louable. On a ainsi raison de le juger honnête homme puisqu'à tout il préfère l'honnête. Enfin il lui arrive même de laisser un ami agir à sa place, pour la raison qu'il est plus honorable de lui fournir cette occasion d'agir que d'agir en personne. **11.** Bref, dans toutes les circonstances où l'on peut obtenir des éloges, l'honnête homme paraît s'attribuer la plus grande partie de l'honnête. C'est donc de cette manière qu'il faut entendre l'égoïsme, comme nous l'avons dit, mais non de la manière dont le comprend le vulgaire.

CHAPITRE IX

Encore une question débattue à propos de l'homme heureux : lui faudra-t-il ou non des amis ? On prétend que les gens comblés et qui sont totalement indépendants n'en ont pas besoin le moins du monde. Tous les biens ne sont-ils pas sous leur main ? On en conclut que leur indépendance ne leur laisse aucun besoin, tandis que l'ami, étant un autre nous-même, nous procure ce que nous ne pouvons obtenir par nous seuls. D'où l'expression connue :

Lorsque nous sommes comblés par la divinité,
à quoi bon les amis[316] ?

2. Il semble étrange toutefois que, si on accorde à l'homme heureux tous les biens, on lui refuse les amis, ceux-ci constituant, semble-t-il, le plus grand de tous les biens extérieurs. Si le propre de l'amitié est plutôt de faire le bien que d'en bénéficier ; si la bienfaisance caractérise l'homme de bien et la vertu ; s'il y a honneur plus grand à combler de bienfaits des amis que des étrangers, il en résulte que l'honnête homme aura besoin d'êtres sur qui il accumulera ses dons. Pour la même raison, on se pose encore cette question : est-ce dans le bonheur ou dans le malheur que nous avons surtout besoin d'amis ? Ne dit-on pas que le malheureux réclame des êtres susceptibles de le soulager, et les gens heureux des êtres susceptibles de recevoir leurs bienfaits ? **3.** Sans aucun doute, il est absurde de vouloir faire de l'homme heureux un solitaire. Personne ne voudrait accepter de disposer pour soi seul de tous les biens. L'homme, en effet, est un être politique[317] et fait naturellement pour la vie en société. Cette qualité d'ailleurs s'applique à l'homme heureux, puisqu'il possède tous les biens de la nature. Disons encore qu'il vaut mieux vivre en communion avec des amis et des gens de bien qu'avec des étrangers ou avec les premiers venus. Ainsi il faut des amis à l'homme vertueux. **4.** Que veut donc dire la première affirmation[318] et comment s'accorde-t-elle avec la vérité ? Est-ce parce que la foule s'imagine que ceux-là seuls qui nous sont utiles sont nos amis ? Mais l'homme parfaitement heureux n'aura pas besoin d'amis de cette sorte, puisqu'il est comblé de biens ; il n'aura pas besoin non plus, ou très peu, de tenir compte des amitiés fondées sur le plaisir car sa vie étant agréable par elle-même peut se passer de plaisir venu du dehors. Du fait qu'il n'a pas besoin de pareils amis, on en conclut, semble-t-il, qu'il ne lui faut pas d'amis en général. **5.** Mais dans cette assertion, rien ne répond à la vérité. Nous avons dit, en effet, au début[319], que le bonheur est une sorte d'activité en acte ; il est évident qu'une force de cette nature naît et se développe, et qu'elle n'est pas en nous à notre disposition comme un bien acquis une fois pour toutes. Si donc le bonheur réside dans le fait de vivre et d'agir ; si l'activité déployée par l'homme de bien est par elle-même bonne et agréable, comme nous l'avons dit en commençant ; si, par ailleurs, ce qui nous appartient en propre comporte de l'agrément ; si enfin nous sommes plus susceptibles de réfléchir sur autrui que sur nous-mêmes, et sur les actions des autres mieux que sur les nôtres, il en résulte nécessairement que les actions des honnêtes gens qui sont leurs amis seront agréables aux gens de bien, puisque des deux côtés on dispose de ce qui est naturellement agréable. Par conséquent l'homme heureux aura besoin d'amis de cette sorte, puisqu'il veut contempler des actions honnêtes et propres à sa nature. Or tel est bien le caractère des actions chez l'honnête homme qui est, par surcroît, notre ami. En outre, on admet que l'homme heureux doit vivre agréablement. Pour quiconque vit en solitaire, l'existence est pénible ; on éprouve de la difficulté à déployer une activité incessante par rapport à soi seul ; avec d'autres et à l'égard des autres, on y parvient plus aisément. **6.** Dans ces conditions on pourra exercer d'une façon plus continue cette activité qui, par elle-même, offre de l'agrément ; c'est là précisément ce qui convient à l'homme vertueux. L'honnête homme, en effet, dans la mesure où il est honnête, se complaît aux actes conformes à la vertu, tandis qu'il s'irrite de ceux qui procèdent de la méchanceté, pareil en cela au musicien qui tire son plaisir d'une bonne musique, tands que la mauvaise lui cause de la peine. **7.** Par ailleurs, la fréquentation des gens de bien peut aider à la pratique de la vertu, comme Théognis[320] le dit lui aussi. Quant à ceux qui, dans leurs recherches, invoquent des explications tirées plus précisément de la nature, il leur semble que c'est la nature même qui pousse l'homme de bien à rechercher l'homme de bien pour ami. Nous l'avons dit, en effet ; ce qui est bon par nature est de soi-même bon et agréable pour l'homme de bien[321]. Or ne définit-on pas la vie chez l'animal par la faculté de sentir, et chez l'homme par la faculté de sentir et de penser ? Cette faculté tend à se manifester en acte et ce déploiement d'activité constitue la partie maîtresse de nous-mêmes. En conséquence la vie semble essentiellement constituée par cette capacité de sentir et de penser. Et vivre appartient à la catégorie des états bons et agréables par eux-mêmes ; c'est un état limité et ce qui a des limites précises appartient à la nature du bien. Nous en concluons que ce qui est bon par nature se trouve être bon pour l'homme vertueux. Raison qui fait que vivre paraît à tous agréable. **8.** Bien entendu nous ne voulons pas parler ici d'une vie dépravée, corrompue, accablée de peines ; une telle existence ne comporte pas de limites précises, non plus que les événements qui s'y produisent. Cette affirmation paraîtra plus claire dans nos développements postérieurs sur la douleur[322]. **9.** Si donc le fait de vivre est par lui-même un bien, il comporte aussi de l'agrément, constatation qui semble résulter du désir de vivre que montrent tous les hommes et particulièrement les honnêtes gens et les gens heureux. Leur vie n'est-elle pas particulièrement désirable et leur existence n'atteint-elle pas au comble du bonheur ? En outre, celui qui voit sent qu'il voit ; celui qui entend sent qu'il entend, celui qui marche sent qu'il marche, et il en va de même dans tous les autres cas ; il y a en nous un je ne sais quoi qui sent que nous déployons notre force ; aussi pouvons-nous sentir que nous sentons, et de même penser que nous pensons ; or du fait même que nous sentons ou pensons, nous existons — car, nous l'avons dit, exister c'est sentir ou penser. Enfin sentir qu'on vit est agréable par soi-même — la vie étant un bien par nature et s'apercevoir du bien qui existe en nous étant un plaisir. L'existence est donc désirable tout particulièrement pour les hommes vertueux, puisque pour eux être est un bien et un plaisir et que, ayant conscience de ce bien en soi, ils éprouvent un vif agrément. **10.** Les dispositions que l'homme vertueux a pour lui-même, il les montre également à l'endroit de son ami, puisque celui-ci est un autre lui-même. Dans la mesure où chacun désire la vie pour son propre compte, il en fait autant pour son ami ou à peu de chose près. Mais n'avons-nous pas dit que l'existence était souhaitable par le sentiment qu'on avait de sa propre valeur morale, sentiment qui est en lui-même agréable ? Il en résulte donc qu'il faut aussi avoir le sentiment de l'existence de son ami, ce qui se produit généralement quand on vit en intimité avec lui et qu'on échange paroles et réflexions. Voilà, en effet, comme il semble qu'on doit définir la société humaine, qui est sans analogie avec la société des animaux, celle-ci ne consistant qu'à partager le même pâturage. Si donc l'homme heureux souhaite l'existence en elle-même attendu qu'elle est naturellement un bien et un agrément ; s'il en va à peu de chose près de même pour l'existence de son ami, à coup sûr il doit souhaiter d'avoir un ami. Or ce qu'on souhaite pour soi-même, il faut le posséder, faute de quoi on éprouve une privation. Nous en concluons donc qu'il faudra à l'homme heureux des amis qui soient gens de bien.

CHAPITRE X

Faut-il se faire des amis aussi nombreux que possible ? Ou bien la formule si juste qui s'applique aux gens unis par les liens de l'hospitalité :

Il ne faut pas avoir beaucoup d'hôtes,
il ne faut pas toutefois en être dépourvu[323]

vaudra-t-elle aussi pour l'amitié ? Devons-nous nous garder de ne pas avoir d'amis et aussi d'éviter d'en posséder en nombre exagéré ? **2.** La parole que nous venons de citer peut, semble-t-il, s'appliquer exactement aux amitiés fondées sur l'utilité, car il est difficile, quand on est nombreux, de se rendre des services réciproques et notre vie ne suffirait pas pour remplir cette obligation. Un nombre d'amis plus élevé que ne le comportent les nécessités de notre existence propre serait excessif et gênerait le cours d'une existence bien ordonnée ; il n'en faut donc pas tant. Par ailleurs, en ce qui concerne l'amitié fondée sur le plaisir, peu d'amis suffisent, de même que dans les aliments il faut peu de condiments. **3.** Mais il s'agit de savoir si on doit admettre en grand nombre les amis quand ils sont vertueux, ou s'il faut limiter ce nombre, comme celui des citoyens dans l'État. Un État ne pourrait exister par la réunion de dix hommes, mais cent mille hommes non plus ne sauraient constituer un État[324]. D'ailleurs il est impossible de fixer un nombre précis ; il faut se contenter d'admettre en général ce qui est compris entre certaines limites. En ce qui concerne les amis, leur nombre est limité; pris au maximum il correspond à celui des gens avec qui on peut vivre en intimité puisque, ainsi que nous avons cru le distinguer, cette intimité est ce qui caractérise le mieux l'amitié. **4.** Quant au fait qu'on n'y peut admettre une foule de gens, la chose va de soi. Ajoutons encore qu'il est indispensable que nos amis soient liés d'amitié entre eux, attendu qu'ils doivent tous se fréquenter assidûment – condition difficile à réaliser s'ils sont nombreux. **5.** Du reste, la difficulté s'avère grande de partager comme il convient les joies et les peines de beaucoup d'amis. Il arrivera naturellement qu'il faudra, en même temps, se réjouir avec l'un et s'affliger avec un autre. Il convient donc à coup sûr de ne pas vouloir posséder des amis en nombre illimité et de se borner à ceux-là seuls qui sont propres à vivre en intimité avec nous. Il ne semble même pas qu'on puisse être pour beaucoup un ami au sens plein du mot pour la raison qui fait qu'on ne peut aimer plusieurs êtres. Aussi l'amour, qui entend être, pour ainsi dire, une affection poussée à son suprême degré, ne s'adresse-t-il qu'à un seul être. Par conséquent des sentiments très vifs ne peuvent porter que sur un petit nombre de personnes. **6.** Les faits eux aussi semblent confirmer ce que nous venons de dire. Peu nombreux sont ceux qu'unit l'amitié naissant de la camaraderie. Les amitiés qu'on célèbre d'ordinaire[325] n'existent qu'entre deux êtres. Ceux qui prodiguent leur amitié et se comportent familièrement avec tous ne passent aux yeux de personne pour de véritables amis, sauf si l'on se place au point de vue de la vie sociale. De ces gens-là on dit qu'ils sont soucieux de plaire. Assurément, au point de vue de la société, on peut avoir beaucoup d'amis, sans montrer pour autant le souci de plaire et tout en demeurant véritablement honnête homme. Mais en se plaçant au point de vue de la vertu et si on les aime pour elles-mêmes, on ne peut témoigner de l'amitié à beaucoup de personnes; il faut même se déclarer heureux si on en trouve, ne fût-ce que quelques-unes, qui méritent de pareils sentiments.

CHAPITRE XI

Est-ce dans les circonstances heureuses ou malheureuses qu'on a particulièrement besoin d'amis ? On les recherche dans un cas comme dans l'autre. D'un côté, les infortunés ont besoin d'assistance ; de l'autre, les heureux demandent des gens avec qui vivre intimement et à qui faire du bien ; leur désir n'est-il pas de répandre leurs bienfaits ? Dans le malheur, les amis satisfont plus à un besoin, puisqu'il faut à ce moment des amis utiles. Mais il est plus honorable d'en avoir dans le bonheur. Aussi recherche-t-on l'amitié des honnêtes gens, attendu que c'est à eux qu'on doit souhaiter particulièrement faire du bien et avec eux qu'il faut désirer vivre. **2.** Effectivement la présence des amis par elle-même est agréable, aussi bien dans le bonheur que dans le malheur. Dans l'affliction, on éprouve un soulagement grâce à la compassion de ses amis. Aussi est-on en droit de se demander si cet adoucissement provient de ce que nos amis se chargent d'une partie du poids qui nous accable pour ainsi dire, ou dans la négative si c'est leur présence agréable par elle-même et la conviction qu'ils compatissent à nos peines qui rendent moins vif notre chagrin. Que cet allégement de notre douleur ait là ou ailleurs son explication, peu importe pour l'instant. Mais ce qu'on en dit communément paraît confirmé par l'expérience. **3.** La présence à nos côtés de nos amis provoque des sentiments assez complexes, semble-t-il. Leur vue seule est par elle-même agréable, surtout pour un infortuné, et nous y trouvons une aide contre la souffrance. Un ami n'est-il pas, tout au moins quand il est adroit, une source de consolation, tant par sa présence que par ses paroles ? Il connaît, en effet, le caractère de son ami, ce qui lui plaît et ce qui l'afflige. **4.** En revanche, il est pénible de sentir un ami partageant douloureusement nos propres infortunes, puisque tout ami évite d'être pour ses amis une cause de chagrin. Aussi les hommes naturellement courageux se gardent-ils de donner à leurs amis des occasions de compassion et, à moins d'être d'une insensibilité excessive, on ne supporte pas volontiers de leur causer du chagrin. En un mot, un homme de cette trempe n'admet pas dans sa société ces faiseurs de lamentations en commun, n'étant pas lui-même porté à se lamenter. Par contre, les femmelettes et les hommes qui leur ressemblent recherchent avec plaisir des gens qui prennent part à leurs gémissements; ils les chérissent en tant qu'amis et associés de leurs propres souffrances. Or il est évident qu'en tout, c'est le meilleur qu'il faut imiter. **5.** D'autre part, la présence de nos amis dans le bonheur nous cause non seulement une agréable impression, elle nous donne aussi l'idée satisfaisante qu'ils se réjouissent de notre prospérité. Aussi semble-t-il qu'il faut appeler hardiment nos amis au moment de nos succès, puisqu'il est beau de rendre des services; par contre il ne faut les appeler qu'avec hésitation dans nos insuccès, puisqu'on doit éviter le plus possible de les faire participer à nos maux. D'où l'expression :

Il suffit que je sois seul à être malheureux[326].

Enfin, il faut surtout les appeler quand, au prix d'un léger désagrément, ils peuvent nous rendre un grand service. **6.** Pour aller à eux, il sied certainement d'adopter une marche inverse : il faut de nous-mêmes et sans attendre d'être appelés aller auprès d'eux quand ils sont dans le malheur. Un ami ne se doit-il pas de rendre service, principalement quand ses amis sont dans le besoin, et même quand il n'est pas sollicité de le faire? Cet empressement est plus honorable et plus agréable des deux côtés. Il faut donc avec ardeur travailler au salut de nos amis, car c'est à cela que sert l'amitié. En revanche, mettons peu d'empressement à obtenir leurs bons offices : un désir trop vif de se servir d'eux n'a rien d'honorable. Toutefois il faut, sans aucun doute, éviter de mériter le reproche de rudesse en repoussant leurs services; on tombe parfois dans ce défaut. Ainsi la présence de nos amis paraît souhaitable en toutes circonstances.

CHAPITRE XII

Pour l'amitié la vie commune est-elle désirable? Peut-on à ce point de vue comparer l'amitié à l'amour, où la vue de l'objet aimé comble d'aise l'amant et où l'on préfère cette sensation à toutes les autres, parce qu'elle est particulièrement propre à susciter et à faire naître ce sentiment? L'amitié est une sorte d'association. Les dispositions qu'on entretient à l'égard de soi-même, on les montre à l'égard de l'ami. Or, en ce qui nous concerne personnellement, la sensation de notre existence est désirable; elle l'est aussi par rapport à l'ami. Comme elle ne se manifeste en acte que dans la vie commune, tout naturellement les amis y aspirent. **2.** En outre, toutes les circonstances où nous éprouvons le sentiment de notre existence et où nous connaissons les raisons qui nous font souhaiter de vivre, nous voulons les partager avec nos amis en vivant avec eux. Aussi les uns se réunissent-ils pour boire, les autres pour jouer aux dés, d'autres pour s'exercer à la gymnastique, d'autres enfin pour chasser ou pour philosopher de compagnie. Tous les hommes passent leur temps à leur occupation préférée. Comme ils veulent vivre en intimité avec leurs amis, ils se livrent et participent à ce qu'ils estiment être l'agrément de la vie en commun, **3.** De là vient que l'amitié des méchants est une source de perversité. Tout en étant inconstants, ils ne participent qu'à de méchantes occupations et se corrompent en devenant semblables les uns aux autres. Mais l'amitié des gens vertueux est imprégnée de vertu et elle se développe de jour en jour par leurs fréquentations. Ils s'améliorent aussi, semble-t-il, à force de déployer leur activité et en se corrigeant réciproquement. On se modèle les uns les autres sur les points où on se complaît. D'où l'expression :

Des honnêtes gens on ne tire rien que d'honnête[327].

LIVRE X

[Le plaisir et le vrai bonheur.]

CHAPITRE PREMIER

En voilà assez sur l'amitié. C'est le traité sur le plaisir[328] qui doit suivre maintenant[329]... Car le plaisir semble être absolument consubstantiel à notre espèce ; aussi l'éducation des jeunes gens utilise-t-elle pour les gouverner le plaisir et la peine. Ajoutons qu'il y a, semble-t-il, une importance considérable, au point de vue de la vertu morale, à tirer son plaisir des choses qui le méritent et à détester ce qu'on doit détester. Ces dispositions subsistent pendant tout le cours de la vie et sont d'un grand poids et d'une grande influence relativement à la vertu et au bonheur, puisqu'en général on préfère ce qui est agréable et qu'on fuit ce qui est pénible. **2.** Aussi ne doit-on pas, à ce qu'il semble, passer sous silence un pareil sujet, d'autant plus qu'il provoque beaucoup de discussions. Les uns, en effet, identifient le plaisir avec le bien[330] ; les autres, au contraire, soutiennent qu'il est absolument mauvais[331], quelques-uns de ceux-ci convaincus qu'il en est ainsi, certains estimant qu'il est préférable pour la vie humaine de ranger le plaisir parmi les choses mauvaises, même si les faits vont à l'encontre de cette assertion. Sous prétexte que la foule est entraînée vers le plaisir et asservie aux diverses formes qu'il affecte, ils estiment qu'il faut la pousser en sens contraire et qu'ainsi elle parviendra au juste milieu. **3.** J'ai bien peur qu'on n'ait pas raison de parler ainsi. Car, en fait de sentiments et d'actions, les discours inspirent moins de confiance que les actes. Quand ils sont en désaccord avec ce qui tombe sous les sens, on n'en tient aucun compte et ils contribuent, en outre, à ruiner la vérité. Si un jour on voit ce contempteur du plaisir en poursuivre quelques-uns, on est tenté de se dire qu'il les recherche, parce que tous sont également désirables, car la multitude est peu apte à faire les distinctions nécessaires. **4.** Il semble donc que les paroles véridiques ont une utilité capitale, non seulement pour le savoir, mais aussi pour la vie courante ; quand elles sont d'accord avec les faits, elles inspirent de la confiance et disposent ceux qui les comprennent à les prendre comme règles de vie. Mais en voilà suffisamment sur ce sujet. Examinons maintenant les opinions exprimées sur le plaisir.

CHAPITRE II

Eudoxe identifiait donc le plaisir avec le bien, en se basant sur la constatation que tous les êtres, qu'ils soient ou non doués de raison, le recherchent. Or, en toutes circonstances, ce qu'on préfère est ce qui convient et ce qu'on désire le plus est ce qu'il y a de meilleur. Cette inclination générale vers le même objet signifie que cet objet est pour tous le bien suprême — chacun ne trouve-t-il pas le bien qui lui est propre, comme il découvre la nourriture qui lui convient ? Donc ce qui est un bien pour tous, ce que tous convoitent ne peut manquer d'être le bien par excellence. Ces paroles d'Eudoxe inspiraient confiance, en raison de la vertu morale de leur auteur plus que pour leur valeur propre. Aux yeux de tous il passait pour un homme d'une tempérance extraordinaire ; aussi ses paroles semblaient-elles n'exprimer aucune propension au plaisir, mais correspondre exactement à la réalité. **2.** L'évidence de son affirmation était, à son avis, confirmée par l'argument du contraire[332] : Si la douleur est à fuir pour tous les êtres, son contraire est à rechercher par tous. Or ce qu'on préfère par-dessus tout, c'est ce qu'on ne recherche pas pour autre chose ou en vue d'une autre chose. Or, du consentement général, tel est bien le caractère du plaisir. Nul, en effet, ne se demande en vue de quoi il éprouve du plaisir, car on a l'impression que le plaisir est en lui-même désirable. Enfin, venant s'ajouter à un bien, quel qu'il soit, par exemple à une conduite juste et tempérante, le plaisir rend ce bien plus désirable encore, or le bien s'accroît par le bien. **3.** Sans doute ce raisonnement semble démontrer que le plaisir appartient à l'ordre des biens, mais non pas qu'il est supérieur à tout autre bien. Tout bien à quoi vient s'ajouter un autre bien mérite davantage qu'on le recherche que si on l'envisage seul. Le même argument sert précisément à Platon[333] lui aussi pour contester l'identité du plaisir et du bien, puisqu'une vie agréable à laquelle vient s'ajouter la sagesse est préférable à une vie qui en est dépourvue. Si donc ce composé a plus de valeur, c'est que le plaisir et le bien sont différents. Car le bien ne peut devenir préférable par l'adjonction de quoi que ce soit. Il est évident qu'aucune autre chose ne saurait être le bien, s'il suffisait de lui ajouter quoi que ce fût pour la rendre plus désirable. **4.** Quelle est donc cette chose à laquelle nous avons part, puisque c'est un bien de cette sorte que nous recherchons ?

Je crains fort que ceux qui refusent de voir un bien dans ce qui est l'objet de notre désir à tous ne veuillent rien dire du tout. Car ce qui est admis par le consentement universel est, selon nous, la réalité même ; et rejeter cette croyance générale, c'est s'exposer à trouver difficilement plus de crédit. Si les seuls êtres dépourvus de pensée tendaient vers le plaisir, ce qu'on affirme aurait quelque sens ; mais du moment que les êtres doués de réflexion en font autant, comment les arguments invoqués pourraient-ils avoir quelque valeur ? Peut-être y a-t-il aussi, même chez les êtres inférieurs, quelque qualité naturelle, plus forte qu'ils ne sont par eux-mêmes, qui les pousse vers ce qui est le bien propre de leur espèce. **5.** La manière des adversaires d'Eudoxe de riposter à l'argument du contraire ne semble pas non plus satisfaisante. Ils déclarent en effet : de ce que la douleur est un mal, il ne s'ensuit pas que le plaisir soit un bien ; le mal peut, disent-ils, s'opposer à un mal et le bien et le mal à quelque chose qui ne soit ni un bien ni un mal. En quoi ils n'ont pas tort ; néanmoins, dans le cas des affirmations d'Eudoxe, ils ne sont pas d'accord avec la vérité ; car, si le plaisir et la douleur sont également des maux, il faut les fuir l'un et l'autre ; dans le cas contraire, il ne faut les fuir ni l'un ni l'autre, ou également. En fait, l'homme fuit la douleur comme un mal et recherche le plaisir comme un bien, ils s'opposent donc l'un à l'autre.

CHAPITRE III

Le fait que le plaisir n'est pas du nombre des qualités n'implique pas qu'il n'appartienne pas au nombre des biens. Car les différentes formes de la vertu en action ne sont pas des qualités, non plus que le bonheur. **2.** On dit encore que le bien[334] est quelque chose de fini, tandis que le plaisir est indéfini puisqu'il admet le plus et le moins. Si l'on juge ainsi d'après les différences du plaisir selon les individus, ou pourra en dire autant de la justice et des autres vertus, car ne dit-on pas avec raison que tels ou tels hommes sont plus ou moins bien disposés relativement à ces vertus et que, par rapport à elles, ils agissent plus ou moins bien ? Effectivement il en est de plus justes et de plus courageux que d'autres et la pratique de la justice et de la tempérance comporte du plus et du moins. Mais si l'affirmation porte sur la nature des plaisirs, j'ai bien peur qu'elle ne remonte pas à la cause véritable, s'il est vrai qu'il y a des plaisirs purs et d'autres qui sont mêlés. **3.** Qui empêche que le plaisir admette le plus et le moins et ressemble ainsi à la santé, qui, tout en étant définie, comporte des degrés ?

Cette dernière ne présente pas chez tous les individus le même équilibre, pas plus qu'elle n'est identique dans la même personne ; même lorsqu'elle se relâche, elle subsiste jusqu'à un certain point et elle est susceptible de plus et de moins. Rien n'empêche qu'il en soit ainsi en ce qui concerne le plaisir. **4.** On admet aussi que le bien est quelque chose d'achevé, tandis que le mouvement et la génération[335] dans leurs différentes formes présentent un caractère d'inachèvement, et l'on s'efforce de montrer que le plaisir est mouvement et même génération. Mais cette manière de parler semble défectueuse et le plaisir ne saurait être mouvement. L'opinion générale reconnaît, comme propriétés de tout mouvement, la rapidité et la lenteur, sinon absolument, comme c'est le cas pour le mouvement de l'univers, du moins relativement. Mais le plaisir ne présente ni l'un ni l'autre caractère. Sans doute, on peut éprouver un accès rapide de joie ou de colère ; mais le fait d'éprouver du plaisir ne saurait avoir de rapidité, non plus qu'être relatif, au contraire de ce qu'on constate dans le fait de marcher, de grandir et autres de ce genre. Ainsi, on peut passer rapidement ou lentement à un état de plaisir, mais l'acte du plaisir, je veux dire le fait même de sentir le plaisir, ne comporte aucune rapidité. **5.** Et comment le plaisir pourrait-il être une génération ? Car n'importe quoi, semble-t-il, ne peut provenir de n'importe quoi et tout être, en se dissolvant, présente les éléments dont il est formé. La douleur est la corruption de ce dont le plaisir a été la génération. **6.** On dit encore que la douleur est la privation de ce que réclame la nature et que le plaisir en est la pleine satisfaction. Mais cela ne peut s'appliquer qu'aux affections du corps. Si donc le plaisir est la satisfaction de ce qui est conforme à la nature, il faudra que l'objet où se produit cette satisfaction éprouve, lui aussi, du plaisir ; il s'agirait donc du corps. Mais l'opinion générale ne souscrit pas à pareille affirmation. Le plaisir n'est donc pas une satisfaction de ce genre. Mais, cette satisfaction étant donnée, ne pourrait-on éprouver du plaisir, comme on peut éprouver de la douleur en se coupant[336] ? Cette opinion semble avoir été inspirée par les douleurs et les plaisirs qui concernent la nutrition. Quand nous avons subi des privations et des souffrances, la satisfaction donnée à nos besoins nous cause du plaisir. **7.** Toutefois, il n'en va pas de même pour tous nos plaisirs. Ceux qu'on éprouve en apprenant et, parmi les plaisirs des sens, ceux qui ont leur source dans l'odorat, ceux qui bien souvent intéressent l'ouïe et la vue, ceux qui concernent les souvenirs et les espérances, sont indemnes de toute douleur. De quel devenir seront-ils la source ? Ils n'ont été précédés d'aucune privation dont ils seraient, en quelque sorte, la satisfaction. **8.** Quant à ceux qui invoquent contre Eudoxe les plaisirs infâmes[337], on pourrait leur objecter que ceux-là ne sont pas véritablement agréables. Car ce n'est pas une raison, parce qu'ils plaisent à ceux qui sont affligés de mauvaises dispositions, pour penser qu'ils exercent sur d'autres le même attrait que sur eux ; de même ce qui est salutaire, ou doux, ou amer pour les malades ne l'est pas forcément en soi, non plus que n'est réellement blanc ce qui paraît tel aux gens atteints de maladies des yeux. **9.** On pourrait dire encore que, parmi les plaisirs, les uns sont désirables, mais qu'ils ne sauraient l'être quand ils proviennent de certaines causes. C'est le cas pour la richesse, mais à la condition qu'on ne l'acquière pas par trahison, et pour la santé, mais à la condition qu'on n'utilise pas n'importe quelle nourriture. **10.** On pourrait encore ajouter que les plaisirs diffèrent spécifiquement ; les uns, qui ont une noble cause, se distinguent de ceux qui proviennent d'une cause honteuse. Enfin, l'on ne peut goûter le plaisir de la justice, si l'on n'est pas juste soi-même, ni celui de la musique, si l'on n'est pas musicien, et ainsi de suite. **11.** La différence qui existe entre l'ami et le flatteur semble montrer clairement que le plaisir n'est pas un bien, ou tout au moins que les plaisirs diffèrent spécifiquement ; l'un dans ses relations a en vue, semble-t-il, le bien de son ami ; l'autre, son plaisir ; on blâme l'un, tandis qu'on fait l'éloge de l'autre, parce que les relations qu'il noue visent un but différent. **12.** De plus, nul ne souhaiterait vivre en conservant toute sa vie la mentalité d'un enfant, même en prenant tout le plaisir possible à ce qui charme les enfants[338] ; nul ne voudrait non plus tirer son plaisir de l'exécution d'actes infâmes, fût-ce à la condition de ne jamais devoir éprouver de peine. Par contre, nous pourrions déployer beaucoup d'empressement dans bien des circonstances, quand bien même nous n'en retirerions aucun plaisir, comme voir, nous souvenir, savoir, posséder les vertus. Que le plaisir accompagne ces opérations, peu importe ; si même le plaisir n'en dérivait pas, nous voudrions tout autant éprouver ces sensations. **13.** Il paraît donc clair que, d'une part, le plaisir ne se confond pas avec le bien et que tout plaisir n'est pas désirable ; quelques-uns sont souhaitables en eux-mêmes et ont une supériorité, soit spécifique, soit provenant des causes qui les produisent.

CHAPITRE IV

Nous en avons dit suffisamment sur le plaisir et la douleur. Quant à la nature et au caractère du plaisir, ils apparaîtront plus nettement, si nous reprenons la question dès son principe. L'acte de la vue, semble-t-il, est complet à chaque moment de sa durée, car il ne lui manque aucun élément qui, venant le compléter, parachèverait son caractère spécifique. Il en va de même pour le plaisir, semble-t-il ; il forme un tout et, à aucun moment de sa durée, on ne peut trouver un plaisir qui, par sa prolongation, perfectionnerait son caractère spécifique. **2.** Par conséquent, il n'est pas non plus mouvement. Car tout mouvement s'accomplit dans le temps, est commandé par une fin, par exemple la construction d'une maison[339], et il est achevé quand il a accompli ce vers quoi il tendait, c'est-à-dire quand on le considère à tous les moments de sa durée ou à l'instant où il s'achève. Au contraire, tous les mouvements partiels, considérés dans les différents moments de leur durée, sont incomplets, tous ces moments étant spécifiquement différents du mouvement achevé et les uns des autres. En effet, assembler les pierres est une opération différente de celle qui consiste à faire des cannelures aux colonnes, toutes deux étant distinctes de la construction même du temple. Celui-ci, une fois construit, forme un tout complet; rien ne manque désormais à ce qu'on s'était proposé de faire; mais on n'en peut dire autant s'il s'agit du soubassement et des triglyphes, opérations l'une et l'autre incomplètes, puisqu'elles ne sont que les parties d'un tout. Elles diffèrent donc spécifiquement et à aucun moment de sa durée on ne peut saisir un mouvement achevé dans sa forme spécifique[340]. Si on peut le faire, ce n'est que dans son développement total. **3.** Il en va de même de la marche et des autres mouvements. Car, si la translation est un mouvement d'un lieu à un autre, elle compte des différences spécifiques, par exemple le vol, la marche, le saut et d'autres analogues. Ce n'est pas tout; dans la marche même, on distingue des différences spécifiques. Le déplacement d'un endroit à un autre n'est pas le même si on parcourt le stade entier ou une partie du stade, telle partie ou bien telle autre partie; franchir une ligne n'est pas la même chose que franchir telle autre ligne, car il ne s'agit pas seulement du franchissement de la ligne, mais d'une ligne qui se trouve à un endroit déterminé et qui ne se confond pas avec telle autre. Nous avons traité dans d'autres livres, et avec détails, de la nature du mouvement et il semble bien résulter de nos considérations qu'aucun mouvement n'est complet à aucun moment de sa durée et que les nombreux mouvements partiels sont incomplets et spécifiquement différents, puisque c'est la translation d'un point à un autre qui leur donne leur caractère particulier. Mais le caractère spécifique du plaisir est d'être achevé à n'importe quel moment de sa durée. **4.** Il ressort donc évidemment que plaisir et mouvement diffèrent et que le plaisir appartient à l'ordre des choses complètes et achevées. Conclusion qui semble confirmée par le fait que le mouvement ne peut se produire que dans le temps, au contraire du plaisir ; car ce qui s'accomplit dans l'instant est un tout complet. Nos considérations prouvent qu'on a tort de voir dans le plaisir un mouvement ou un devenir. Ces qualifications ne peuvent s'appliquer à toutes choses, mais à celles-là seulement qui sont fragmentaires et ne forment pas un tout. Il est impossible également de parler d'un devenir pour l'acte de la vue, le point et la monade[341], qui n'admettent ni mouvement ni devenir ; par conséquent il en va de même du plaisir, qui est, par lui-même, un tout complet. **5.** Tout sens déploie son activité par rapport à l'objet sensible ; cet acte atteint sa perfection quand le sens est bien disposé relativement au plus beau des objets qui affectent sa sensibilité, car tel semble bien être l'acte parfait ; et peu importe qu'on rapporte cet acte au sens lui-même ou à l'être à l'intérieur duquel il s'exerce. Étant donné ces conditions, dans chaque ordre de faits, l'activité la meilleure qu'on déploie est celle du sens le mieux disposé eu égard au meilleur des objets susceptibles de l'affecter. Cette activité sera donc la meilleure et la plus agréable. Car à chaque sens correspond un plaisir particulier et l'on peut en dire autant par rapport à la pensée et à la contemplation[342] ; le plaisir le plus parfait est aussi le plus agréable et le plus parfait est celui du sens qui se trouve bien disposé par rapport au plus excellent des objets susceptibles de l'affecter. **6.** Ainsi le plaisir vient parachever l'activité qui se déploie ; sans doute cet achèvement de l'activité par le plaisir n'est-il pas identique à celui que confèrent l'objet sensible et la faculté de sentir quand tous deux se trouvent dans les conditions convenables ; de même le bon état du corps et le médecin ne contribuent pas de la même façon à la santé. **7.** Il est donc évident qu'il y a un plaisir correspondant à chacun de nos sens. Ne disons-nous pas, en effet, que les sensations de la vue et de l'ouïe sont agréables ? Manifestement, elles le seront d'autant plus que la faculté de sentir sera plus développée et s'exercera sur un objet plus parfait. Si ces conditions sont réalisées dans l'objet sensible et dans le sujet sentant, le plaisir ne pourra manquer de naître, puisqu'il se trouvera un objet propre à le produire et un sujet capable de l'éprouver. **8.** Le plaisir parachève l'activité qui se déploie, non pas à la manière d'une disposition ou d'une qualité inhérente, mais à la manière d'un ornement qui s'ajouterait de surcroît, comme la beauté pour ceux qui sont dans la fleur de la jeunesse. Donc, quand les conditions nécessaires seront réalisées, tant dans l'objet pensable ou sensible que dans le sujet qui discerne et contemple, on éprouvera du plaisir dans le déploiement de l'activité, puisque le même résultat apparaît naturellement, quand patient et agent se trouvent dans les mêmes conditions et entretiennent entre eux les mêmes rapports. **9.** Comment donc se fait-il que nul n'éprouve du plaisir continuellement? Est-ce la fatigue qui s'y oppose? Car rien de ce qui est humain n'est capable de déployer une activité sans interruption. Le plaisir lui non plus ne peut donc être continuel, puisqu'il accompagne l'activité. Or certains objets nous font plaisir dans leur nouveauté; mais à la longue et pour la même raison, ils nous plaisent moins; tout d'abord la réflexion se trouve excitée et déploie à leur sujet une activité soutenue, comme font, pour ce qui intéresse la vue, ceux qui regardent avec attention; par la suite cette activité diminue et se relâche; il en résulte que le plaisir lui aussi s'émousse. **10.** On pourrait aussi penser que, si tous les hommes tendent vers le plaisir, c'est que tous désirent vivre. Or la vie est, en quelque sorte, une activité qui se déploie et chacun consacre ses forces vives aux sujets pour lesquels il éprouve une préférence marquée et en employant les facultés qu'il aime exercer. Exemples : le musicien utilise le sens de l'ouïe pour les mélodies qu'il aime; l'homme qui aime le savoir consacre sa réflexion aux spéculations de la science, et ainsi de suite, dans les différents domaines. Or, nous avons dit que le plaisir parachève les différentes formes d'activité; il parachève donc la vie à quoi tendent les hommes. Aussi est-ce avec raison qu'ils recherchent également le plaisir qui donne son couronnement à la vie de chacun, chose désirable. **11.** Pour la question de savoir si c'est le plaisir qui nous fait désirer de vivre, ou la vie qui nous fait désirer le plaisir, laissons-la de côté pour l'instant. Du reste, ces deux tendances paraissent intimement liées et impossibles à dissocier ; sans activité pas de plaisir et toute activité trouve son achèvement dans le plaisir.

CHAPITRE V

De là résulte que les plaisirs, semble-t-il, présentent entre eux des différences spécifiques. Ne croyons-nous pas, en effet, que des plaisirs spécifiquement différents trouvent leur achèvement dans d'autres d'espèce différente ? Il apparaît manifestement qu'il en va de même en ce qui concerne les produits de la nature ainsi que ceux de l'art[343], comme les êtres vivants, les arbres, d'une part ; un tableau , une statue, une maison, une pièce de mobilier, d'autre part. De même il semble que des activités spécifiquement différentes ne peuvent recevoir leur achèvement que par d'autres également différentes. **2.** Or l'activité de la pensée diffère de celle des sens et leurs diverses formes sont différentes les unes des autres ; de même les plaisirs qui les parachèvent sont d'espèce différente. Cette constatation peut être confirmée par le fait que chaque plaisir est étroitement uni à l'activité qu'il parachève. Le plaisir propre à chaque genre d'activité accroît cette dernière. Aussi a-t-on des chances de juger avec plus de discernement et de précision, quand l'activité se déploie accompagnée de plaisir ; c'est ainsi que ceux qui ont plaisir à pratiquer la géométrie deviennent meilleurs géomètres et qu'ils saisissent mieux les différentes parties de cette science ; il en va de même pour ceux qui aiment la musique, l'architecture et les autres arts ; ils font des progrès dans l'occupation qui leur est propre, quand ils y trouvent du plaisir. Les plaisirs donc accroissent l'activité, et ce qui accroît une chose, c'est ce qui est propre. A des activités spécifiquement différentes correspondent des plaisirs propres et différant spécifiquement. **3.** La démonstration peut paraître plus probante encore du fait que des plaisirs ayant une origine différente peuvent gêner certaines formes d'activité : ceux qui aiment à entendre jouer de la flûte sont dans l'impossibilité d'appliquer leur attention à des discours, s'ils entendent quelqu'un jouer de la flûte ; ils prennent plus de plaisir à écouter cette musique qu'à l'autre forme d'activité qui les sollicite pour l'instant. Ainsi le plaisir d'écouter jouer de la flûte détruit pour eux celui que leur procurerait le discours. **4.** Le même fait se produit dans les autres circonstances où l'activité est attirée par deux objets différents. L'activité la plus agréable détourne notre attention de l'autre, et cela d'autant plus fortement que le plaisir causé par la première est plus vif, de sorte que, par rapport à la seconde, nous sommes dans un état de complète passivité. Aussi, quand une chose nous cause un vif plaisir, nous sommes presque incapables de nous occuper d'une autre ; mais, quand une occupation ne nous intéresse que faiblement, il nous est loisible d'en faire une autre ; c'est le cas des gens qui mangent des friandises au théâtre et qui, pour le faire, profitent surtout du moment où les acteurs sont mauvais sur la scène[344]. **5.** Du moment que le plaisir propre à chaque activité aiguise cette activité, la rend plus durable et meilleure ; du moment aussi que les plaisirs qui lui sont étrangers altèrent cette activité, on voit à l'évidence que les plaisirs sont bien différents les uns des autres. Les plaisirs étrangers à une activité ont sur elle à peu près le même effet que les douleurs qui lui sont propres ; ces dernières détruisent en quelque sorte l'activité. Prenons un exemple : un tel n'éprouve aucun plaisir et ressent même de la répulsion à écrire, un autre à calculer ; le premier renonce donc à écrire, l'autre à calculer, puisque ce genre d'activité leur est pénible. Ainsi, pour les différentes activités, les plaisirs et les peines qui leur sont propres ont des effets entièrement opposés ; or j'appelle « propres » les plaisirs et les peines qui viennent s'ajoutent à cette activité, en vertu de sa nature même ; quant aux plaisirs étrangers, ils ont un effet assez proche, comme nous l'avons dit, de celui de la peine : ils détruisent l'activité, avec la seule différence que ce n'est pas de la même manière. **6.** Comme nos activités diffèrent, étant moralement bonnes ou mauvaises ; que les unes sont à rechercher, les autres à fuir, les plaisirs eux aussi présentent le même caractère, car pour chaque genre d'activité, il existe un plaisir propre ; celui qui correspond à une activité honnête est satisfaisant ; celui qui correspond à une activité mauvaise est entaché de vice. En effet le désir qui a un objet honorable mérite l'éloge ; celui a un objet honteux encourt le blâme. Au reste, les plaisirs qui accompagnent nos activités leur sont plus intimement joints que nos tendances[345] ; celles-ci en sont séparées et par le temps et par leur nature, tandis que ceux-là leur sont si intimement associés qu'on a pu discuter la question de savoir si activité et plaisir ne se confondaient pas. **7.** A vrai dire, il ne semble pas que le plaisir soit pensée ou sensation, affirmation qui serait étrange ; ce qui les fait paraître identiques, c'est l'impossibilité de les distinguer. Nous conclurons donc que, de même qu'il y a une différence entre les activités, il en existe une entre les plaisirs. La vue est supérieure au tact en pureté[346] ; l'ouïe et l'odorat diffèrent du goût ; de même les plaisirs correspondant à ces sens diffèrent entre eux, de même qu'ils se distinguent de ceux qui intéressent la pensée, et que, dans chaque catégorie, ils se distinguent les uns des autres. **8.** Ajoutons encore que chaque être vivant a, semble-t-il, son plaisir propre, comme il exécute ses actes propres, puisque le plaisir est en rapport avec l'activité. A examiner chaque être en particulier, la proposition paraît évidente. Le plaisir du cheval n'est pas celui du chien et de l'homme, ainsi que le dit Héraclite[347], quand il avance que « l'âne préfère la paille à l'or », car sa nourriture lui plaît plus que l'or. Ainsi les plaisirs d'êtres d'espèce différente diffèrent spécifiquement et il peut paraître logique de trouver en des êtres semblables des plaisirs identiques. Or ils ne diffèrent pas peu, tout au moins en ce qui concerne l'espèce humaine. **9.** Les mêmes objets causent aux uns du plaisir et aux autres de la peine, et ce qui aux yeux de certains paraît affligeant et odieux, paraît aux autres agréable et aimable. Il en va de même de ce qui donne au goût une impression de douceur : l'homme en proie à la fièvre et l'homme bien portant ne s'accordent pas sur la douceur au point de vue du goût des mêmes aliments ; de même le malade et l'homme bien portant ne ressentent pas de même manière la chaleur. La même divergence d'appréciation est visible également dans d'autres circonstances. **10.** Il semble donc que, dans tous ces cas, le réel est ce qui semble tel à l'homme bien normal. Si cette affirmation est juste, comme il semble, il en résulte que la mesure de toutes choses, c'est la vertu et l'homme vertueux, en tant que tel[348] ; les plaisirs véritables seront ceux qui paraissent tels à un homme de cette sorte, les choses agréables celles à quoi il prend plaisir. Qu'on n'aille donc pas s'étonner si ce qui paraît agréable à certains lui semble pénible : l'homme peut montrer bien des corruptions et bien des souillures. Certains plaisirs ne sont agréables que pour les gens corrompus et pour ceux qui leur ressemblent. **11.** Ainsi, à tous les plaisirs qu'on s'accorde à juger honteux, on doit refuser la qualité de plaisirs véritables, sauf aux yeux des gens corrompus. Mais, parmi ceux qui paraissent bons, de quelle sorte et de quelle nature sont ceux que nous reconnaîtrons comme appartenant essentiellement à l'homme ? Ne sont-ce pas ceux qui découlent des manifestations de son activité, puisque cette activité est suivie de plaisir ? Que l'activité de l'homme complet et bienheureux apparaisse sous une forme ou sous plusieurs, les plaisirs qui parachèveront cette activité pourront, à proprement parler, passer pour les plaisirs convenant à l'homme, les autres ne venant qu'au second rang et à une place accessoire, comme les activités qui les commandent.

CHAPITRE VI

Maintenant que nous avons donné les explications qui concernent les vertus, l'amitié et les plaisirs, il nous reste à parler d'une façon générale du bonheur[349], puisque nous en avons fait la fin des actions humaines. Si nous reprenons ce que nous avons dit plus haut, notre discussion y gagnera en brièveté. **2.** Nous avons dit que le bonheur n'était pas une disposition, car avec cette hypothèse, il pourrait appartenir même à un homme qui dormirait pendant tout le cours de sa vie, vivrait d'une existence végétative, et à celui-là aussi qui subirait les pires malheurs. Si pareille affirmation ne nous satisfait pas, il faut le placer plutôt dans le déploiement d'une activité, comme nous l'avons dit auparavant ; or, parmi les activités, les unes sont nécessaires et souhaitables pour une autre raison qu'elles-mêmes, d'autres sont souhaitables pour elles-mêmes. Il en résulte évidemment que le bonheur doit être placé parmi ce qui est souhaitable en soi, et non pour une autre raison, car il n'a besoin de rien pour être complet et il se suffit entièrement à lui-même. **3.** Or sont souhaitables pour elles-mêmes les activités qui ne réclament rien en dehors de leur exercice même. Les actions conformes à la vertu semblent bien répondre à cette condition, car agir honnêtement et vertueusement, n'est-ce pas faire ce qui est souhaitable en soi ? On peut même ranger dans cette catégorie ceux des jeux qui nous sont agréables. On s'y livre pour le plaisir du divertissement même et non pour une autre cause. La preuve en est qu'ils nuisent plus qu'ils ne sont utiles, quand ils nous font négliger le soin de notre corps et de notre fortune. La plupart des gens que nous jugeons heureux ont recours à des passe-temps de ce genre ; aussi ceux qui y montrent de l'ingéniosité[350] sont-ils bien en cour auprès des tyrans ; ils savent se rendre agréables en satisfaisant les désirs de ces derniers, qui ont besoin de pareils complaisants. Cette manière de passer le temps semble contribuer au bonheur du fait que ceux qui détiennent le pouvoir absolu lui consacrent leurs loisirs. **4.** Cependant la conduite de gens de cette sorte ne peut rien signifier, car ce n'est pas dans l'exercice du pouvoir que résident la vertu et l'intelligence[351], dont procèdent les activités vertueuses. On ne saurait non plus tirer argument du fait que ces gens-là, incapables de goûter un plaisir pur et digne d'une âme libre, ont recours aux voluptés du corps, pour accorder à ces dernières la préférence. Les enfants ne donnent-ils pas à ce qu'ils apprécient une valeur extraordinaire ? Aussi est-il logique, puisque les enfants et les hommes donnent du prix à des choses différentes, de juger que les méchants et les bons ne font pas autrement. **5.** Comme nous l'avons dit souvent, n'est vraiment appréciable et agréable que ce qui est tel pour l'homme vertueux. Pour chacun donc l'activité la plus souhaitable est celle qui est conforme à ses propres dispositions ; pour l'homme vertueux, ce sera donc celle qui est conforme à la vertu. **6.** Ainsi le bonheur ne peut consister dans le divertissement. Ne serait-il pas étrange qu'il fût la fin suprême de la vie, qu'on se chargeât d'affaires et qu'on prît de la peine, sa vie durant, uniquement en vue de s'amuser ? Tout le reste, pour ainsi dire, est recherché en vue d'une autre chose, tout sauf le bonheur qui est par lui-même une fin. Ajoutons que déployer tant d'empressement, assumer tant de peines uniquement pour s'amuser, serait se conduire sottement et d'une manière excessivement puérile. La saine raison veut, semble-t-il, qu'on ne s'amuse qu'afin de s'occuper ensuite d'affaires sérieuses, selon le mot d'Anacharsis[352]. Le divertissement ressemble à un repos et l'homme, ne pouvant travailler sans interruption, a besoin de repos. Celui-ci n'est donc pas une fin ; sa raison d'être est l'activité. D'autre part la vie heureuse, ainsi qu'il semble, est en conformité avec la vertu ; elle ne va pas sans sérieux, loin de résider dans le divertissement. **7.** Ajoutons encore que les choses sérieuses, à ce qu'on dit généralement, valent mieux que les choses plaisantes ou amusantes, et qu'aussi l'activité la plus sérieuse est toujours celle de la partie la meilleure dans l'homme et celle de l'homme le plus estimable. Or l'acte de l'être le plus digne d'estime est précisément le plus précieux et le plus propre à nous procurer le bonheur. **8.** Enfin tout un chacun, et un esclave aussi bien que le meilleur des hommes, peut jouir des plaisirs du corps. Mais nul ne songe à faire participer un esclave au bonheur, sauf si on le fait aussi participer à la vie[353]. Ce n'est pas dans de tels passe-temps, par conséquent, que consiste le bonheur, mais dans les différentes formes d'activité conformes à la vertu, comme on l'a dit précédemment.

CHAPITRE VII

S'il est vrai que le bonheur est l'activité conforme à la vertu, il est de toute évidence que c'est celle qui est conforme à la vertu la plus parfaite, c'est-à-dire celle de la patrie de l'homme la plus haute. Qu'il s'agisse de l'esprit ou de toute autre faculté, à quoi semblent appartenir de nature l'empire, le commandement, la notion de ce qui est bien et divin ; que cette faculté soit divine elle aussi ou ce qu'il y a en nous de plus divin[354], c'est l'activité de cette partie de nous-mêmes, activité conforme à sa vertu propre, qui constitue le bonheur parfait. Or nous avons dit qu'elle est contemplative[355]. **2.** Cette proposition s'accorde, semble-t-il, tant avec nos développements antérieurs qu'avec la vérité. Car cette activité est par elle-même la plus élevée ; de ce qui est en nous, l'esprit occupe la première place ; et, parmi ce qui relève de la connaissance, les questions qu'embrasse l'esprit sont les plus hautes. Ajoutons aussi que son action est la plus continue ; il nous est possible de nous livrer à la contemplation d'une façon plus suivie qu'à une forme de l'action pratique. **3.** Et, puisque nous croyons que le plaisir doit être associé au bonheur, la plus agréable de toutes les activités conformes à la vertu se trouve être, d'un commun accord, celle qui est conforme à la sagesse. Il semble donc que la sagesse, elle au moins, comporte des plaisirs merveilleux autant par leur pureté que par leur solidité et il est de toute évidence que la vie pour ceux qui savent se révèle plus agréable que pour ceux qui cherchent encore à savoir. **4.** D'ailleurs l'indépendance dont nous avons fait mention caractérise tout particulièrement la vie contemplative. Certes le sage, le juste, comme tous les autres hommes, ont besoin de ce qui est indispensable à la vie ; et même, si munis qu'ils soient d'une façon suffisante de ces biens extérieurs, il leur faut encore autre chose : le juste a besoin de gens à l'endroit de qui et avec qui il pourra manifester son sens de la justice ; il en va de même de l'homme tempérant et de l'homme courageux et de tous les autres représentants des vertus morales ; mais le sage, même abandonné à lui seul, peut encore se livrer à la contemplation et plus sa sagesse est grande, mieux il s'y consacre. Sans doute le ferait-il d'une façon supérieure encore, s'il associait d'autres personnes à sa contemplation ; quoi qu'il en soit, il est à un suprême degré l'homme qui ne relève que de lui-même[356]. **5.** En outre, cette existence est la seule qu'on puisse aimer pour elle-même : elle n'a pas d'autre résultat que la contemplation, tandis que par l'existence pratique, en dehors même de l'action, nous aboutissons toujours à un résultat plus ou moins important. **6.** Ajoutons encore que le bonheur parfait consiste également dans le loisir[357]. Nous ne nous privons de loisirs qu'en vue d'en obtenir et c'est pour vivre en paix que nous faisons la guerre. Pour les vertus pratiques, leur activité se déploie dans l'ordre de la politique et de la guerre. Les actes qui s'y rapportent nous privent, semble-t-il, de loisirs, ceux qui sont nécessités par la guerre tout particulièrement. Car nul ne fait ni ne prépare la guerre dans la seule intention de faire la guerre. On passerait, en effet, pour un criminel accompli, si l'on semait la haine entre les amis, afin de provoquer des combats et des massacres. D'autre part, la vie de l'homme politique se trouve elle aussi dépourvue de loisirs et, outre les soins de l'administration, il lui faut acquérir le pouvoir, les honneurs et pour lui du moins et pour ses concitoyens un bonheur différent du bonheur de l'ensemble de la société politique, et qu'évidemment nous recherchons tous comme tel. **7.** Si donc, parmi les actions conformes à la vertu, celles que nous consacrons à la politique et à la guerre tiennent une grande place par leur éclat et leur importance ; si, par contre, elles supposent l'absence de loisirs ; si elles poursuivent un but différent et ne sont pas recherchées pour elles-mêmes, l'activité de l'esprit en revanche semble l'emporter sur les précédentes, en raison de son caractère contemplatif. Bien plus, elle ne poursuit aucun but extérieur à elle-même ; elle comporte un plaisir qui lui est propre et qui est parfait, puisqu'il accroît encore son activité. Bien plus, la possibilité de se suffire à soi-même, le loisir, l'absence de fatigue, dans la mesure où elle est réalisable pour l'homme, bref tous les biens qui sont dévolus à l'homme au comble du bonheur semblent résulter de l'exercice de cette activité. Elle constituera réellement le bonheur parfait si elle se prolonge pendant toute la durée de sa vie. Car rien ne saurait être imparfait dans les conditions du bonheur. 8. Une telle existence, toutefois, pourrait être au-dessus de la condition humaine. L'homme ne vit plus alors en tant qu'homme, mais en tant qu'il possède quelque caractère divin ; et, autant ce caractère divin l'emporte sur ce qui est composé, autant cette activité excellera par rapport à celle qui résulte de toutes les autres vertus. Si donc l'esprit, par rapport à l'homme, est un attribut divin, une existence conforme à l'esprit, sera, par rapport à la vie humaine, véritablement divine. Il ne faut donc pas écouter les gens qui nous conseillent, sous prétexte que nous sommes des hommes, de ne songer qu'aux choses humaines et, sous prétexte que nous sommes mortels, de renoncer aux choses immortelles. Mais, dans la mesure du possible, nous devons nous rendre immortels et tout faire pour vivre conformément à la partie la plus excellente de nous-mêmes, car le principe divin, si faible qu'il soit par ses dimensions[358], l'emporte, et de beaucoup, sur toute autre chose par sa puissance et sa valeur. **9.** Bien plus, l'essentiel de nous-mêmes paraît bien s'identifier avec ce principe, puisque ce qui commande a un caractère d'excellence. Aussi serait-il absurde de régler notre choix, non sur notre propre vie, mais sur elle d'un autre. Enfin, ce que nous avons dit précédemment aura ici encore toute sa valeur : ce qui est propre à chacun, du fait de la nature, a aussi un caractère de supériorité et d'agrément parfait pour chaque individu. Ce qui est propre à l'homme, c'est donc la vie de l'esprit, puisque l'esprit constitue essentiellement l'homme. Une telle vie est également parfaitement heureuse.

CHAPITRE VIII

Il faut placer au second rang la vie conforme aux vertus morales[359], du moment que les activités qu'elle met en jeu sont purement humaines. En effet, les hommes pratiquent entre eux la justice, le courage, ainsi que les autres vertus, dans les transactions, les rapports, dans les actes de toute nature, dans les états passionnés quand nous prenons soin d'accorder à chacun ce qui lui convient; toutes ces opérations, de l'avis commun, constituent la vie humaine. **2.** Il semble aussi que la vertu morale procède parfois du corps et qu'en bien des circonstances elle coexiste avec les passions. **3.** En effet, la prudence lui est intimement unie, de même que la vertu morale est unie à la prudence, puisque les principes de la prudence sont conformes aux vertus morales et que ce qui est satisfaisant dans ces dernières procède de la prudence. Or cette liaison réciproque ainsi qu'avec les passions ne peut s'appliquer qu'à un être complexe et les vertus d'un être complexe sont purement humaines. Il en ira de même de la vie et du bonheur qu'elles commanderont. Au contraire, le bonheur qui résulte de l'activité de l'esprit existe à part. En voilà assez sur ce sujet; une discussion détaillée sortirait du cadre que nous nous sommes imposé. **4.** Il semble aussi que la vie contemplative a peu besoin de biens extérieurs, ou tout au moins, qu'elle en exige moins que la vie morale. Admettons toutefois que toutes deux réclament également le nécessaire, puisque, si l'homme politique se donne bien du mal pour ce qui intéresse le corps et les autres choses de cette nature, peu importe pour l'instant. Mais, en ce qui concerne l'activité, dans le cas de la vertu morale et de la vertu contemplative, la différence sera considérable. En effet, il faudra beaucoup d'argent au généreux pour pratiquer sa générosité, au juste pour rendre aux autres ce qu'il en a reçu, car, remarquons-le, les intentions, elles, sont obscures et même ceux qui ne sont pas justes feignent de vouloir pratiquer la justice ; à l'homme courageux, la puissance sera indispensable, s'il veut agir conformément à sa vertu propre ; à l'homme tempérant, une certaine abondance de biens. Sinon comment montreraient-ils que leur nature est telle ou telle ? **5.** On discute encore la question de savoir si la vertu consiste plus particulièrement dans le choix raisonné ou dans les actes, attendu que ces deux conditions la déterminent. Il est bien évident que, pour être complète, elle doit satisfaire à l'une comme à l'autre. Mais relativement aux actes elle a besoin de beaucoup de moyens ; plus les actes sont grands et beaux, plus ces moyens doivent être nombreux. **6.** L'homme qui s'adonne à la contemplation n'a besoin, lui, d'aucun de ces moyens pour déployer son activité. Bien plus, ils lui sont, pour ainsi dire, un obstacle, tout au moins par rapport à la contemplation. Dans la mesure cependant où l'homme participe à la condition humaine et où il partage son existence avec de nombreuses personnes, il lui faut en première ligne exécuter les actes conformes à la vertu morale, il aura besoin de ces moyens pour vivre selon sa condition d'homme. **7.** Que le bonheur parfait soit une activité contemplative, voici qui pourrait encore le prouver. N'avons-nous pas jugé, en effet, que les Dieux[360] étaient comblés de tout et particulièrement heureux ? Aussi quelles actions seront-nous dans l'obligation de leur accorder ? Celles qui sont conformes à la justice ? Mais n'apparaîtront-ils pas ridicules, si nous les représentons liés par des contrats, sujets à rendre des dépôts et à d'autres obligations analogues ? Ou bien sera-t-il question des actions qui s'inspirent du courage ? Et alors nous faudra-t-il les montrer subissant de terribles épreuves, exposés à mille risques, sous prétexte qu'une telle conduite est honorable ? Sera-t-il question des actes qui conviennent à un homme généreux ? A qui feront-ils des dons ? Il serait bien étrange de les montrer utilisant la monnaie ou quelque autre moyen d'échange. Parlerons-nous de leur tempérance ? Comment la manifesteraient-ils ? L'éloge ne serait-il pas grossier qui consisterait à leur refuser de vils désirs ? Faisons un dénombrement complet : tout ce qui concerne l'action paraîtra mesquin et indigne des Dieux. Néanmoins, tout le monde s'accorde à penser qu'ils vivent, que par conséquent ils se livrent à une certaine activité, bien loin qu'ils se trouvent plongés dans le sommeil, comme Endymion[361]. Si donc à un être vivant on retire le pouvoir d'agir et, plus encore, celui de créer, que reste-t-il en dehors de la contemplation ? Aussi l'activité de Dieu, qui l'emporte par sa félicité, ne peut-elle être que contemplative. Par conséquent, celle pour l'homme qui s'en rapproche le plus se trouve être aussi la plus heureuse. **8.** En voici encore une preuve : les autres êtres vivants ne participent pas au bonheur, puisqu'ils sont absolument incapables de pratiquer une activité de cette sorte. Si les Dieux en effet passent toute leur vie dans une félicité parfaite, l'existence de l'homme ne connaît ce bonheur que dans la mesure où elle présente quelque ressemblance avec une activité de ce genre. Ainsi, en dehors de l'homme, tous les autres êtres vivants se trouvent dans l'impossibilité de goûter le bonheur, du fait même qu'il leur est refusé de participer à la contemplation. Par conséquent, le bonheur n'a d'autres limites que celles de la contemplation. Plus notre faculté de contempler se développe, plus se développent nos possibilités de bonheur et cela, non par accident, mais en vertu même de la nature de la contemplation. Celle-ci est précieuse par elle-même, si bien que le bonheur, pourrait-on dire, est une espèce de contemplation.

9. On objectera encore qu'il faut à l'homme, du fait même qu'il est homme, une certaine prospérité extérieure, car la nature humaine n'est pas totalement indépendante en matière de contemplation ; il est indispensable qu'elle dispose d'un corps en bonne santé, d'une nourriture suffisante et des autres ressources nécessaires. Toutefois, n'allons pas nous imaginer que tant de conditions, et si importantes, soient indispensables pour être heureux, tout en reconnaissant que le bonheur est irréalisable sans les biens extérieurs. En effet, la capacité de se suffire à soi-même et la possibilité d'agir ne résident pas dans l'excès des biens. **10.** Il est fort possible d'agir en homme de bien sans commander à la terre et à la mer entières. Avec des ressources médiocres, on a toute possibilité d'agir conformément à la vertu. On le voit clairement du fait que de simples particuliers, tout autant que des souverains, semble-t-il, peuvent agir honnêtement et même avec plus de facilité ; il suffit qu'ils disposent des moyens que nous venons d'indiquer, car la vie de quiconque déploie son activité en respectant les règles de la vertu ne manquera pas d'être heureuse. **11.** Solon[362] lui-même avait certainement raison de déclarer heureux ceux qui, médiocrement dotés de biens extérieurs, n'en avaient pas moins accompli des actions qu'il jugeait honorables et qui avaient fait de la tempérance la règle de leur vie. Rien n'empêche, en effet, qu'avec de maigres ressources nous nous comportions comme il se doit. Anaxagore[363], lui aussi, paraît avoir fait la distinction nécessaire entre l'homme heureux et le riche ou le puissant, quand il disait qu'il ne serait pas étonné si, aux yeux de la foule, l'homme heureux passait pour un insensé ; celle-ci, en effet, ne juge que d'après les biens extérieurs, n'étant sensible qu'à eux. **12.** Ainsi les opinions des sages paraissent concorder avec nos raisonnements ; il est donc logique de leur accorder créance. Cependant, comme dans l'ordre de l'action, c'est d'après les actes et la vie, qui sont dans ce domaine l'essentiel, que l'on peut juger de la vérité, il nous faut regarder nos développements précédents eu égard aux actes et à la vie ; s'ils se trouvent d'accord avec eux on doit les accepter, dans le cas contraire les considérer comme de vaines paroles.

13. L'homme qui déploie son activité selon l'esprit et qui cultive cette faculté semble doué des meilleures dispositions et particulièrement aimé des Dieux. Si ceux-ci se préoccupent en quelque mesure des affaires des hommes, comme il semble, il est vraisemblable qu'ils se complaisent à ce qu'il y a dans l'homme de meilleur et ce qui présente avec eux le plus d'affinité ; or ce ne peut être que l'esprit. Vraisemblablement aussi les Dieux récompensent les hommes qui chérissent et honorent particulièrement cette faculté, attendu qu'ils voient en eux des gens préoccupés de l'objet de leur propre amour et d'une conduite, non seulement convenable, mais tout à leur honneur. Toutes les conditions requises se trouvent au plus haut point réunies dans la personne du sage. Il est donc particulièrement chéri des Dieux ; d'où il suit qu'il est aussi suprêmement heureux ; cela étant, c'est le sage qui doit être l'homme le plus heureux.

CHAPITRE IX

Si donc sur ces questions, comme sur celles des vertus, de l'amitié et du plaisir, nous en avons dit suffisamment dans nos esquisses, devons-nous penser que notre dessein touche à son terme ? Ou bien, comme on le dit, est-il exact que, dans l'ordre de la pratique, la fin véritable ne consiste pas dans la contemplation et la connaissance de chaque espèce d'actions, mais bien dans leur exécution ? **2.** Ainsi, en ce qui concerne la vertu, la science théorique ne suffit pas ; il faut aussi s'efforcer de posséder cette vertu et d'en tirer profit, ainsi que de tout autre moyen susceptible de nous rendre gens de bien. **3.** Sans doute, si les paroles suffisaient à nous rendre vertueux, nous leur devrions, en maintes circonstances, une grande reconnaissance, selon le mot de Théognis[364], et il nous faudrait en faire toute une provision. Mais, en fait, elles ne paraissent susceptibles d'exciter et d'encourager à la vertu que les jeunes gens doués de dispositions libérales et n'avoir d'effet que sur les caractères bien nés et amoureux du beau pour les attacher indissolublement à la vertu. En revanche elles sont impuissantes à déterminer la foule à s'adonner à la pratique d'une scrupuleuse honnêteté. **4.** La nature en effet porte celle-ci à obéir aux lois, moins par sentiment de l'honneur que par crainte, et si la multitude s'abstient de commettre des actes honteux, ce n'est pas par crainte du déshonneur, mais par peur des châtiments. N'est-il pas exact que les gens qui obéissent aux passions recherchent tous les plaisirs qui leur sont propres, ainsi que les moyens de se les procurer ? Par contre, ils cherchent à éviter les peines opposées à ces plaisirs ; enfin, ils n'ont pas non plus la moindre notion de ce qui est bien et véritablement agréable, incapables qu'ils sont de goûter des sentiments aussi élevés. **5.** Quels raisonnements pourraient améliorer des gens de cette sorte ? Il est impossible, très difficile tout au moins, à la raison d'extirper des défauts depuis longtemps imprimés dans le caractère. Aussi doit-on se déclarer heureux si, avec tous les moyens qui semblent de nature à nous rendre vertueux, nous pouvons participer en quelque mesure à la vertu. **6.** On pense généralement que l'honnêteté des uns provient de la nature, celle des autres de la coutume ou de l'instruction. Il est clair que ce don de la nature ne se trouve pas à notre disposition et qu'il n'est accordé qu'aux gens véritablement favorisés du sort par quelque cause divine. Je crains bien, par ailleurs, que les raisonnements et l'instruction n'aient pas sur tous le même effet et qu'il ne faille, en s'aidant de bonnes habitudes, travailler l'âme de l'auditeur pour lui faire concevoir des sentiments convenables de joie et d'aversion, de même qu'on retourne la terre qui doit nourrir les semailles.

7. L'homme qui vit selon ses passions ne peut guère écouter ni comprendre les raisonnements qui cherchent à l'en détourner. Comment serait-il possible de changer les dispositions d'un homme de cette sorte ? Somme toute, le sentiment ne cède pas, semble-t-il, à la raison, mais à la contrainte. **8.** Il faut donc disposer d'abord d'un caractère propre en quelque sorte à la vertu, aimant ce qui est beau, haïssant ce qui est honteux ; aussi est-il difficile de recevoir, dès la jeunesse, une saine éducation[365] incitant à la vertu, si l'on n'a pas été nourri sous de telles lois, car la foule, et principalement les jeunes gens, ne trouvent aucun agrément à vivre avec tempérance et fermeté. Aussi les lois[366] doivent-elles fixer les règles de l'éducation et les occupations, qui seront plus facilement supportées en devenant habituelles. **9.** A coup sûr, il ne suffit pas que, pendant leur jeunesse, on dispense aux citoyens une éducation et des soins convenables ; il faut aussi que, parvenus à l'âge d'homme, ils pratiquent ce qu'on leur a enseigné et en tirent de bonnes habitudes. Tant à ce point de vue que pour la vie entière en général, nous avons besoin de lois ; La foule en effet obéit à la nécessité plus qu'à la raison et aux châtiments plus qu'à l'honneur. **10.** Aussi, selon l'opinion de quelques-uns, les législateurs doivent-ils inciter et engager les citoyens à la pratique de la vertu, en faisant appel au sentiment de l'honneur ; ainsi ceux qui ont contracté déjà de bonnes habitudes ne manqueront pas de les écouter ; par contre ceux qui désobéissent et se montrent par nature rebelles à la vertu doivent être punis et châtiés. Quant à ceux qui se révèlent absolument incorrigibles, il faut les bannir. L'homme vertueux et dont la vie est commandée par l'honneur ne manquera pas d'obéir à ces exhortations ; mais le méchant, qui ne poursuit que son plaisir, sera traité et châtié comme une bête de somme. Pour la même raison, on ajoute que les peines infligées doivent être celles qui s'opposent le plus aux plaisirs tant aimés par le coupable. **11.** Si donc, comme nous l'avons dit, il faut nourrir et éduquer convenablement celui qui par la suite deviendra homme de bien ; si lui-même doit, au cours de sa vie, se livrer aux occupations convenables et ne commettre, ni involontairement ni volontairement, aucun acte malhonnête, ce résultat ne sera obtenu que s'il est contraint de se plier à certaines façons de penser et à de sages prescriptions ayant force de loi. **12.** L'autorité paternelle ne possède pas ce caractère de force et de nécessité ; ce n'est le propre d'aucun homme en général, à moins qu'il ne soit roi ou quelque chose d'approchant.

Par contre la loi n'est pas dépourvue de cette puissance coercitive, attendu qu'elle est l'expression, dans une certaine mesure, de la prudence et de l'intelligence. Ajoutons encore que, si l'homme déteste ceux qui contrarient ses impulsions, quelque justifiée que soit leur conduite, la loi en prescrivant ce qui convient ne saurait nous peser. **13.** Dans le seul État des Lacédémoniens, ou à peu près, le législateur semble s'être préoccupé de l'éducation et des occupations des citoyens ; dans la plupart des autres États, on néglige ces questions et chacun vit à sa guise et exerce son autorité sur sa femme et ses enfants à la manière des Cyclopes[367]. **14.** Il est donc excellent d'instituer une surveillance commune et raisonnable et surtout de lui donner de l'efficacité. Si l'État n'assume pas ce soin, on peut penser que la charge de faciliter à ses enfants et à ses amis la pratique de la vertu, d'avoir tout au moins la volonté déterminée de le faire, revient de droit à chaque citoyen. D'après ce que nous venons de dire, celui qui se trouvera le mieux en mesure de le faire sera l'homme possédant la science du législateur. Il est bien clair, en effet, que ces préoccupations communes sont réglées par les lois et que celles qui sont satisfaisantes procèdent de bonnes lois. Peu importe d'ailleurs que ces lois soient écrites ou non écrites[368], qu'elles portent sur l'éducation d'un individu ou de plusieurs. En va-t-il autrement pour la musique, la gymnastique et les autres disciplines ? Car si dans les États ce sont les prescriptions légales et les usages qui ont du poids, dans les familles ce sont les paroles et les mœurs du père, d'autant plus qu'interviennent ici les liens de parenté et les bienfaits, puisqu'avant toute autre chose la nature a inspiré aux enfants des sentiments d'amour et d'obéissance envers leurs pères. **15.** Il y a entre l'éducation particulière et l'éducation commune une autre différence, qu'on peut comprendre par l'exemple de la médecine. En général on soulage les gens atteints de la fièvre en leur prescrivant le repos et la diète ; toutefois ce traitement peut ne pas convenir à tel ou tel individu ; et certainement le maître de pugilat ne soumet pas tous ses élèves au même genre de combat[369]. L'éducation individuelle semble donc distinguer plus précisément ce qui convient dans chaque cas ; chacun y trouve davantage son profit propre. Toutefois un médecin, un maître de gymnastique et toute autre personne douée de connaissances générales traitera mieux les cas particuliers, parce qu'elle saura ce qu'il faut à tous et à chacun. On dit, en effet et c'est la vérité même, qu'il n'y a de science que du général[370]. **16.** Néanmoins rien n'empêche certainement qu'un homme, même dépourvu de science, traite comme il convient un cas individuel, à la condition d'avoir observé exactement et par expérience ce qui se produit dans chaque circonstance donnée ; c'est le cas, semble-t-il, de certaines personnes qui, excellents médecins pour elles-mêmes, sont radicalement incapables de soulager les autres. A coup sûr, celui qui voudra devenir à la fois un praticien et un contemplateur devra s'avancer tout autant dans la connaissance du général et s'en rendre maître autant qu'il se peut. N'avons-nous pas dit, en effet, que l'objet de la science était le général ? **17.** Peut-être aussi, quand on désire par l'éducation rendre les hommes meilleurs — qu'ils soient nombreux ou peu nombreux, il n'importe —, doit-on s'efforcer de se faire législateur, puisque c'est par le moyen des lois qu'ils peuvent arriver à se perfectionner. Il n'appartient pas, en effet, au premier venu d'inspirer de bons sentiments à un individu quel qu'il soit et pris au hasard. Si cette tâche revient à quelqu'un, ce ne peut être qu'à celui qui possède cette science, comme cela a lieu pour la médecine et les autres sciences qui mettent en œuvre, en quelque mesure, l'application et la prudence. **18.** Nous faut-il donc examiner maintenant où et comment on peut acquérir cette science du législateur[371] ? La trouvera-t-on, comme les autres, chez ceux qui se consacrent aux affaires publiques ? Il nous a bien semblé, en effet, qu'elle était une partie de la politique. Ou bien en va-t-il différemment de la politique et des autres sciences et facultés ? En ce qui concerne ces dernières, on pense généralement que les mêmes personnes sont capables de les enseigner et de les pratiquer, comme c'est le cas pour les médecins et les peintres. Mais, si les sophistes font profession d'enseigner ce qui a rapport à la politique, aucun d'eux ne la pratique. Ce sont donc ceux qui s'occupent des affaires publiques que l'on peut regarder comme se livrant à cette occupation en vertu d'une certaine faculté et moins par réflexion que par expérience. On ne les voit, en effet, ni écrire ni discuter sur ces questions, ce qui serait certes plus honorable que de prononcer des discours devant les tribunaux et devant le peuple. On ne voit pas non plus qu'ils aient rendu leurs propres fils ou quelques-uns de leurs amis aptes à la pratique de la politique. **19.** Bien entendu, ils l'auraient fait, s'ils l'avaient pu. Il leur eût été impossible de rendre de plus grands services à l'État et il n'est pas de pouvoir qu'ils eussent souhaité davantage pour eux-mêmes ou pour les plus chers de leurs amis. D'ailleurs l'expérience, sur ces questions, ne paraît pas être de mince importance ; sans quoi on ne deviendrait pas habile politique par la pratique des affaires ; aussi ceux qui désirent avoir des connaissances sur le gouvernement des États ont, en plus de la théorie, besoin d'expérience. **20.** Ceux-là donc qui, parmi les sophistes, s'engagent à enseigner la politique sont fort éloignés, semble-t-il, de tenir leurs promesses ; ils ignorent absolument en quoi elle consiste et à quoi elle s'applique ; autrement, ils ne l'auraient pas confondue avec la rhétorique[372], ou même ravalée à un rang inférieur. Ils ne s'imagineraient pas non plus qu'il est facile de devenir législateur, en rassemblant les lois qui ont obtenu l'approbation. Ne pensent-ils pas qu'on peut extraire les meilleures, comme s'il n'y avait pas dans ce choix à faire preuve d'une grande sagacité et comme si, en cette matière, un jugement droit n'était pas, comme en musique, l'essentiel ? En effet, les gens habiles en chaque art jugent exactement les productions, comprennent les moyens et la manière par lesquels on les amène à la perfection et enfin saisissent la concordance entre elles des différentes parties. Mais les gens sans expérience doivent se contenter de juger si l'œuvre est ou non d'une bonne exécution, comme il arrive en peinture. Or les lois ne sont pas sans entretenir des rapports avec les travaux de la politique. Comment donc un de ces sophistes pourrait-il être capable de légiférer ou de discerner les lois les meilleures ? **21.** Il ne semble pas non plus qu'on devienne médecin à la simple lecture des recueils d'ordonnances[373]. Et pourtant on cherche non seulement à y relater les différents traitements, mais encore à y indiquer les moyens de guérir et de traiter les cas particuliers, en distinguant les divers tempéraments. Ces renseignements sont, semble-t-il, fort utiles aux gens d'expérience, mais non pour ceux qui ne possèdent aucune science. De même les recueils de lois et de constitutions pourraient bien être d'une grande utilité pour ceux qui sont en état de méditer et de juger ce qui est bien et ce qui ne l'est pas, ce qui est applicable aux uns ou aux autres. Mais ceux qui n'ont pas de dispositions pour traiter ces questions ne peuvent juger comme il convient, à moins que ce ne soit par hasard. Toutefois il n'est pas impossible que leur compréhension sur ces sujets se développe quelque peu.

22. Puisque nos prédécesseurs ont négligé d'explorer le domaine de la législation, peut-être, vaudra-t-il mieux y porter notre attention et l'étendre à la science du gouvernement en général, afin de donner, autant que nous le pouvons, sa forme achevée à la philosophie humaine[374]. **23.** Tout d'abord, efforçons-nous de compléter tout ce qu'ont dit d'une manière satisfaisante, quoique fragmentaire, nos devanciers ; ensuite nous rassemblerons les différentes constitutions ; puis nous envisagerons les conditions favorables ou défavorables aux États en général et aux formes particulières de gouvernement, ainsi que les raisons qui font, ou non, la bonne administration des États. Ces considérations nous permettront de mieux discerner le meilleur gouvernement, les institutions, les lois et les mœurs qui lui assurent cette supériorité. C'est ce que nous allons dire en commençant.

NOTES

1. On ignore de qui est cette définition. Elle est essentielle dans la philosophie d'Aristote.

2. Voir l'objection de Kant, *Critique de la Raison pratique*.

3. Cette théorie, qui fait dépendre la morale de la politique, soulève de graves objections. L'attitude moderne est toute différente.

4. La plupart des moralistes, au contraire, parlent de la science morale.

5. Le bonheur, pour Aristote, se confond avec la vertu. Mais assigner le bonheur comme fin de la vie, n'est-ce pas donner à la morale une base étroite ?

6. Peut-être *République*, VI.

7. Ceux qui jugent les jeux.

8. Empirisme assez étonnant.

9. Hésiode, *Travaux et Jours*, v. 293 (VIIIe s. av. J.-C.).

10. Plus que la gloire.

11. Ouvrages d'Aristote, qui ne nous sont pas parvenus.

12. En réalité, l. X.

13. Pensée fort honorable, mais Aristote n'a pas toujours eu pour Platon et le platonisme les mêmes ménagements.

14. En somme, Aristote présente trois objections : 1° En bonne logique, et suivant Platon lui-même, il n'y a pas d'idée du bien en soi ; 2° le bien est réparti dans les diverses catégories ; 3° il y a des sciences diverses pour les différents biens.

15. Cf. *Métaphysique*, l. I.

16. Voir l. VII, 13, note 249.

17. De la métaphysique.

18. Ceci est éclairé par le paragraphe suivant.

19. Aristote substitue l'idée de bonheur à celle de bien, défendue par Platon.

20. Idée familière à Aristote ; elle domine toute son œuvre morale. Cf. *Politique*, I.

21. C'est surtout dans les *Derniers Analytiques* que cette question se trouve étudiée.

21 *bis*. Exemple typique de la modestie d'Aristote.

22. Le raisonnement n'est pas très probant : il a laissé entendre que le meilleur dans l'homme était l'activité vertueuse, non le bonheur.

23. Contradiction avec ce qui a été dit plus haut.

24. Allusion aux solutions platoniciennes (v. *Protagoras*).

25. Cf. l. I, 4.

26. Ce qui est logique, étant donné que le bonheur doit être obtenu à la suite d'un choix volontaire en accord avec la vertu.

27. Au cours d'une conversation avec Crésus, rapportée par Hérodote (*Clio*, ch. 30).

28. La pensée est vague à dessein.

29. Si le bonheur dépend de la conduite de l'homme ou n'est qu'un effet du hasard.

30. Sur ces théories, voir *Politique*, l. VI, ch. 9, § 2.

31. Expression de Simonide, que d'aucuns traduisent : carré par la base.

32. Aristote sait distinguer ces deux attitudes et ne tombe pas dans les exagérations où versera le stoïcisme.

33. Il y a une contradiction dans la pensée ; à tout le moins celle-ci n'est pas suffisamment explicite.

34. B.-Saint-Hilaire tire un peu rapidement la conclusion qu'Aristote a cru à l'immortalité de l'âme (v. l. III, 6). Il est vraisemblable qu'il suit sans le dire l'opinion commune. D'ailleurs son embarras est visible et il parle de manière dubitative.

35. Cf. *Éth. Nic.* l. X, ch. 8.

36. Eudoxe, géomètre de grande valeur et philosophe du IVe s., défend ici une théorie bien subtile.

37. Allusion possible aux sophistes et peut-être à Isocrate.

38. Aristote est conséquent avec lui-même.

39. Cf. *Politique*, II, 6, 7 et X, dernier chapitre.

40. Les ouvrages destinés à un auditoire étendu (cf. Préface).

41. Voir sur ces questions : *Traité de l'Ame*, livre II, chap. 2.

42. Dans les mathématiques, les démonstrations s'imposent nécessairement à l'intelligence.

43. Il y a quelque subtilité à rattacher les vertus morales à la partie de l'âme privée de raison, mais susceptible de lui obéir.

44. Ἔθος, coutume, usage, habitude ; ἦθος, manière d'être, mœurs.

45. Principe pythagoricien. Cf. l. VI, 1.

46. Cf. Platon, *Lois*, I, II. C'est chez Platon qu'Aristote a trouvé tous les germes de ses théories sur le bien, la vertu, la tempérance, le courage, l'amitié. Mais si les doctrines particulières sont au fond les mêmes, le caractère général de la morale aristotélicienne est tout autre.

47. Idée reprise plus tard par les stoïciens et les épicuriens.

48. Conception appliquée l. VIII et IX.

49. Il y a quelque exagération, consécutive au désir

d'Aristote de contredire Platon et de faire de la vertu, non une science, mais une habitude.

50. Cf. *Éth. Nic.*, livre II, 1.

51. Bien que les expressions vertu de l'œil et vertu du cheval soient un peu étonnantes, on voit ce que veut dire Aristote. Vertu signifie excellence, supériorité.

52. Dans le même livre, I, 4.

53. Athlète célèbre qui vécut au VIe s. av. J.-C.

54. Cf. *Éth. Nic.*, livre I, 3.

55. L'origine de cette citation est inconnue.

56. Précision importante, qu'il ne faut pas perdre de vue.

57. Le tableau n'est pas donné ici. Il se trouve dans la *Morale d'Eudème*, l. II.

58. Cf. *Éth. Nic.*, livre IV, 1 et suiv.

59. Peut-être, en raison de ce qu'Aristote dit plus loin de la pudeur, vaudrait-il mieux traduire : la modestie. Mais la modestie n'est pas une émotion.

60. Il faut se reporter aux *Catégories* (trad. Barthélemy-Saint-Hilaire), ch. 10, 11.

61. Aristote n'a pas tiré de cette remarque toutes les conséquences qui en découlent.

62. C'est Circé, non Calypso, qui dans Homère prononce ces paroles.

63. *Iliade*, III, 155 et suiv.

64. Aristote laisse à notre perspicacité le soin de donner la réponse.

65. A la différence des stoïciens, Aristote tient toujours compte de la faiblesse humaine.

66. Pièce d'Euripide qui ne nous est pas parvenue.

67. Ce serait la négation de la liberté.

68. Dans quelques-unes de ses pièces perdues, Eschyle aurait révélé certains détails sur les mystères d'Eleusis. L'Aréopage l'acquitta en raison du courage qu'il avait montré à Marathon.

69. Allusion à une pièce perdue d'Euripide, sujet traité par Voltaire.

70. Se reporter aux théories de Platon.

71. Ce choix, réfléchi, délibéré, ne porte que sur ce qui dépend de nous; le désir sur cela même qui est impossible.

72. B.-Saint-Hilaire, se référant à un passage de la *Grande Morale*, traduit : l'orthographe du mot.

73. L'étude de la gymnastique était poussée, chez les Grecs, à un point que nous ne soupçonnons pas.

74. Le mot *ami* restreint l'affirmation.

75. On se demande vainement dans quel passage exactement.

76. Idées que le stoïcisme a recueillies et expressions qui sont passées en proverbes.

77. Aristote prend ici le contrepied de Platon. Certains commentateurs lui reprochent, une fois qu'il a posé le principe de la liberté humaine, de n'en pas rechercher davantage la cause et le but (cf. B.-Saint-Hilaire, Préface, p. 137).

78. L'habitude est une des causes essentielles de la vertu.

79. Ces propositions, ou objections, reviennent à dire : « Si le vice est involontaire, la vertu l'est également. Et tout le système, celui de Platon, s'effondre. »

80. Voici l'ordre dans lequel Aristote étudie les différentes vertus : courage, tempérance, justice, amitié; vertus intellectuelles : contemplation. Cet ordre indique pour les uns que le courage est la moins haute des vertus; il ne peut se suffire à lui-même, il n'est rien sans la raison qui l'éclaire. Pour les autres il serait la plus haute, car pas de vertu sans courage.

81. Cf. Platon, *Gorgias* et aussi les stoïciens.

82. En dépit de la restriction, Aristote n'a pas cru à l'immortalité de l'individu (cf. *Éth. Nic.*, IX, 8 et III, 12). Il n'y a d'immortel en nous que ce qui n'est pas nous : l'exercice de la pensée pure (cf. Rodier, X, 118).

83. Cf. Platon, *Lachès* et *Lois*. *République*, IV.

84. Les Gaulois. Cf. *Mor. Eud.*, l. III, ch. 1.

85. Condamnation du suicide qu'on trouve également chez Platon. Les stoïciens, au contraire, l'excuseront et parfois le conseilleront.

86. *Iliade*, XXII, 100.

87. *Iliade*, VIII, 148.

88. Ce ne sont pas exactement les termes dont se sert Hector (XV, 348).

89. Cf. Platon, *Lachès*.

90. Près de Coronée. Les habitants se firent tuer jusqu'au dernier pour défendre leur ville, tandis que les troupes béotiennes s'enfuyaient.

91. Cf. *Éth. Nic.*, livre III, 6.

92. Cf. *Éth. Nic.*, livre II, 7.

93. De leur gourmandise ou de leur passion amoureuse.

94. L'assimilation des plaisirs du goût à ceux du toucher est peu exacte.

95. On voit la place que les soins corporels et les plaisirs qu'ils en tiraient tenaient dans la vie des Grecs.

96. Aristote, comme toujours, reste fidèle à la commune sagesse, mais en l'épurant.

97. Ce chapitre est consacré aux contraires des deux vertus étudiées ci-dessus, à savoir l'intempérance et la lâcheté.

98. Cf. *Éth. Nic.*, livre I, 11.

99. Ils sont non seulement prodigues, mais débauchés.

100. Cf. Sénèque, *De Beneficiis*.

101. Contradiction, au moins apparente, avec ce qui précède.

102. Cf. Platon. *République*, I.

103. B.-Saint-Hilaire traduit ici : « S'il en était

autrement, recevoir serait ici le contraire de donner et non une conséquence. »

104. Simonide de Céos, poète lyrique grec (VIe siècle), passait pour très avare.

105. Les vieillards, en effet, ont toujours peur de manquer du nécessaire.

106. La τριηραρχία consistait dans l'équipement d'une trière (400 triérarques au IVe s. av. J.-C.). A la tête d'une ambassade sacrée (θεωρία), envoyée à certaines fêtes des États étrangers pour y offrir des sacrifices et prendre part aux réjouissances, on mettait un citoyen riche et capable d'en supporter les frais.

107. Homère, *Odyssée*, XVII, 420.

108. D'où la nécessité pour le magnifique d'être homme de goût.

109. Le luxe qu'ils affichaient était proverbial.

110. L'honneur, pour Aristote, est le plus élevé des biens extérieurs.

111. Cf. *Éth. Nic.*, livre IV, 3.

112. *Iliade*, I, 503. Thétis ne rapporte pas en détail les services qu'elle a rendus à Zeus.

113. Dans ce cas, il n'exprime pas directement la vérité, mais la laisse entendre.

114. Cf. *Éth. Nic.*, livre II, 6.

115. La pensée est ici un peu trop concise.

116. Voir même chapitre.

117. La théorie du juste milieu a été souvent déformée par les commentateurs et les historiens de la philosophie. B.-Saint-Hilaire dit justement (Préface, p. 134) : « Aristote soutient que le caractère véritable de la vertu, c'est d'être un milieu dicté par la raison, tout en reconnaissant que, dans ses rapports avec la perfection et le bien, elle n'est plus un moyen terme qui puisse être dépassé, mais, au contraire, un sommet supérieur à tout le reste, que l'homme n'atteint que rarement. »

117 *bis*. Il faut entendre par le grec εἴρων, εἰρωνεία la réserve simulée, l'ignorance feinte, en vue de faire ressortir l'ignorance réelle de celui contre qui on discute, procédé employé par Socrate contre les sophistes.

118. Cf. *Éth. Nic.*, livre V.

119. On peut ajouter : que l'homme trop réservé.

120. C'est définir l'atticisme, bien visible dans les dialogues de Platon.

121. La comédie ancienne est représentée par Aristophane (ve siècle), fort libre en ses railleries (cf. *Nuées*).

122. La pudeur ne peut pas être considérée comme une habitude (ἕξις).

123. Cf. *Éth. Nic.*, livre VIII.

124. Alain, *Idées, Note sur Aristote :* « Aristote est le père des sociologues. Il y a une justice du roi, une justice de la mère, une justice de l'enfant. Et, encore plus près, il y a une justice de chacun, une tempérance de chacun, enfin une perfection de chacun, qui dépend de ses puissances propres et résulte de leur développement. »

125. En partant de l'expérience commune.

126. On ne peut guère se tromper, car ces objets sont différents.

127. Il ne suffit pas de se conformer aux lois pour être juste, Aristote le dira plus loin.

128. Aristote limite judicieusement le principe qu'il a avancé.

129. Cf. *Politique*, III, 4.

130. Probablement citation de quelque poète.

131. Paroles de Théognis de Mégare, poète gnomique du VIe siècle av. J.-C.

132. Un des sages de la Grèce ; ce mot est également attribué à Solon. Bias vivait en Ionie au VIe siècle av. J.-C.

133. L'injustice est doublement répréhensible,

puisqu'elle s'exerce aux dépens d'autrui ; les préoccupations politiques et sociales sont toujours au premier plan chez Aristote.

134. Cette définition est insuffisante.

135. Cf. *Éth. Nic.*, livre X, 10 et *Politique*, III, 2.

136. Elles se font à l'insu de la personne lésée.

137. Idée essentielle de la justice établie selon la proportion.

138. C'est ce qu'on appelle proportion *discrète*, par opposition à la proportion *continue*, caractérisée par le rappel d'un des termes.

139. Cette idée est également familière à Platon dans les *Lois*.

140. On ne considère plus la qualité et le mérite des personnes.

141.
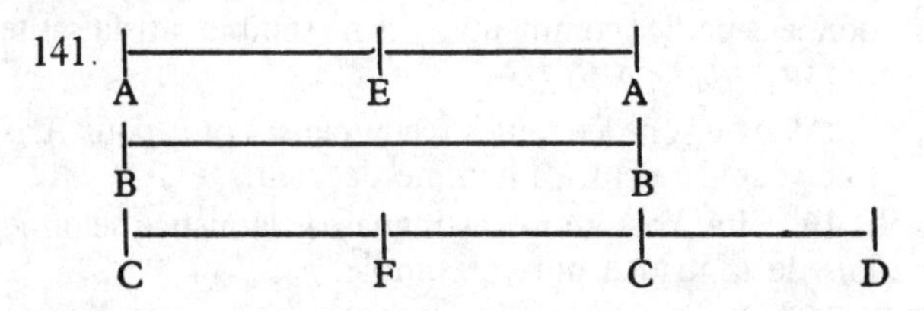

142. Cette phrase, qui se retrouve textuellement dans le chapitre suivant, est certainement une interpolation.

143. Exagération, les pythagoriciens ne s'étant pas contentés de définir d'une manière aussi simpliste la justice.

144. Tout ce passage repose sur un jeu de mots.

145. Dans un carré. Abus de la géométrie qui ici éclaire peu la question.

146. Même phrase qu'au chapitre IV.

147. Dans les autres vertus, les extrêmes sont contraires entre eux.

148. Principe platonicien, largement exposé dans le *Gorgias*.

149. La condition posée par Aristote exclut naturellement les esclaves.

150. Cf. *Éth. Nic.*, livre V, 1.

151. Exemples insignifiants, choisis à dessein.

152. Brasidas, général lacédémonien, mort dans la première partie de la guerre du Péloponnèse (422 av. J.-C.).

153. Le négociant a profit à acheter là où les mesures sont plus grandes pour revendre là où elles sont plus petites.

154. Cf. *Éth. Nic.*, livre III, 1.

155. Qui provoque la répression légale.

156. Allusion à la thèse platonicienne et en même temps critique de cette thèse.

157. Dans une tragédie perdue, *Bellérophon*. Nous gardons le texte de Susemihl ; aucune des variantes données par les commentateurs ne semble satisfaisante.

158. *Iliade*, VI, 236.

159. Ce sont les seules récompenses qui, pour Aristote, conviennent à l'homme de bien.

160. Ici Aristote ne distingue pas la justice selon les lois de la justice pure et simple.

161. Aristote veut dire que ces biens en soi — ou absolus — peuvent devenir des maux par l'usage qu'on en fait.

162. Ce chapitre est un des plus remarquables de l'*Éthique de Nicomaque*. Pour le bien apprécier, il faut se reporter à l'époque d'Aristote.

163. Pour les actes coupables seulement.

164. Aristote emploie le mot ἀτιμία, qui ne peut avoir son sens précis de perte partielle ou totale des droits civiques.

165. Cf. Platon, *Gorgias*, où Socrate démontre victorieusement à Pôlos, disciple de Gorgias, qu'il vaut mieux subir que commettre l'injustice.

166. Ou le savant dans la mesure où il étudie la science, domaine du général.

167. *Éth. Nic.*, livre II, 6.

168. Principe platonicien, trop vague d'ailleurs.

169. *Éth. Nic.*, livre II, 1.

170. Dans l'acte de la science, on voit les principes par intuition; dans le raisonnement, on cherche, on calcule.

171. *Traité de l'Ame*, I, III.

172. Cf. *Éth. Nic.*, livre III, 1-4, la théorie de la προαίρεσις, préférence éclairée et libre, qui est une détermination actuelle de la βούλησις (adaptation des moyens à la fin) et de l'ὄρεξις (appétit naturel) et de l'ἕξις (état habituel de l'esprit).

173. Agathôn, poète tragique athénien du Ve siècle qui figure dans le *Banquet* de Platon.

174. Le nombre des formes d'activité varie dans les différents ouvrages d'Aristote.

175. Cf. *Derniers Analytiques*, I, 1.

176. « Les principes doivent être plus évidents que la conclusion certaine qu'on en tire. » (Barthélemy-Saint-Hilaire.)

177. La distinction entre création (ce qui a un résultat extérieur) et action (celle-ci envisagée surtout d'un point de vue subjectif) est essentielle dans la philosophie aristotélicienne; elle n'est pas toujours très claire pour nous.

178. Voir Préface. Traités à l'usage du public.

179. B.-Saint-Hilaire traduit par « fortune ». Tel est un des sens du mot τύχη.

180. C'est presque un coq-à-l'âne.

181. En art, on peut être encore un grand artiste en se trompant volontairement et systématiquement.

182. Aristote emploie ici le mot νοῦς, difficile à traduire par un équivalent toujours identique en français. Sa signification varie selon les adjectifs qui l'accompagnent. Ex. : νοῦς παθητικός, ποιητικός; la première expression signifie l'intellect passif, la seconde

l'intellect actif, qui a l'intuition de ce qui n'était qu'en puissance dans le premier. Νοῦς θεωρητικός : raison théorique qui produit l'acte pur.

183. *Margitès*, poème attribué faussement à Homère.

184. Il est impossible de rendre ici σοφία par sagesse. Un peu plus loin le sens s'approche davantage du sens français de sagesse.

185. Les astres.

186. Anaxagore de Clazomène, cité à plusieurs reprises par Aristote (ve siècle). Pour lui le principe raisonnable (νοῦς) est ordonnateur du monde.

187. Thalès de Milet (624-547 av. J.-C.), un des premiers astronomes ioniens, auteur d'une cosmogonie dont l'influence a été prodigieuse.

188. Cf. livre X, 9.

189. Architectonique, dit Aristote; mot qu'il emploie volontiers (voir début du chapitre suivant et livre I, 1-2). Nous traduisons par : science organisatrice.

190. Cf. *Éth. Nic.*, livre X, 10.

191. La loi, νόμος, est une prescription générale, d'un caractère abstrait et permanent; le ψήφισμα, décret, s'applique à un cas particulier et n'a qu'un caractère temporaire.

192. Dans le *Philoctète*, pièce qui ne nous est pas parvenue.

193. Tous ces développements sont faiblement enchaînés.

194. Au-delà desquels on ne peut pas remonter; la prudence porte sur des cas particuliers.

195. Idée insuffisamment explicite.

196. Ces considérations, en dehors du sujet, manquent de précision, comme on l'a constaté.

197. L. I, 1.

198. Le mot employé par Aristote est σύνεσις.

199. Par opposition aux principes premiers, saisis par l'intelligence pure (v. plus haut, VI, 2, théorie de l'induction et du syllogisme).

200. Cf. *Derniers Analytiques*, II, 19.

201. Il nous faut traduire le mot νοῦς par des mots français différents.

202. Analyse insuffisante.

203. Aristote n'a pas encore parlé de l'habileté. On est un peu surpris de la voir figurer ici.

204. Barthélemy-Saint-Hilaire traduit l'expression d'Aristote ἀρετή κυρία par vertu acquise. Il s'agit de la vertu proprement dite, la vertu morale, qui est le résultat d'une προαίρεσις.

205. On ne peut déterminer où se trouve exprimée cette opinion de Socrate.

206. Probablement au temps de l'école péripatéticienne.

207. Anticipation des développements du livre X. Dans la pratique, la sagesse a moins d'applications que la prudence. Mais elle exerce les plus hautes facultés de l'esprit. Ces deux aspects de la philosophie aristotélicienne sont conciliables (v. Préface.)

208. *Iliade*, XXIV, 259.

209. Cf. Platon, *Ménon*.

210. C'est la méthode ordinaire d'Aristote, qui part de l'opinion commune pour la discuter (v. Préface).

211. Pour Socrate, nul ne fait le mal volontairement (v. Platon : *Protagoras*, *Ménon*, *Sophiste*, *Timée*).

212. Allusion probable à Xénocrate et à Speusippe. Speusippe (395-334), neveu de Platon, dirigea l'Académie de 347 à 339. Xénocrate (IVe siècle) dirigea l'Académie après Speusippe. Tous deux se rapprochèrent de la morale d'Aristote.

213. *Éth. Nic.*, livre VI, 2-4.

214. Raisonnement du menteur, attribué à Euclide de Mégare (*Cum vero mentior et me mentiri dico*, *mentior*

an verum dico). Explication plausible : l'intempérant s'embarrasse lui-même dans ses raisonnements captieux. Le passage est peu clair.

215. Objection importante faite à la doctrine platonicienne.

216. Par les actes ou l'intention.

217. Héraclite, dont la pensée est souvent fort obscure, attachait-il la même valeur à l'opinion qu'à la science ?

218. Cf. *Éth. Nic.*, VI, 10.

219. Les physiologistes.

220. Aristote justifie donc en partie la thèse platonicienne.

221. L'explication, donnée par les commentateurs, est que Homme était le nom d'un athlète, plusieurs fois vainqueur aux Jeux Olympiques.

222. Cf. *Éth. Nic.*, livre III, 11.

223. Niobé : les enfants de Niobé périrent sous les coups d'Apollon et d'Artémis. Leur mère, fière de ses douze enfants, avait outragé Latone, qui n'en avait que deux.

224. Personnage d'ailleurs inconnu.

225. Il s'agit d'une femme rendue folle par la mort de ses enfants.

226. Allusion au taureau d'airain dans lequel Phalaris, tyran d'Agrigente (565-549), faisait brûler ses victimes. Une tradition rapporte qu'il avait mangé ses propres enfants.

227. Vers attribué sans raison à Homère.

228. *Iliade*, XIV, 214.

229. Pensée peu explicite, comme en conviennent tous les traducteurs et commentateurs.

230. Cf. *Éth. Nic.*, livres VII, 4 et III, 11.

231. Tragédie de Théodecte, IVe siècle, orateur et poète tragique, disciple de Platon et d'Aristote. Philoc-

tête, piqué par un serpent, souffrait d'abord en silence, puis s'écriait : « Qu'on me coupe la main. »

232. Deux poètes tragiques du Ve et du IVe siècle portent le nom de Karkinos.

233. Xénophantos, personnage inconnu.

234. Personnage peu connu.

235. En somme, l'homme sans maîtrise sur lui-même pèche par faiblesse, l'intempérant par aveuglement.

236. *Philoc.*, V, 965 et suivants.

237. *Éth. Nic.*, livre I, 4.

238. *Éth. Nic.*, livre VI, 10.

239. Anaxandridès, poète comique contemporain d'Aristote.

240. Personnage peu connu, peut-être un sophiste.

241. La présence, à cet endroit, des idées d'Aristote sur le plaisir a provoqué de multiples commentaires (v. Festugière, ouvrage cité).

242. *Éth. Nic.*, livre II, 11.

243. On peut relever ici une preuve nouvelle du goût d'Aristote pour les étymologies, d'ailleurs arbitraires.

244. Opinion de l'école cynique d'Antisthène.

245. Les deux dernières opinions sont d'inspiration platonicienne.

246. Il y a là cinq arguments. C'est surtout au premier que s'attache le philosophe.

247. Théorie exposée par Platon dans le *Philèbe*.

248. Il y a de l'embarras dans cette réfutation des théories contre le plaisir.

249. Speusippe, neveu de Platon et son successeur à la tête de l'Académie. « Il paraît avoir amputé le paltonisme de sa métaphysique pour l'orienter vers les recherches techniques, où son application faisait merveille. » (Rivaud, *Pensée antique*.)

250. Aristote réfute par avance le stoïcisme.

251. Vers d'Hésiode, *Travaux et Jours*, 763.

252. On est souvent déconcerté par le fait qu'Aristote abandonne l'idée qu'il se proposait d'éclaircir.

253. Euripide, *Oreste*, 234.

254. Aristote reviendra au livre X sur la question du plaisir.

255. Sur l'amitié, cf. Cicéron : *De Amicitia*, Montaigne, *Essais*, I, 27. Voir aussi *Éthique Nic.*, II, 7, IV, 6. Le mot φιλία a un sens très large, comme sociabilité. A l'égard des objets inanimés, il y a, non pas φιλία, mais φίλησις. La φιλία suppose réciprocité d'affection. D'ailleurs tout sentiment affectueux d'un être humain pour un autre est φιλία. (Cf. Ollé-Laprune, l. VIII, Introduction, pp. 28-29.)

256. *Iliade*, X, 224.

257. Vers d'Hésiode devenu proverbe et faisant allusion à la jalousie même des misérables les uns à l'égard des autres.

258. Euripide, vers conservés par Athénée.

259. Héraclite d'Éphèse (VIe s. av. J.-C.), qui a appelé l'attention des hommes sur l'opposition permanente des contraires et sur l'harmonie capable de les unir momentanément.

260. Empédocle d'Agrigente, Ve siècle, disciple d'Héraclite et de Pythagore ; allusion à sa théorie de la perception, selon laquelle le semblable perçoit le semblable.

261. La bienveillance, εὔνοια, sera étudiée, au livre IX, 5. « Dans la bienveillance, il n'y a ni vivacité (διάτασις), ni élan (ὄρεξις) ou tendance. C'est une disposition bonne, mais froide et calme. » (Ollé-Laprune, ouvrage cité.)

262. Cf. Portrait de la jeunesse et de la vieillesse dans *Rhétorique*, l. II, 12-13.

263. Expression reprise par Cicéron, *De amicitia*, XIX.

264. Allusion à certaines perversions de l'amour dans l'Antiquité. (Cf. Platon, *Phèdre*.)

265. La disposition ἕξις (lat. philos. *habitus*), état de celui qui a, qui possède quelque chose et, par extension, ce qu'on possède, ce dont on est disposé à se servir effectivement.

266. ἐνέργεια, acte opposé à la puissance, ce qui est effectif, opposé à ce qui est virtuel.

267. L'origine de cette citation n'est pas connue.

268. Le mot français « camaraderie » rend imparfaitement le sens du mot grec ἑταιρική.

269. Ce chapitre peut être étudié au point de vue de la composition, qui souvent nous déconcerte chez Aristote ; le développement est libre et comporte des répétitions comme une causerie ou un entretien.

270. Une sorte d'égalité ne peut s'établir entre l'inférieur et le supérieur, parce qu'il n'y a pas de proportion entre le rang et le mérite de celui qui est le supérieur et la situation de l'inférieur.

271. Cf. *Éth. Nic.*, livre V, 3.

272. Ce qui est le plus conforme à l'idée de la véritable amitié, c'est que les deux amis aient autant, reçoivent également en affection et en bons offices (ἴσον τὸ κατὰ ποσόν). Il faut donc une égalité quantitative en amitié. L'égalité κατ' ἀξίαν, selon le mérite, ne vient qu'en second lieu. On peut le voir par le développement d'Aristote.

273. Aristote a fréquenté Philippe et Alexandre.

274. On voit ici la grande extension des mots φιλεῖν et φιλία.

275. Cette théorie des contraires, de peu d'importance dans la morale aristotélicienne, tient une grande place dans la *Logique* et la *Métaphysique*.

276. *Éth. Nic.*, livre VIII, 1.

277. Remarque attribuée aux pythagoriciens.

278. Cf. *Politique*. Principes qui sont également familiers à Platon. Toujours la primauté des considérations politiques et sociales chez Aristote.

279. Tribu et dème. Le dème est une subdivision

territoriale, en même temps qu'une association de citoyens ; il correspond à notre commune moderne. La tribu (φυλή) est un groupe artificiel de trois trittyes (arrondissements). Elle est à la fois une communauté, ayant son existence indépendante, et une fraction de l'État.

280. Le θίασος est une association, naturelle ou artificielle, de familles non nobles qui se sont groupées, à l'exemple des nobles, pour rendre un culte à une divinité, qui n'est jamais regardée comme l'ancêtre commun ; ἐρανίσται, ceux qui font partie d'un banquet où chacun paie son écot ; συνουσίαι, réunions, assemblées. Pour Aristote, d'esprit moins religieux que Platon, la religion n'est qu'un ensemble de cérémonies légales.

281. Il y a des divergences entre les divisions adoptées ici et celles qu'on trouve dans la *Politique*, III-VI. On en a conclu à l'antériorité de l'*Éthique de Nicomaque*, qui serait comme une première ébauche des idées approfondies plus tard.

282. Lorsqu'un défunt ne laisse qu'une fille, c'est le plus proche parent qui recueille la succession, mais avec l'obligation d'épouser la fille, d'où le nom d'épiclère donné à celle-ci. L'héritier véritable est le fils né de cette union.

283. Ἴσοι γὰρ οἱ πολῖται βούλονται καὶ ἐπιεικεῖς εἶναι. Les mots ἐπιεικής et ἐπιείκεια ont, chez Aristote, un sens restreint, celui d'équité et d'indulgence, et un sens large, celui de noblesse morale, de distinction, de vertu (ἐπιεικεῖς, les gens de bien).

284. Théorie qui depuis le christianisme nous étonne et nous choque. Aristote fait d'ailleurs plus bas une distinction et semble avoir été bon et humain avec ses esclaves.

285. Le christianisme, après le stoïcisme, a étendu ces idées sur la famille à l'humanité tout entière.

286. Ollé-Laprune prétend qu'Aristote s'exprime ici selon les idées populaires. B. Saint-Hilaire admire au contraire l'élévation de la pensée.

287. Il n'y a contradiction qu'en apparence avec la pensée, familière à Aristote, que la cité est la fin de l'homme et de la famille. A regarder les choses d'un autre point de vue, il faut partir de l'homme et de la famille pour aboutir à la cité.

288. *Éth. Nic.*, livre VIII, 2.

289. Il s'agit ici d'engagement plutôt que d'amitié véritable. Certaines conventions verbales supposent plus de confiance ; le lien qui unit les parties contractantes est moral (φιλία ἠθική) ; ce qui est appelé ici φιλία νομική, amitié légale, est une société comme nos sociétés financières.

290. La προαίρεσις, la libre volonté, la bonne volonté du bienfaiteur, sa pensée, son intention.

291. Une charge dont on assume tous les frais sans pouvoir demander de compensation.

292. Cf. théorie de la monnaie. *Éth. Nic.*, livre V, 5.

293. Du fait que l'auditeur avait bercé le chanteur de belles illusions. Trait attribué, avec peu de vraisemblance, à Alexandre.

294. Protagoras d'Abdère, ve siècle, fut un des premiers à prendre le titre de sophiste et à prétendre enseigner sagesse, éloquence, politique. C'est un relativiste empiriste. Pour lui, il n'y a pas de vérité absolue et l'homme est la mesure de toutes choses. Sur ses idées, voir le *Protagoras* et le *Théétète* de Platon.

295. Proverbe emprunté à Hésiode, *Travaux et Jours*.

296. Sophistes. A l'époque d'Aristote, ils avaient changé de caractère. Il s'agit de ceux qui étaient contemporains de Socrate et de Platon.

297. Cf. *Éth. Nic.*, livre VIII, 13.

298. Les questions posées par Aristote dans la première partie de ce chapitre sont subtiles et peu probantes. Le tact et la finesse morale doivent aider à trouver une solution.

299. On doit accorder plus de tendresse à une mère.

300. Excellent conseil, trop peu mis en pratique. Il est plus facile d'incriminer les autres que soi-même.

301. Cf. *Éth. Nic.*, livre VIII, 5.

302. Cf. *Éth. Nic.*, livre III, 5.

303. Pensée très juste, qui n'infirme pas ce qu'Aristote a dit ailleurs des malheurs susceptibles d'atteindre l'homme de bien.

304. Cette analyse des joies de la conscience, comme celle qui suit des peines morales accompagnant les mauvaises actions, fait de ce chapitre un des plus beaux de l'*Éthique de Nicomaque*.

305. Cf. *Éth. Nic.*, livre VIII, 2.

306. Pittakos, tyran de Mitylène, un des sept sages, VIIe-VIe s. av. J.-C. Cf. *Politique*, III, 9.

307. Allusion à la pièce d'Euripide, les *Phéniciennes*. Le sujet de cette tragédie est la lutte d'Étéocle et de Polynice.

308. Le mouvement du flux et du reflux est très sensible dans le détroit de l'Euripe, qui sépare la Béotie de l'île d'Eubée.

309. Aristote emploie le mot liturgie. Les liturgies étaient des prestations imposées aux citoyens dont la fortune atteignait au moins trois talents. Les liturgies périodiques sont : la χορηγία (formation d'un chœur lyrique ou dramatique) ; la γυμνασιαρχία (organisation des jeux publics) ; l'ἑστίασις (banquet offert aux membres de la tribu) ; l'ἀρχιθεωρία (organisation d'une ambassade).

310. Poète comique : cette remarque ne figure pas dans ce qui nous reste des œuvres d'Épicharme, pythagoricien, 540-450.

311. Toujours la théorie d'Aristote sur la puissance et l'acte. B.-Saint-Hilaire traduit « l'acte, l'actuel ».

312. *Éth. Nic.*, livre IX, 4.

313. On notera, une fois de plus, le goût d'Aristote pour les proverbes qui lui semblent exprimer la sagesse commune.

314. Principe platonicien, adopté par le stoïcisme.

315. Cf. les paroles d'Achille, *Iliade*, IX, 410 et suiv.

316. Euripide, *Oreste*, v. 667.

317. Cf. *Politique*, I, 1. Voir attitude contraire de Hobbes.

318. Au début du même chapitre.

319. *Éth. Nic.*, livre I, 6.

320. Théognis, *Sentences*.

321. Même chapitre et livre III, 5.

322. Cf. *Éth. Nic.*, livre X.

323. Hésiode, *Travaux et Jours*, v. 333.

324. Pensée souvent exprimée par Aristote *(Politique)*, en contradiction avec ce que la vie moderne nous présente.

325. Dans l'Antiquité : Thésée et Pirithoos, Achille et Patrocle, Oreste et Pylade, Nysus et Euryale. A l'époque moderne Montaigne et La Boétie.

326. Origine inconnue.

327. Vers de Théognis, déjà cité, IX, 9.

328. Pour les rapports entre *Éthique Nic.* VII, 11-14 et X, 1-5, voir Festugière, *Aristote, le Plaisir*.

329. Deux phrases ici ayant le même sens, nous en supprimons une.

330. Eudoxe de Cnide, IVe siècle av. J.-C., astronome et mathématicien, peut-être législateur de sa ville natale, disciple assez infidèle de Platon, fondateur de l'hédonisme.

331. Opinion de Speusippe (cf. l. VII, 14), qui, selon Diogène Laërce, avait écrit plusieurs traités.

332. Argument repris par Épicure, et d'une faiblesse évidente.

333. Cf. Platon, *Philèbe*.

334. Platon, *Philèbe*.

335. Pour Aristote, « la génération est une espèce dont le mouvement est le genre. Toute génération a pour condition un mouvement ». Rodier. Cf. *Physique*, III, 1.

336. Festugière traduit : « en subissant une opération chirurgicale ».

337. *Éth. Nic.*, livre VII, 13.

338. Cf. *Éthique d'Eudème*, I, 5, III, 1.

339. οἰκοδομική, action même de construire.

340. « Non seulement les diverses parties du mouvement et de la production sont imparfaites, mais elles diffèrent spécifiquement entre elles et du tout qu'elles forment. Les diverses parties de l'ἐνέργεια sont identiques au tout et entre elles. » (Rodier.)

341. Monade, ici l'unité. Pour les pythagoriciens, l'unité parfaite, principe des choses matérielles et spirituelles.

342. Aristote a démontré que l'acte commun d'un sensible et d'un sentant parfaits s'accompagne de plaisir dans le sentant. Le rapporte du patient et de l'agent étant le même dans l'intellection que dans la sensation, la conclusion est identique.

343. Passage obscur ; il s'agit vraisemblablement de ce qui vient parfaire la beauté de l'animal, de la plante.

344. Ceci s'explique aussi par la durée des spectacles chez les Grecs.

345. Les tendances précèdent l'acte dans le temps et en diffèrent par leur nature.

346. Pour Aristote, la vue est le plus élevé des sens : elle n'exige pas — de même que l'ouïe et l'odorat, d'ailleurs — un contact direct avec l'objet senti.

347. Un des passages où, vraisemblablement, Héraclite déclamait contre l'ignorance et la sottise.

348. Cf. *Éth. Nic.*, livres I, 2 et III, 5.

349. Bien qu'Aristote ait déjà traité le sujet, il lui arrivera d'apporter ici des notions nouvelles, par exemple sur la contemplation. Cf. infra.

350. Οἱ ἐν ταῖς τοιαύταις διαγωγαῖς εὐτράπελοι. Aristote emploie le mot εὐτράπελος (cf. II, 7). Les gens ainsi appelés sont, dit Ollé-Laprune, ceux qui se meuvent avec

aisance et en se jouant avec grâce, sans manquer aux bienséances et aux belles manières, gens de bon ton et de bonne compagnie. Employé ici avec une nuance de blâme.

351. Maxime qu'il faut éclairer par les relations d'Aristote avec Philippe et Alexandre.

352. Anacharsis, IVe siècle, philosophe de Scythie, compté néanmoins parmi les Sages de la Grèce.

353. On ne peut attribuer le bonheur à l'esclave, parce qu'on ne peut lui attribuer une vie humaine (βίος).

354. θεῖον : adjectif appliqué par Aristote à des choses bien différentes. Il exprime le plus haut degré de l'enthousiasme, est employé pour qualifier la substance du ciel, les corps célestes, l'intellect humain, la vie consacrée à la contemplation (*Éth. Nic.*, la vertu surhumaine qui consiste dans l'intellection pure (VII, 1), l'instinct des abeilles.

355. Cf. *Éth. Nic.*, 1, 4, mais avec moins de précision qu'ici.

356. αὐταρκέστατος. On sait l'usage qui a été fait dans le langage politique contemporain du mot autarcie.

357. Le loisir est, comme le bonheur, la fin ou le terme de toute action.

358. καὶ τῷ ὄγκῳ. L'expression, un peu matérielle, est prise dans un sens métaphorique.

359. Par opposition à la vie purement contemplative.

360. Il est difficile de préciser l'étendue de la notion de divinité chez Aristote. Il semble parfois avoir pressenti l'idée de la providence.

361. Endymion, berger aimé de Séléné ou Diane. Elle obtint de Zeus que celui-ci conservât sa beauté dans un sommeil éternel.

362. Solon (VIIe-VIe s.), législateur athénien, un des Sages de la Grèce.

363. Anaxagore de Clazomène (499-428 av. J.-C.), ami de Périclès. « Il a inspiré, dit Rivaud, toute la littérature alchimique et thaumaturgique de la fin de l'hellénisme. » On connaît le rôle que joue chez lui le νοῦς, qui sépare, en les organisant, les qualités confondues.

364. Cf. Théognis de Mégare, 570-485, poète grec gnomique, *Sentences*, v. 432.

365. Aristote, subordonnant la morale à la politique, est amené à accorder, comme Platon, une grande importance à l'éducation donnée par l'État. Disons aussi que Platon, après avoir tracé l'idéal du gouvernement dans la *République*, est revenu à une conception moins chimérique dans les *Lois*. Aristote, plus soumis à l'expérience, annonce plus bas l'analyse des constitutions. Son œuvre, dont il ne reste que la *Constitution d'Athènes*, miraculeusement sauvée, portait, dit-on, sur 158 constitutions.

366. Cf. *Politique*; sur les lois, livres II, III, IV, V.

367. Aristote désigne ainsi l'état patriarcal.

368. Deux interprétations sont possibles pour ces lois non écrites (ἄγραφοι νόμοι); l'expression peut désigner les usages ou les coutumes ou encore les lois de la famille, qui ne sont pas exactement codifiées.

369. Nous remplaçons περιτίθησιν (Susemihl) par παρατίθησιν.

370. En somme, la politique comprend la prudence législative (νομοθετικὴ φρόνησις), qui a la science pour principe, et la politique proprement dite, qui reconnaît les principes à appliquer dans les cas particuliers.

371. Cf. Platon, *Protagoras*.

372. Opinion attribuée par Platon à Gorgias *(Gorgias)*.

373. Il s'agit de recueils d'ordonnances ou de cas observés et non de livres où est exposée la science médicale.

374. Peut-être ce passage annonce-t-il les questions traitées dans la *Politique*. Certains commentateurs refusent de l'attribuer à Aristote, le style différant de celui du philosophe, et particulièrement l'expression φιλοσοφία περὶ τὰ ἀνθρώπινα, qui ne figure nulle part dans son œuvre.

TABLE DES MATIÈRES

LA PHILOSOPHIE DANS LA GF

ANSELME DE CANTORBERY
Proslogion (717)

ARISTOTE
De l'âme (711)
Éthique de Nicomaque (43)
Parties des animaux, livre I (784)
Les Politiques (784)

AUFKLÄRUNG. LES LUMIÈRES ALLEMANDES (793)

SAINT AUGUSTIN
Les Confessions (21)

AVERROÈS
Discours décisif (bilingue) (871)
L'Intelligence et la pensée (Sur le De Anima) (974)

BACON
La Nouvelle Atlantide (770)

BECCARIA
Des délits et des peines (633)

BERKELEY
Principes de la connaissance humaine (637)

BICHAT
Recherches physiologiques sur la vie et la mort (808)

LE BOUDDHA
Dhammapada (849)

COMTE
Leçons de sociologie (864)
Discours sur l'ensemble du positivisme (991)

CONDORCET
Cinq mémoires sur l'instruction publique (783)
Esquisse d'un tableau historique des progrès de l'esprit humain (484)

CONFUCIUS
Entretiens avec ses disciples (799)

CONSTANT
De l'esprit de conquête et de l'usurpation dans leurs rapports avec la civilisation européenne (456)

CUVIER
Recherches sur les ossements fossiles de quadrupèdes (631)

DARWIN
L'Origine des espèces (685)

DESCARTES
Correspondance avec Élisabeth et autres lettres (513)
Discours de la méthode (109)
Lettre-préface des Principes de la philosophie (975)
Méditations métaphysiques (328)
Les Passions de l'âme (865)

DIDEROT
Entretien entre d'Alembert et Diderot. Le Rêve de d'Alembert. Suite de l'entretien (53)
Supplément au voyage de Bougainville. Pensées philosophiques. Addition aux Pensées philosophiques. Lettre sur les aveugles. Additions à la Lettre sur les aveugles (252)

DIDEROT/D'ALEMBERT
Encyclopédie ou Dictionnaire raisonné des Sciences, des Arts et des Métiers (2 vol., 426 et 448)

DIOGÈNE LAËRCE
Vie, doctrines et sentences des philosophes illustres (2 vol., 56 et 77)

MAÎTRE ECKHART
Traités et sermons (703)

ÉPICTÈTE
Manuel (797)

ÉRASME
Éloge de la folie (36)

FICHTE
La Destination de l'homme (869)

GOETHE
Écrits sur l'art (893)

GRADUS PHILOSOPHIQUE (773)

HEGEL
Préface de la Phénoménologie de l'esprit (bilingue) (953)

HOBBES
Le Citoyen (385)

HUME
Enquête sur l'entendement humain (343)
Enquête sur les principes de la morale (654)
L'Entendement. Traité de la nature humaine, livre I (701)
Les Passions. Traité de la nature humaine, livre II (557)

Protagoras (761)
Protagoras. Euthydème. Gorgias. Ménexène. Ménon. Cratyle (146)
La République (90)
Sophiste (687)
Sophiste. Politique. Philèbe. Timée. Critias (203)
Théétête (493)
Théétête. Parménide (163)
Timée. Critias (618)

QUESNAY
Physiocratie (655)

RICARDO
Principes de l'économie politique et de l'impôt (663)

ROUSSEAU
Considérations sur le gouvernement de Pologne. L'Économie politique. Projet de constitution pour la Corse (574)
Du contrat social (94)
Discours sur l'origine et les fondements de l'inégalité parmi les hommes. Discours sur les sciences et les arts (243)
Émile ou de l'éducation (117)
Essai sur l'origine des langues et autres textes sur la musique (682)
Lettre à M. d'Alembert sur son article Genève (160)
Profession de foi du vicaire savoyard (883)

SAY
Cours d'économie politique (879)

SCHOPENHAUER
Sur la religion (794)

SÉNÈQUE
Lettres à Lucilius (1-29) (599)

SMITH
La Richesse des nations (2. vol., 598 et 626)

SPINOZA
Œuvres : I - Court traité. Traité de la réforme de l'entendement. Principes de la philosophie de Descartes. Pensées métaphysiques (34)
II - Traité théologico-politique (50)
III - Éthique (57)
IV - Traité politique. Lettres (108)

THOMAS D'AQUIN
Contre Averroès (bilingue) (713)

TOCQUEVILLE
De la démocratie en Amérique (2 vol., 353 et 354)
L'Ancien Régime et la Révolution (500)

TURGOT
Formation et distribution des richesses (983)

VICO
De l'antique sagesse de l'Italie (742)

VOLTAIRE
Dictionnaire philosophique (28)
Lettres philosophiques (15)
Traité sur la tolérance (552)

GF-CORPUS

L'Âme (3001)
Le Désir (3015)
L'État (3003)
L'Histoire (3021)
Le Langage (3027)
Le Libéralisme (3016)
La Nature (3009)
Le Nihilisme (3011)
La Paix (3026)
Le Pouvoir (3002)
Le Scepticisme (3014)
La Sensation (3005)

GF Flammarion

98/10/67399-XI-1998 – Impr. MAURY Eurolivres, 45300 Manchecourt.
N° d'édition FG004314. – 1er trimestre 1965. – Printed in France.